Y0-CBP-548

Татьяна Устинова — первая среди лучших!
Читайте детективные романы:

Мой личный враг
Большое зло и мелкие пакости
Хроника гнусных времен
Одна тень на двоих
Подруга особого назначения
Развод и девичья фамилия
Персональный ангел
Пороки и их поклонники
Миф об идеальном мужчине
Мой генерал
Первое правило королевы
Седьмое небо
Запасной инстинкт
Богиня прайм-тайма
Олигарх с Большой Медведицы
Близкие люди
Закон обратного волшебства
Дом-фантом в приданое
Саквояж со светлым будущим
Пять шагов по облакам
Гений пустого места
Отель последней надежды

РУССКИЙ БЕСТСЕЛЛЕР

Татьяна
УСТИНОВА

Гений пустого места

МОСКВА 2006

УДК 82-3
ББК 84(2Рос-Рус)6-4
У 80

Оформление *Д. Сазонова (ПсЛ),*
С. Курбатова, А. Старикова (РБ)

Устинова Т.В.
У 80 Гений пустого места: Роман / Татьяна Устинова. — М.: Эксмо, 2006. — 352 с.

ISBN 5-699-18803-7
ISBN 5-699-18804-5

В одну ночь Митя Хохлов лишился старого друга Кузи и... ста тысяч долларов. Вот такое совпадение. Или нет?.. Жили-были четыре друга, учились в одном вузе, поначалу работали в одном научно-исследовательском институте. Но потом двое из них стали бизнесменами. А Кузмин и Пилюгин остались в науке. Кузя был нелепый, вечно всем недовольный неудачник, когда-то подававший большие надежды. Правда, в последнее время он утверждал, что скоро разбогатеет, и даже сделал предложение руки и сердца их общей подруге Арине. И тут его убили... во дворе дома Пилюгина. Если он погиб из-за денег, откуда они взялись у простого ученого и кто мог знать о них? Только кто-то близкий... Мите Хохлову жизненно необходимо установить, кто убийца и кто вор...

УДК 82-3
ББК 84(2Рос-Рус)6-4

ISBN 5-699-18803-7 (РБ)
ISBN 5-699-18804-5 (ПсЛ)

Пусть сопутствуют вам всегда теплые слова в холодный вечер, полная луна в темную ночь и дорога с холма к порогу вашего дома!

Ирландский тост

...И еще она сказала, чтобы он отправлялся к своей мамочке или куда угодно, и Хохлов поехал к Лавровскому.

Не ехать же в самом деле к родителям!..

Метель мела, «дворники» не справлялись, Хохлов ехал медленно, время от времени тер рукой запотевшее стекло и растравлял свои раны.

Давно нужно было все это дело закончить!.. Сто раз говорил себе, что уже пора, но у него все никак мужества не хватало, и вот до чего дошло — они стали ссориться так, что она его выгоняет!

Какой ты мужик!.. Тряпка ты, и больше ничего, вот и езжай теперь к Лавровскому, а там еще неизвестно, как примут! Да и что значит — примут! Принять-то, конечно, примут, но не станешь же там жить целую неделю с чужими чадами и домочадцами, когда уже можно помириться с Галчонком и вернуться домой!

Давно нужно было все это дело закончить, ох, давно!.. По большому счету, лучше бы и не начинать!

Тут Хохлов засмеялся, перестал тереть стекло, прицелился, чтобы не угодить под «КамАЗ», и повернул налево, в переулки. Впрочем, в их городе все, что не центральная улица, бывшая Ленина, а теперь имени Жуковского, — это переулки.

До Москвы рукой подать, если до Кольцевой, то всего выходит километров двенадцать, а вокруг провинциальная глушь, и близость столицы ощущается только по красному мареву, которое колышется на горизонте в той стороне, где мегаполис ворочается и ревет в своем ложе, как будто там непрерывно горит невиданное северное сияние.

Повернув, Хохлов перестал видеть сияние. Теперь перед ним лежала тихая, спящая в сугробах улочка, с двух сторон обсаженная липами и застроенная хрущевскими пятиэтажками.

Где дом-то? То ли этот, то ли вон тот, рядом с помойкой! Вечно он путает и никак не может запомнить! Впрочем, это и немудрено, если все вокруг одинаковое — и липы, и дома, и помойки, а фонарь, сколько себя помнил Хохлов, всегда горел только один, на углу, возле школы. Он и по сей день там горит, освещает въезд во двор и несколько торчащих из снега прутиков акации. Эти прутики когда-то во втором классе они ломали, привязывали на них бумажные цветы и маршировали с ними на первомайскую демонстрацию. Тогда так было принято — на Седьмое ноября, день пролетарской революции, прикалывать к драповому пальтецу красный бант, а на Первое мая, день пролетарской солидарности трудящихся, навязывать на голые ветки бумажные цветы. Все считали, что это очень красиво, и Хохлов тоже так считал.

И вообще ему нравилось ходить на демонстрации, кричать «ура» и размахивать цветами.

Так дом-то какой, черт бы его взял?!.

Тут ему пришла в голову гениальная мысль, что хорошо бы позвонить, прежде чем ехать ночевать к старинному другу, обремененному супругой и потомством, а заодно и спросить номер дома, но Хохлов, продолжая и в машине полемизировать с Галчонком, както позабыл о таком простом решении.

Он приткнулся под фонарем, выудил из кармана нагретый мобильный телефон, ошибаясь, потыкал толстым от перчатки пальцем в кнопки, все равно не попал, сдернул перчатку зубами и нажал нужную кнопку.

— Алло!

— Диф, эфо я, Фофлов.

— Алло? — с недоумением переспросил Лавровский.

Хохлов выплюнул перчатку и сказал, что он поссорился с Галчонком, а теперь еще и Димкин дом потерял, и где он, этот самый дом, чтоб ему пусто было!

— Хохлов, это ты, что ли?!

— Нет, — мрачно сказал тот. — Ни фига не я.

— А... чего ты звонишь по ночам?!

— По каким еще ночам?! Время полдевятого только!

— Да ты что?! — поразился Лавровский. — А я думал, что уже... а-а-а... — И он вдруг откровенно зевнул в трубку.

— Говори быстро номер дома, — приказал Хохлов, — долго я еще тут буду стоять?

— Во... восемь, — с некоторой заминкой ответил Лавровский, но Хохлов был не настолько деликатен, чтобы заминки его смущали. — Квартира сорок пять. А где ты стоишь?

— Возле школы, — буркнул Хохлов. — Давай чайник ставь, я уже поворачиваю.

И он сунул телефон в карман, еще немного поскреб стекло, которое совсем запотело от его разговора и дыхания, и повернул во двор. Нет, нужно менять машину. Менять, менять, и никаких гвоздей! Завтра же поедет в салон и выберет себе... выберет... так, значит, завтра он поедет и выберет...

Приткнуться было некуда — снегом завалило весь двор, и машины стояли в один ряд, а какой-то удалец свою почти что на березу взгромоздил. Хохлов остановился и огляделся. И куда теперь?..

Завтра же он поедет в салон и выберет себе... трактор! А что? Милое дело на тракторе кататься! Раз уж национальная зимняя одежда у нас шапка с ушами и тулуп с валенками, значит, национальной зимней машиной у нас должен быть трактор!

Пришлось встать возле самой помойки. Завтра с утра сюда потянутся пенсионеры с ведрами и будут его ругательски ругать, потому что прямой доступ к такому замечательному месту практически перекрыт, а еще с рассветом на помойку слетятся голуби, божьи птички. Голуби изгадят всю машину, кляксы помета замерзнут и впечатаются в краску, и не отмыть их будет, не оттереть, и придется Хохлову с голубиными метками ездить!..

Впрочем, недолго, ибо завтра он купит трактор и будет ездить на нем.

Хохлов выбрался из машины как раз в ту сторону, где в рядок стояли ящики, и сразу же почувствовал непередаваемый запах, который не мог заглушить даже ядреный русский мороз.

Тут телефон у него зазвонил, и он подумал, что вдруг это Галчонок одумалась и можно теперь поехать домой переночевать, а к Лавровскому не переться!

Звонила мать.

— Митя?

— Вася, — представился матери Хохлов.

— Мить, ты где? Я домой звонила, а там никто трубку не берет!

Галчонок страдает и не отвечает на звонки, понял Хохлов.

— А я... к Димке поехал, мам. Нам поговорить нужно.

— К Лавровскому?

Хохлов промолчал. Он терпеть не мог, когда ему задавали такие вопросы. Все ему казалось, что таится в них ущемление его свободы и вообще поражение в правах. Ну какая разница, к какому именно Диме он поехал?! Матери до этого что за дело?! Ее сыночку сорок лет скоро, а она все спрашивает, все выясняет, все беспокойство проявляет! Зачем, зачем?.. Сидела бы перед телевизором, смотрела бы телеканал СТС, пила бы свой смородиновый чай да перекликалась с отцом, который в последнее время стал глуховат, — отличная жизнь!

— Мить, а когда ты вернешься?

— Куда... вернусь?! — Ему вдруг показалось, что мать знает о его ссоре с Галчонком, и он насторожился.

— Ну, домой-то когда поедешь?

— А что такое?

— Да не ездил бы ты по ночам, — с сердцем выговорила мать. — Сам знаешь, какая нынче обстановка.

— Какая обстановка, мама?!

— Криминогенная, — твердо сказала она. — А криминогенная обстановка очень опасная.

— Все будет хорошо, — уверил ее нежный сын. — И не приставай ко мне, мама!

Она вздохнула.

Когда она задавала дурацкие, с его точки зрения, вопросы, он раздражался до невозможности.

А когда она вздыхала, он чувствовал себя скотиной и раздражался еще больше.

— Мам, пока, — скороговоркой произнес Хохлов, — отцу передавай привет и скажи, чтобы он сам подфарники не ставил, я завтра пришлю кого-нибудь, и машину отвезут на сервис.

— Какой еще сервис, Митя! Это же очень дорого! Папа отлично сам поставит в гараже!

— Мама, я знаю, как он поставит! Сделает на соплях, а потом все равно придется в сервис ехать!

— Митенька, он машину водит уже пятьдесят лет, и, я думаю, он знает...

— Мам, короче, все. Завтра у него машину заберут и завтра же вернут, поняла?

— Поняла, — ответила мать тихо, — все поняла.

Хохлов перелез через сугробы на более или менее расчищенную дорожку и зашагал к подъезду.

Неужели в таком возрасте я буду на них похож?! Да быть того не может! Неужели я тоже не буду слушать разумных советов, все стану переиначивать по-своему, отказываться от того, чтобы мои дети решали за меня все проблемы, а я бы тихонечко сидел в углу и пил свой смородиновый чай? Неужели я тоже буду таким упрямым и перестану понимать жизнь, и меня придется все время тащить в светлое будущее, как мула на веревке, а я превращусь в ретрограда и старую перечницу?! Не может, не может такого быть!.. И чего им не хватает?! Всего им хватает! И ничего не нужно — сын обо всем заботится! И решать ничего не приходится — сын давно уже все порешал, и затруднений никаких у них быть не может, потому что он, Хохлов, давно уже ликвидировал все затруднения в их жизни!

Вот так примерно думал тридцативосьмилетний Дмитрий Хохлов, оскальзываясь на ледяной дорожке, которую экономный дворник лишь слегка поперчил песочком, и невдомек ему было, что все вопросы, которые он себе задает, давно уж заданы, и ответа на них нет и быть не может, и великий русский писатель Тургенев даже книжку на сей счет придумал и назвал ее «Отцы и дети»!

Хохлов уже потянул на себя скрипучую подъездную дверь, когда телефон у него снова зазвонил.

Не иначе отец с разъяснениями, что на сервис он никогда в жизни не поедет, а будет сам в гараже на морозе ковырять свою машину, и вообще, врагу не сдается наш гордый «Варяг»!..

Звонила Арина.

— Ты чего? — не поздоровавшись, спросил Хохлов и придержал дверь, чтобы она не стукнула его по лбу.

— Привет, Мить.

— Здорово.

На том конце тихонько вздохнули, но он услышал.

— Ну что?

— Да ничего особенного, — сказала Арина с досадой. — Кузя решил на мне жениться, представляешь?..

— Как?! — поразился Хохлов.

— Как, как! Обыкновенно! Как люди женятся?

— Кузя решил на тебе жениться?! — переспросил Хохлов, будто не веря себе, и захохотал.

— Мить, ты хочешь, чтобы я обиделась?

— Ничего ты не обидишься, — уверил ее он. — Ерунда какая!.. А Кузя что? Предложение сделал?

— Представь себе, сделал!

— Ну, он же говорил, что после Катьки-заразы ни на ком больше никогда не женится!

— Это он раньше так говорил, а теперь говорит, что... ну, короче, он просит меня выйти за него замуж.

— А ты что?

Она опять вздохнула:

— А я не знаю. Вот тебе звоню. Чтобы посоветоваться.

— Да чего советоваться, — грубо сказал Хохлов. — Ну если хочешь, выходи за него замуж, да и все. Подумаешь, бином Ньютона!..

— Да я сама не знаю, хочу я или нет!

— Ариш, — сменив грубый тон на проникновенный, произнес Хохлов. — Ну, мы же все знаем, что он сумасшедший. Ну хочешь замуж — выходи, но чтобы никаких иллюзий, поняла?!

— Каких иллюзий, Митя?

— А никаких! Выбрала психа, значит, будет у тебя муж-псих! Все равно ты его никогда не перевоспитаешь и нормальным не сделаешь! Превратишь свою квартиру в дурдом и будешь в нем жить со своим мужем-психом. Вот так. И никаких иллюзий.

Тут она вдруг заплакала, и Хохлов совершенно не понял, из-за чего. Ничего такого он ведь не сказал!..

— Все вы, мужики, сволочи и придурки, — всхлипывала она.

— Да это понятно, — подтвердил Хохлов, и она положила трубку.

Ничего. До завтра авось замуж еще не выйдет, а с утра он ей перезвонит, и они все обсудят.

Кузя сделал ей предложения, поди ж ты!.. Поднимаясь по лестнице, где третья ступень была отколота, а последняя торчала вверх, как неправильно выросший зуб первоклассника, Хохлов даже головой покрутил. Эк его разобрало, Кузю-то!.. Впрочем, удивляться нечему. Катька-зараза бросила его уже лет восемь назад, но жизнь идет, нужно как-то устраиваться, так почему бы и не жениться ему на Арине Родиной?! Никакая «новая» женщина за него уж наверняка не пойдет, а Аришка своя и замуж никогда не ходила, самая подходящая для него партия!..

Рассуждая таким образом, Хохлов довел себя прямо-таки до белого каления и, когда Лавровский открыл дверь, уже пребывал в состоянии быка, который роет копытом землю и готов боднуть первого, кто попадется ему на рога, хоть своего собрата-быка, хоть матадора, хоть забор.

Лавровский на пути был первым.

— А ты чего, спать, что ль, в полвосьмого ложишься?! Как в голландском городе бюргеров?!

— Мить, ты чего?

— И двор ни хрена не чищен! Или у жильцов денег не хватает дворника нанять?!

— Митя!

— Если не хватает, так я могу ссудить! Только на дворника и по карманам не тырить! Машину некуда поставить, твою мать...

— Дмитрий, — громко перебила его излияния жена Лавровского Света, появляясь в тесной прихожей. — Я прошу тебя не выражаться. У нас дети.

— Ах, пардон, пардон! — вскричал Хохлов. — Прощения просим! Недоглядел! Ошибся! Больше не повторится!

— Митька, — миролюбиво сказал Лавровский. — Ну чего ты ерепенишься? Поругался со своей, и ладно!.. Мы-то ни в чем не виноваты!

Виноваты были все — и Лавровские с их детьми, и родители с их машиной, и Арина с Кузей.

— Ты останешься ночевать? — спросила Света. Голос был недовольный, и это тоже понятно.

Кому охота суетится, организовывать «спальное место», до полшестого прислушиваться к кухонным разговорам и звону стаканов, до полседьмого старательно зажмуривать глаза, когда гость лезет через «большую комнату», где спят хозяева, в туалет! А утром встать помятой, невыспавшейся, разбитой, быстренько ликвидировать на тесной кухне последствия возлияний, быстренько собрать детей в школу, сушить одежду муженьку, который сидит на краю тахтюшки в трусах, таращит мутные глаза и невыносимо воняет перегаром! Да и неизвестно, на сколько гость прибыл, может, на три дня, а может, на неделю! По молодости бывало и так, что они по месяцам друг у друга ночевали, когда ссорились с женами и начинали «жизнь заново»!

— Светик! — провозгласил Хохлов. — Я все понимаю, но деваться тебе некуда. Твой муж работает на меня, и поэтому я тиран и самодур и с подчиненными веду себя как хочу. Сегодня я изволю у тебя ночевать, и ничего ты с этим поделать не можешь!

— Какой я тебе подчиненный! — себе под нос пробормотал Лавровский.

У него была «особенная гордость», и этой гордости трудно было смириться с тем, что Хохлов платит ему деньги. Вот трудно, и все тут!..

— Наш Кузя сделал Арине Родионовне предложение, — сказал Хохлов, нагнулся и стал искать тапки под обувной полкой. Вытащил серые от пыли и не стал надевать.

— Да ты что? — изумилась повеселевшая Света. — Ну... и отлично! Они хорошая пара, и, в конце концов, ей замуж давно пора!..

Тут Лавровский и Хохлов одновременно вскрикнули, но разное. Лавровский укоризненно вскрикнул:

— Света!

А Хохлов:

— Ну, не за Кузю же!..

Света же, напротив, ответила обоим сразу:

— А что — Света? И почему не за Кузю? Ну, если разобраться, он ведь совершенно нормальный мужик! Очень даже хороший! — И она отправилась на кухню.

— И если очень приглядеться, он отличный пацан, — блеснул Хохлов знаниями русской поп-культуры. — Жениха хотела, вот и залетела, лай-лай-ла-ла-лай!

Света моментально вернулась из кухни. Вид у нее был совершенно счастливый:

— Залетела?! Арина залетела от Кузи?!

— Это песня, — объяснил Хохлов. — Я пою, ты что, не слышишь? Лай-лай-ла-ла-лай!

— Не залетела? — переспросила разочарованная Света, по хохловскому лицу она поняла, что ее надежды не сбылись, и вернулась обратно на кухню.

— А откуда ты узнал? — шепотом спросил Лавровский. — Ну, что Кузя предложение сделал?

— От Родионовны, откуда же еще!..

Памятуя о няне великого поэта Пушкина, свою подругу Арину Родину они звали, разумеется, Ариной Родионовной. Звали так уже лет, ну, восемнадцать, и все это время сия шутка их смешила.

— Он мне тоже звонил, — сообщил Лавровский.

— Он — это кто? — уточнил Хохлов. — Тебе тоже «звонил» Арина? Наш «девочка» звонил тебе?

— Кузя звонил. С полчаса назад. Говорил загадками, наверное, из-за того, что жениться собрался.

Хохлов сел на диван. За тонкой дверкой из крашенной под мореный дуб фанеры раздавались голоса. Девочка верещала: «Отдай!», а мальчик монотонно повторял: «Не отдам, не ной!» На кухне Света гремела посудой, и слышимость была такая, как будто она накрывала стол прямо тут, на диване.

Вот интересно, можно накрывать *стол* на *диване*?!

Лавровский походил по комнате, зачем-то выглянул в окно, поправил занавеску, вернулся и примостился рядом с Хохловым.

— А откуда у него могут быть деньги, а? — спросил он, и беспокойство, самое настоящее, словно выпавший снег, вдруг покрыло все его лицо и даже длинный нос. — Или он гранты какие-то добыл?

— Кто добыл гранты? — спросил Хохлов и зевнул.

— Я имею в виду Кузю.

— Да какие у него гранты, Дим! Ты же знаешь! Чтобы гранты были, нужно на конференции ездить, в научных журналах печататься, умные речи произносить, с нужными людьми сходиться! А Кузя сидит всю жизнь на одной теме да все толкует про то, что кооператоры родину продали! А раньше толковал, что коммунисты ее продали! Ты чего? Забыл?

— Да я помню, — согласился Лавровский, — но тогда откуда у него деньги?!

— Какие деньги? Полтинник к зарплате прибавили?! Госдума приняла закон о поддержке молодых дарований вместе с поправкой, что отныне молодым дарованием считается каждый научный работник младше восьмидесяти пяти?!

— Ты не ори, — попросил Лавровский и показал головой на кухонную дверь, за которой орудовала Света. — Ты же знаешь, как она... болезненно относится...

Света Лавровская очень переживала из-за того, что

ее муж не выбился в олигархи или, на худой конец, в управляющие небольшой нефтяной или алмазодобывающей компании.

— А чего ты пристал, — покорно зашептал Хохлов. — Какие у Кузи деньги, откуда?

— Да я и сам не знаю, — признался Лавровский. — Он мне сегодня сорок минут мозги парил, что у него теперь будет много денег. Может, он на Аринины рассчитывает!

— Приваловские миллионы! — провозгласил Хохлов, позабыв о конспирации. — Миллионер женится на миллионерше, и состояния объединяются!

Света выглянула из кухни.

— Какие миллионы? Вы о чем?

Лавровский отвернулся.

— Я! — сказал Хохлов. — Я никак не могу сосчитать свои миллионы. Что-то много их стало, беда прямо!..

— Вот-вот, — согласилась Света и скорбно поджала губы. — Некоторые зарабатывают, а мой муж только на посылках бегает!..

— Светик!

— Да ладно тебе! Вон Хохлов как устроился, сам себе хозяин, и наниматель, и начальник. А ты!.. Ведь какие надежды подавал, какие надежды!

Хохлов уж был не рад, что затеял этот разговор, не рад, что помянул дурацкие «приваловские миллионы», не рад, что приехал и бросил на помойке машину, а еще ведь придется здесь ночевать.

Может, к матери поехать?.. Или к Родионовне?.. Небось примет, не выгонит же! В конце концов, он в кресле-кровати может спать, а она на диване или на раскладушке на кухне.

Пожалуй... пожалуй, это мысль.

За псевдодеревянной дверкой послышался звук плюхи, потом была некоторая пауза, а после нее трубный рев:

— Ма-ама! Ма-ама!

И еще голос, несколько встревоженный:

— А я сколько раз тебе говорил — не лезь! Сколько раз я говорил?! А ты все лезешь и лезешь!

Растрепанная девочка в фиолетовой юбочке и спущенных колготках вылетела из «детской», как шикарно называлась в этой семье боковая комнатушка, и пролетела мимо Хохлова с Лавровским.

— Ма-ама! Владик дерется! Он меня ударил!

— А я сколько раз тебе говорил, чтобы ты к нему не лезла!

— А я и не лезла!

— За что же тогда он тебя ударил?

— Я поиграть хочу, а он мне не дае-е-ет!..

— Владик! — закричала из кухни Света. — Владик, пойди сюда немедленно!

— Ну чего, чего надо? Сказал, не дам, значит, не дам! И вообще, это мой компьютер!

— Владик, вы должны играть вместе!

— А зачем тогда мне компьютер купили?! Зачем, а? Чтобы она играла?! Это мой комп, и я на нем играю, когда хочу, а ей не дам!

— Я его выброшу, этот ваш комп! — загремел Лавровский и поднялся с дивана. Хохлов потер лицо. — Это что за война на ночь глядя?! Всем немедленно спать!

— Да что я, малолетка, что ли, чтобы спать в девять?! Вот она пусть и ложится, а я не буду!

— Дети, вы должны играть вместе.

— Я не хочу с ни-им игра-ать! Он дерется-а-а!

— А что ты лезешь?! Что она лезет, пап?!

— Здравствуйте, дети! — громко сказал Хохлов, которому надоел концерт. — Я пришел к вам в гости.

Девочка моментально повернулась к ним спиной, а Владик буркнул:

— Здрасти.

— Клара! — строго сказала Света. — Немедленно поздоровайся с дядей Митей, как следует.

— Не хочу.

— Клара!

— Свет, отстань от нее, — попросил Хохлов. Ему было все равно, поздоровалась с ним Клара или нет.

...угораздило же Кузю свататься к Родионовне! На семнадцатом году знакомства! Впрочем, Родионовна еще молодая, младше их всех лет на пять, ну, может, на четыре. Вот теперь они поженятся, и будет еще одна счастливая пара, вроде Лавровских. Кузя станет тянуть лямку, а она его пилить за то, что плохо тянет или тянет не в ту сторону.

Впрочем, не будет Кузя ничего тянуть. Он привык жить так, как ему нравится, и Катька-зараза когда-то сказала, что развелась с ним не потому, что он *не может* быть хорошим отцом и мужем, а потому, что он *не хочет*, а это слишком обидно.

Если Кузя станет обижать Арину Родину, он, Хохлов, собственноручно набьет ему физиономию.

И что от этого изменится? Ничего не изменится, ровным счетом!.. И это тоже очень обидно.

— Чай готов! — провозгласила Света. — Митя, тебе черный или зеленый?

Хохлов хотел есть и, следовательно, не хотел ни черного, ни зеленого чаю, но делать было нечего, и он сказал, что хочет черного. На тесной кухоньке было не уместиться, да еще вместе с гостем, а накрыто было именно там, и некоторое время все «переезжали» в большую комнату, двигали стол, освобождали его от газет, телефонных счетов и случайных бумажек, под которыми вдруг обнаружился журнал «Женская прелесть». Хохлов, знавший по опыту, что чай дадут еще не скоро, углубился в «Прелесть» и вычитал там, что звезда экрана Елена Прошкина каждое утро купается в своем личном бассейне, гуляет босиком по своему личному саду, даже когда он засыпан снегом, ест только французскую говядину, которую специально для нее выращивают в Нормандии и присылают специальным самолетом почти парную, и запивает ее только итальянским вином, которое специально для звезды доставляют из Италии тоже специальным самолетом, чтобы вино не взбалтывалось и не выпадало в осадок.

— Ишь ты!.. — удивился Хохлов.

Ему казалось, что в здравом уме и твердой памяти никак невозможно проделывать такие штуки, какие проделывала Елена Прошкина, а потому он был уверен, что все написанное — вранье от первого до последнего слова.

Просто в Отечестве в наше время стало модно быть «звездой по западному образцу». Что там у нас дано в образце? Ну, вот это самое вино из Бургундии, виски из Шотландии, личный бассейн, личный самолет, личный замок на берегу Луары или, ладно уж, в Монако. Какой-нибудь смутный и трудно формулируемый порок, например, страсть к шубам из меха шимпанзе или разведение плотоядных цветов. Экзотическое увлечение, что-то вроде прыжков с парашютом или полетов на параплане, но непременно с горы Монблан. Ну, еще повенчаться в православной церкви Иерусалима или принять католичество, и тогда уж в соборе Святого Петра в Риме. Так, что там еще? Ну, подружиться с Пьером Карденом, разумеется, чтоб «как Майя Плисецкая». Можно еще с этими двумя... как же их... с Дольчей и Габбаной и заказывать у них наряды, такие, чтобы на спине бриллиантами была выложена надпись русскими буквами «Герман + Роза», в том случае если звезду зовут Розой или Германом. Ну, и еще парк раритетных автомобилей, пара эскизов Ван Гога на даче, а между Ван Гогами фотография самой звезды в вечернем туалете с Джорджем Бушем под ручку.

«Шестисотые», Рублевка и добротные английские костюмы давно устарели, что вы, ей-богу!..

А может, ну его, этот чай? Позвонить Родионовне, да и ехать прямо к ней, авось приютит, не выгонит! Да, а если там... Кузя? Ну, на правах жениха?! Тогда придется к Галчонку возвращаться, да и наплевать, все лучше, чем здесь! О чем он думал, когда поехал к Лавровскому?!

— Клара, давай сахар, Владик, а ты подай дяде Мите чашку. Де-ети! Прекратите!

— Мам, она на меня плюнула!

— Вот сколько раз я просила его не покупать детям компьютер! — в сердцах сказала Света. — Сколько раз! Нет, он все-таки купил и приволок, и теперь из-за этого у нас сплошные ссоры и драки!

— За детьми смотреть надо!

— Вот и смотрел бы! Чего ж не смотришь?!

— Свет, я на работу хожу!

— И я хожу! Все люди ходят на работу, и что в этом такого?! Мить, ну вот ты подумай! Сколько он денег угрохал на компьютер, почти штуку! Приволок, и теперь они по очереди сидят и стреляют. Ну, ничегошеньки больше не делают, и ничегошеньки их не интересует! Дала книжку прочитать, так Владик ее бросил! Дала другую, так он и ту бросил!

— Поздно сейчас давать, — философски заметил Хохлов. — Надо было давать, когда они еще читать не умели, авось потихонечку и привыкли бы! А сейчас зачем она им, книжка-то? По башке друг друга лупить, а больше и незачем!

— Вот-вот, — согласился Света, не уловив никакого подвоха. — И лупят, представляешь! А в школе мне говорят, что он в классе самый безграмотный! Клара, неси сахар. Владик, подай дяде Мите чашку! Дим, а тебе особое приглашение нужно?

Хохлова всегда интересовало, что это за «особое

приглашение» такое, и никогда он не мог этого понять! Ладно бы, если бы всех зазывали какими-то обыкновенными приглашениями, а одному требовалось «особое», но ведь всех приглашают одинаково!..

Он придвинулся к столу, взял из рук Владика чашку, с которой тот стоял столбом, очевидно позабыв, кому он должен ее отдать, и пристроил ее на блюдце.

— Чай свежий, — объявила Света. — Утром заваривала, перед работой.

Хохлов вздохнул, налил себе полчашки заварки и добавил кипятку. Чай вышел холодный и невкусный.

— Ма-ам! Я не буду с ним рядом сидеть, он мне на голову сахар сыплет!

— Клара, пересядь к папе! Все из-за проклятого компьютера!

— Я его в спальню заберу, — пригрозил отец семейства, — и без моего разрешения к нему никто не подойдет!

— Не надо было эту дрянь вообще в дом тащить!.. И столько денег за него отдал, лучше бы на отпуск оставил!

— Свет, отстань.

— Да что отстань! У мамы больше года не были, и денег нет, чтобы поехать!

— Да есть у нас деньги, чтобы к твоей маме ехать! — Лавровскому было неудобно, и время от времени он искоса взглядывал на Хохлова, как бы извиняясь. Тот хлебал коричневую жидкость и делал вид, что ничего не замечает.

— Ты мне комп подарил, — встрял сын Владик. — Значит, он мой и есть! И ты права не имеешь забирать его в спальню!

— Если вы будете из-за него драться, заберу!

— А я тогда из дома убегу!

— Владик, ну что ты болтаешь? Митя, может, ты поесть хочешь, а я даже не предложила!

— Нет! — испуганно сказал Хохлов. — Не хочу.

Света посмотрела на него, как будто в раздумье.

— А ты чего приехал? — вдруг спросила она. — С Галкой поругался?

— Галка села на заборе, — произнес Хохлов, которого весь вечер тянуло на цитаты, — и сказал ребятам Боря просто так!..

— Ты бы женился на ней, — посоветовал Лавровский добродушно. — Жили бы, как все люди! А то, что ни неделя, так вы в ссоре!

— Не хочу я, как люди, — еще больше перепугался Хохлов. — Что хорошего-то?

— А бобылем лучше? — мягко сказала Света.

Почему-то, если разговоры заходили о женитьбе, неважно о какой именно, даже такой несостоятельной, как его женитьба на Галчонке или Кузина на Родионовне, все друзья и подруги приходили в необыкновенно лирическое состояние, смотрели добрыми глазами и говорили добрыми голосами. Вот этого Хохлов решительно не понимал. Жить как все люди — это значит поминутно выражать друг другу неудовольствие, поминутно раздражаться из-за мелочей, поминутно разнимать дерущихся детей и мечтать вырваться хоть на денек на рыбалку или к подруге с ночевкой?! Не хотел он такой жизни, не нравилась она ему!..

— Если хочешь, давай я ей позвоню, Мить, и вы помиритесь! Ну, я же все про вас знаю! Вы жить друг без друга не можете и ругаетесь поэтому!

Тут Света ни с того ни с сего прислонилась к Лавровскому плечом и даже как будто нежно потерлась. Тот слегка потрепал ее по затылку и отстранился. Ему было неловко, и Хохлов отлично понимал, отчего ему неловко.

— Позвонить, Мить? — И она даже приподнялась, чтобы бежать к телефону и мирить Хохлова с его подругой.

Это было «интересно». Гораздо «интереснее», чем разбирать домашние дрязги и накрывать на стол.

— Боже сохрани, — сказал Хохлов и допил невкусный чай. В животе, куда тот пролился, как-то скорбно засосало, и показалось, что это ветер засвистел. Все-таки Хохлов не ел с самого утра, да и на завтрак ничего вкусного не было. Галчонок ленилась готовить, и Хохлов, как правило, довольствовался невразумительным мусором, состоящим из фруктовых очисток, отходов от обмолота злаковых и изюмной крошки, которая скрипела на зубах, как песок. Мусор продавался за деньги и назывался «Мюсли».

Фу, какое слово противное! Тоже скрипящее на зубах.

— Ну ладно, бойцы! — сказал Хохлов и поднялся. — Вы тут допивайте, спасибо вам за любовь, за ласку, а я поехал.

— Ты разве ночевать не будешь? — обрадованно спросила Света.

— Нет.

— Я тебя провожу, — решительно сказал Лавровский. — И зря ты, Мить! Оставался бы!..

— Куда ты пойдешь его провожать?! Десятый час! Он что, маленький?! Не дойдет до своей машины, что ли?

— Свет, угомонись! Я на пять минут выйду и вернусь.

Она посмотрела на одного, потом на другого. И поджала губы:

— У вас какие-то тайны?

— Нет у нас никаких тайн. Ты лучше детей спать положи, а я через пять минут приду!

Она помолчала и сказала:

— Тогда мусор захвати. У дверей пакет, на кухне пакет, и я еще сейчас из ведра достану.

— Свет, я завтра мусор вынесу!

— Завтра ты на работу уедешь, и я опять все попру

сама! Знаю я, как ты завтра вынесешь! Давай бери пакеты и иди!..

— Мама, он мне в чай соль насыпал!! Ма-ама!

— Дурдом, — сказал Лавровский и пошел на кухню за мусором. Хохлов быстро обувался.

Но что ни говори, жениться по любви не может ни один, ни один король!

Ну, вот, например, Лавровский. Женился по безусловной и пламенной любви. Они даже встретились очень романтично, как в кино семидесятых, то ли на выставке картин, то ли на симфоническом концерте.

Нет, кажется, на выставке, потому что Лавровский всегда очень хорошо рисовал, «подавал большие надежды» и в этом отношении тоже, и однажды расписал сказочными картинами стены в студенческой столовой, за что получил повышенный «общественный балл» от деканата.

Они встретились, и случилась у них любовь, как все в том же кино. Светка была похожа на всех тогдашних героинь — худенькая, большеглазая, стриженная «под Мирей Матье». Носила джинсы и водолазки, чудесно пела, чудесно играла на гитаре и смеялась нежным заразительным смехом. На Лавровского она смотрела снизу вверх, как будто обожала глазами, и внутри ее зрачков горели ласковые золотистые искры. Он покупал ей осенние лохматые астры, и на подольской электричке они ехали в Царицыно и гуляли там меж старинных развалин, и она прятала лицо в свои лохматые астры, и, когда поднимала голову, отсвет от цветов ложился ей на щеки. По пруду плыл желтый лист, в высоком и холодном небе стояли редкие облака, и вся жизнь еще только начиналась.

Хохлов был уверен, что эти-то уж точно сохранят любовь навсегда, именно такую, как в кино, и этот царицынский парк словно являлся гарантией того, что все будет хорошо.

Жизнь началась, и продолжалась, и продолжается до сих пор, только все изменилось так же непоправимо и однозначно, как непоправимо и однозначно было то, что юность больше никогда не вернется.

Надежды не оправдались. Лавровский подвел, и царицынский парк подвел тоже.

Грянула революция, девяносто первый год пришел и смел все, что было до него, а щенят, только что окончивших институты, таких, как Хохлов, Лавровский, Кузя и Димон Пилюгин, четвертый из их студенческой компании, и вовсе не пощадил. Они кинулись врассыпную, продолжая твердить друг другу, что их дружба навсегда, что «уходит бригантина от причала», что «не стоит прогибаться под изменчивый мир», что они сильнее, и они смогут.

Ну, и на самом деле, по большому-то счету, смогли — никто из них не умер, не погиб в девяносто третьем у Белого дома, хотя все туда бегали и изо всех сил лезли на рожон, не спился, не стал законченным наркоманом или бандитом. Все потихоньку гребут и выгребают против течения, может, кроме Кузи, который всегда жил только в соответствии со своими законами, единственными, которые почитал «разумными»!

Лавровскому оказалось труднее всех, потому что он был художественно одарен, а такой дар не нужен «в эпоху перемен», как все привыкли называть то смутное время, в котором жили.

После института он некоторое время побыл военным инженером, но натура художника бунтовала против ограничений, когда все по уставу, да и армия начала разваливаться так стремительно, что никто не успевал подбирать куски и латать дыры.

Из армии пришлось уйти, и наступили тяжелые и голодные времена. Лавровский пошел было торговать на биржу — тогда все ходили на биржу и чем-то там торговали, — но немного опоздал. К тому времени, когда он влился в армию торговцев воздухом, все сливки уже были сняты, поделены и частично проедены и вложены в малиновые пиджаки и пригнанные из Германии «мерины», вошедшие в моду. Что-то он заработал, конечно, и пиджак себе завел, не малиновый, но зато в полоску, и машину купил, и научился кататься на горных лыжах, и поехал на курорт.

Света осталась в Москве — Владик был еще мал, с кем его оставишь?..

Там, на курорте, Лавровский познакомился с разными отчаянными парнями и длинноволосыми девушками, каких никогда не видел раньше... в прежней жизни.

Девушки водили машины, катались на лыжах, курили длинные коричневые пахитоски со странным английским словом на пачке — на отечественный манер оно звучало, как «море». С этим самым «морем» в зубах, шикарные, как картинки из иностранных журналов, с кольцами в ушах и блестками на веках и щеках, они сидели на открытых верандах высокогорных отелей, пили коньяк, хохотали и встряхивали волосами, и в их хохоте и встряхивании было нечто недоступное, порочное и очень притягательное. Лавровского они будоражили, как подростков будоражат эстрадные звезды, отделенные от внешнего мира прочным, словно алмаз, стеклом телевизионного экрана. Он стал плохо спать, просыпался в испарине, был разбит, раздавлен и катался из рук вон плохо.

— Митька, — сказал он однажды Хохлову, который тоже тогда потащился с ним на курорт, — ты понимаешь, Митька?!

— Нет, — ответил прозаический Хохлов, который на прекрасных одалисок не обращал никакого внимания и только и делал, что катался, и все время — по черным и красным трассам.

— Как же так, Митька!.. Нам ведь уже скоро по двадцать семь стукнет, а мы не видели никакой жизни! Никакой, ты пойми!.. — В глазах у Лавровского была тоска, настоянная на местном французском коньяке и русском комплексе собственной неполноценности.

— Какой жизни мы не видели?..

— Ты пойми, Митька, — продолжал убиваться Лавровский, — нам даже нечего предложить, чтобы хоть одна из них нас оценила!

Тут как раз «одна из них» проходила мимо, и белоснежный лыжный костюм, какого невозможно было достать в Москве, сиял на солнце, и темные очки сияли, и волосы летели по ветру, и лыжи за ней нес какой-то верный паж, писаный рекламный красавец, и тревожный запах ее духов будоражил ноздри и мозг, раздражал, соблазнял.

— Кто нас должен оценить? — осведомился Хохлов, который прикидывал — съехать еще раз или переключиться на горячий грог и глинтвейн. — Вот эти, что ли?

И он непочтительно, щетинистым русопятым подбородком указал на нее, ту, что не просто проходила мимо, ту, что нес по волнам волшебный и волнующий ветер другой, прекрасной и необыкновенной жизни.

— На них известно как производить впечатление, — продолжал приземленный Хохлов, нагнулся и стал расстегивать крепления. — И вполне известно, что им можно предложить! «Зеленых» побольше, желательно несколько кило, и твое дело в шляпе! Некоторое время можно не беспокоиться: пока «зеленые» не пойдут на убыль, ты будешь производить на нее самое светлое впечатление, как дедушка Ленин на молодых коммунистов. А что? Ты хочешь попробовать?

Лавровский ничему не поверил — ни подбородку, презрительно выпяченному в сторону волшебницы, ни гадким словам. Не поверил, и все тут.

Он стал их рисовать, этих красавиц, словно сошедших или, нет, вспорхнувших со страниц залетных американских журналов, которые в пору их молодости попадали в триста четырнадцатую физическую аудиторию. Их в то время под полой приносил кто-то из студентов, у которого друг был сыном торгпреда или подруга дочкой дипкурьера, что-то в этом роде.

Лавровский рисовал их день за днем, осунулся и пожелтел, но снискал к себе внимание со стороны одной из них. Она скучала без своего миллионщика, и Лавровский, эдакий Чайльд Гарольд, привлек ее непостоянный и капризный интерес.

Грянул роман.

Да еще как грянул!.. Горные вершины содрогнулись, лавины покатились и накрыли долины, солнце повернуло вспять и вместо того, чтобы падать за горы, стало падать вверх, вверх, все время вверх!..

Света в ее джинсиках, с прической «под Мирей Матье», большеглазая, любившая песенку про бригантину, что поднимает паруса, была забыта начисто. Забыт был также маленький Владик, и все их заботы стали казаться мелкими и пустяковыми, мещанскими и глупыми по сравнению с той любовью, которая накрыла мужа и отца.

Какие там мечты о квартире, пусть однокомнатной, но зато своей!.. Какая, к черту, разница, что именно сказал на совещании Петрунько и что ему ответила на это язва Панкратова!.. Что ему, Лавровскому, может быть за дело до вредной директрисы детского сада, которая вымогала взятку, и непременно портьерами для актового зала!

Всепоглощающая вселенская вертеровская страсть продолжалась дней пять — вот как много!

Занудный Хохлов прогнозировал окончание романа через три дня и просчитался.

Лавровский ничего не замечал. Целые дни он проводил в постели, нежа и лаская свою волшебную возлюбленную. Он все пел ей колыбельные песенки, укачивал на руках, баюкал и прижимал к сердцу, которое все время нестерпимо болело — от любви.

Потом ей на мобильный телефон позвонил ее миллионщик, она в два часа собралась и уехала — как и не было ее!..

Лавровский, оглушенный свалившейся на него бедой, даже толком не понял, что произошло.

Он растерянно усаживал ее в такси и заглядывал в глаза, жалобно, как собака, которую собираются топить, и она, собака, понимает, что вот эта рука, вот эта самая, обожаемая, знакомо пахнущая, единственная в мире рука, самая верная и сильная, самая необходимая на свете, сейчас убьет ее. Понимает, но ничего не может поделать, потому что любовь сильнее инстинкта самосохранения — утонуть можно, а убежать нельзя — куда побежишь, когда жизнь есть только вблизи этой руки, а все остальное мученическая мука!..

— Димасик, — деловито сказала его волшебница, счастье и смысл его жизни. — Ты, смотри, в Москве не вздумай меня искать или, боже тебя сохрани, звонить! Ты же у нас мальчик... того... романтический. Вовасик тебя тогда убьет, и все, понимаешь? Понимаешь, Димасик?

Лавровский тупо кивнул.

— Ну вот, ну вот и умница, — прощебетала чертовница. — Ты же хороший мальчик, да? Все мальчики любят своих девочек, да? Но когда приходит время, они своим девочкам не мешают, не ищут их, не пристают... Димась, а ты телефончик мой знаешь?

— Нет, — сказал Лавровский. — Откуда? Ты же мне его не давала.

— И не надо, и правильно, что не дала. — Она уже уселась в машину, расправила складки диковинной белой шубки, подняла на лоб очки и пробормотала себе под нос: — Да ладно, не беда, прилечу в Москву, поменяю, в первый раз, что ли!..

Потом повернулась к распахнутой двери, у которой на пыточном огне горел несчастный Лавровский, и почмокала губами в воздухе, посылая поцелуй:

— Димасик, пока! Я тебя очень люблю.

Потянула дверь, прихлопнула, и такси тронулось, увозя ее в сиянии зимнего дня, в сверкании снегов, в шуршании лыж и веселом гомоне незнакомых языков.

— Укатила краля-то? — спросил подошедший прозаичный, как двугривенный, Хохлов. — Ну, поздравляю тебя!

— А? — переспросил Лавровский. В голове у него шумело, и видел он плохо.

— Поздравляю тебя, Шарик, — громко сказал Хохлов, — ты балбес! Ну? Пошли, что ли?

И он увел несчастного в ресторан, и оставшиеся три дня они безостановочно пили водку, коньяк, шнапс и граппу, и потом Хохлов еще заплатил астрономическую сумму за тот коньяк, который «Димасик» и его волшебница пили в номере, и это было так ужасно, так отвратительно, так гадко, что Лавровский решил было покончить с собой, но не покончил.

А как же Светка с Владиком?! Что они станут делать, если он покончит с собой?! Как они будут жить, они же неприспособленные! Владик малыш, а Светка любит песню про бригантину, носит свитера с высоким горлом и искренне считает, что делает полезное дело в том самом НИИ, где с понедельника по пятницу рисует на кульмане линии!..

Разве же оставишь их, таких... слабых и беззащитных?!

И Лавровский не покончил с собой. Вернувшись, он пожил у Хохлова еще с недельку, отговариваясь тем, что отпуск себе продлил потому что там, на курорте, сильно простудился.

— Ты осторожнее, Дим, — кричала в трубку Света,

не подозревая о том, что муж сидит на хохловском диване, — смотри не доводи дело до пневмонии! А Хохлов? Он улетел?

Лавровский соглашался, что улетел.

— И бросил тебя одного? — ужасалась Света. — С температурой?!

Годы шли, грянул и прошел еще один роман, на этот раз с какой-то биржевой маклершей, Лавровский все еще торговал на бирже воздухом. Потом и маклерша куда-то делась, а у Светы родился второй ребенок, и опять началось все сначала — мечты о квартире, пусть и двухкомнатной, но зато своей, в ванной запах пеленок и детского мыла, бутылочки в холодильнике, соски в турке, для стерильности прикрытые марлицей, фруктовое пюре абсолютно поносного цвета и в выходные походы за подгузниками.

Лавровский все пытался рисовать — теперь уже своих детей, — все мечтал, что станет художником, настоящим, востребованным, таким, что британская королева именно ему закажет свой портрет в годовщину коронации. Какое-то время он еще поработал на бирже, потом перешел в рекламное агентство и даже нарисовал там один плакат, который разместили на Кольцевой автодороге. На плакате была изображена красавица, чем-то напоминавшая ту самую первую волшебницу, что потрясла его воображение когда-то давным-давно. Красавица держала на рушнике каравай, который, если присмотреться, оказывался не караваем, а машиной, а рушник — автомобильной дорогой. Поперек красавицыного живота шла надпись «Столько-то лет дорожной отрасли».

Потом выяснилось, что одно дело рисовать «под настроение» и совершенно другое — рисовать «под заказ», и тут уж выбирать решительно не приходится, что приказали, то и рисуй. Красавицу так красавицу, йогурт так йогурт, фен для волос, значит, фен. А может, кастрюлю или журнал «Бухучет», какая разница!..

Лавровский маялся, рисовал плохо и из-под палки, мечтал о свободе и вольном ветре, о дальних странствиях, горных вершинах, грозе над океаном и понимал, что такую свободу, о которой он мечтает, могут дать только деньги, очень много денег, целые кучи, и желательно — долларов, а добывать их он не умел.

К тому времени Хохлов со своей фирмой окреп и встал на ноги настолько, что завел собственный офис и нескольких сотрудников, поэтому, когда у Лавровского кончились силы рисовать йогурты и журнал «Бухучет», Митя взял Диму на работу. Позабытая всеми бабушка неожиданно умерла и оставила Лавровскому в наследство квартиру в Москве, крошечную и очень неудобную, в старом доме, нависшем над Третьим транспортным кольцом, по которому день и ночь шли машины. Квартиру продали, приложили скудные сбережения и купили жилье в наукограде, где когда-то учились в институте. По московским меркам квартира была дешева и прилична — три комнаты в «хрущевском» доме, спальня, гостиная и детская, вот как!.. И главное, своя, своя!..

И стало понятно, что это... все. Больше ничего не будет, и ждать особенно нечего.

Жизнь удалась.

Поэтому Хохлов, который был гораздо менее талантлив и гораздо более занят, чем Лавровский, очень ему сочувствовал и отлично понимал, почему тот морозной декабрьской ночью тащится его провожать.

Ну и пусть провожает, ничего в этом такого нет!..

Вдвоем они собрали мусорные мешки, некоторое время потолкались в теснотище крохотной прихожей и вывалились на лестницу. Они не разговаривали друг с другом и заговорили, только когда вышли из подъезда, удалились на порядочное расстояние, и Хохлов закурил.

— Позвонить мне надо, — сказал Лавровский виновато. — Ты понял, да?

— Да чего тут непонятного!

— А ты... ночевать хотел, Мить?

— Да ладно!

— Ну и оставался бы! Чего ты ушел-то?!

— Да что я буду вам мешать!

— Ничего ты не мешаешь!

— Я знаю.

Лавровский приостановился, доставая из нагрудного кармана телефон.

— Ты не поверишь, — сказал он, высвободив мобильник и нежно прижав его к груди. — Живу, как шпион! Все время помню, что звонок нужно стереть, что SMS-ки тоже надо стереть, компьютер не забыть проверить, чтобы там все... ну, нормально все было! Прямо как собака сторожевая!

Хохлов пожал плечами.

— Хорошо тебе, ты не женатый, — продолжал Лавровский, внимательно следя за лицом друга. Ему хотелось, чтобы его не только не осуждали, но еще и поддерживали. Без поддержки он никак не мог, ну никак!..

— Да, хорошо, — согласился Хохлов и в сто сорок пятый раз за вечер сказал себе, что никогда не женится.

В первый раз он сказал себе это, когда приехал домой и застал у себя в квартире Галчонка и ее маму Тамару Германовну.

— Нет, Мить, ну скажи, как жить?! Ну, как, ей-богу, жить, а? Светка страдает, что денег мало, дети дерутся, я на работе все время! Ну, как тут не...

— Не трахнуть кого-нибудь? — подхватил Хохлов. — Ясное дело, с ума сойдешь не трахнувши!..

— Зря ты так, Митька!

— А чего ты ко мне лезешь?! Чего ты стонешь? Нравится так, ну и живи, как тебе нравится!

Хохлов приостановился, зажал сигарету в зубах и на манер заботливой мамаши поправил на Лавровском клетчатый шарфик. Вторая рука у него была занята мусорным пакетом.

— Давай продолжай, Дима! Все у тебя отлично! А SMS-ку стереть много ума не надо!

— Ты чего, Хохлов? Чего напал-то на меня?!

— А ты вспомни, как на Светке женился! Как ты ее на руках носил, портреты рисовал и обещания обещал!

— Да когда это было?! И что тут такого-то?! Все так живут, и ничего!

— Все пусть живут как хотят, — выговорил Хохлов, как в лицо плюнул, — а ты мой друг! И я этих ваших... финтифлюшек не понимаю! Не понимаю, и все тут!

— Да должна же у меня быть в жизни хоть какая-то радость?! Должна или нет?! Или я только вкалывать обязан и все в дом тащить?!

— Должна, — сказал Хохлов и поставил на снег мусорный мешок. — И если твоя радость только в том и состоит, чтобы налево бегать, плохой ты мужик, Дима. Друг, может, и хороший, а мужик плохой. Ну, надоело тебе все, так разведись ты с ней!..

— Разведись! Легко сказать! А дети? А квартира?

— На квартиру плевать, заработаешь, ты же мужик! Детей поделите, будешь деньги давать и с пятницы по воскресенье к себе их забирать!

— Да сколько на это денег нужно!..

Хохлов вдруг словно увидел себя со стороны.

Вот стоят они, оба-два, посреди пустынного заснеженного двора, где дремлют уставшие за день машины, и свет единственного фонаря голубыми полосами ложится на снег, а за полосами темнота и глухомань, как будто там, за границей жидкого света, сразу начинаются тайга и бурелом. Вот стоят они, оба-два, курят и базарят о вечном, ни с того ни с сего базарят, просто так, потому что вожжа под хвост попала и настроение дурацкое, потому что вечер сегодня такой, и они обижаются друг на друга всерьез и в эту минуту всерьез уверены, что эти их дурацкие разговоры могут что-то изменить, улучшить, повернуть в другую сторону!.. Да разве можно хоть что-то изменить?!.

Лавровский все еще продолжал бормотать что-то оправдательное, такое, что, по его мнению, могло бы убедить Хохлова, будто живет он правильно и «должна же у него быть в жизни радость», и Хохлову стало его жалко и стыдно за себя и за свой морализаторский тон.

В конце концов, что он сам знает о жизни?! Ничего. Ровным счетом ничего. Ну, знает, как деньги заработать, да и то так, в известных пределах, а больше... что же?..

— Дим, ты меня того, — перебил он маявшегося Лавровского, кинул в снег сигарету и наступил на нее. Огонек потух. — Ты меня извини, вот чего. Понесло меня тебя учить, а это все... ерунда.

— Да, но ты меня... не осуждаешь?

— Да кто я такой, чтобы тебя осуждать?!

— Значит, все-таки осуждаешь?

Тут Хохлов опять обозлился, хотя только что решил было проявить христианскую терпимость.

— Да какая тебе разница, осуждаю, не осуждаю?! Ты живи, как тебе надо, а я-то при чем?!

Он обошел свою машину, слегка присыпанную снегом, размахнулся и метнул мешок в мусорный контейнер, как в баскетбольную корзину. Зачем-то отряхнул перчатки, похлопав в ладоши, и полез в машину.

Лавровский метать не стал, подошел поближе и опустил пакеты культурно.

— Ну, бывай, Дим! — Промерзшее сиденье через джинсы обожгло хохловский зад, можно сказать, насквозь пронзило!

И кто это любит русскую зиму, мать ее так и эдак?! Кто это ждет не дождется первого снега, первого морозца, зимних забав, катания на санях и тройках?! В машину сесть невозможно, ибо процедура эта все время напоминает душераздирающую сцену замерзания во льдах из кинофильма «Красная палатка». Ехать тоже почти невозможно, ибо купленные за бешеные деньги иностранные «реактивы» превращают дорогу в потоки жидкой и скользкой грязи, которая летит в стекла и виснет пудовыми наростами на бамперах. Ходить тоже никак нельзя, потому что Москва, как всем известно, порт пяти морей, еще по совместительству является розой всех ветров, и сырой, промозглый, подлый ветер пробирает до коренных зубов, которые тут же начинают стучать так, что из них выпадают все пломбы. Да и скользко ужасно, как же ходить-то?.. «Реактивы» летят на куртки и ботинки, и ничем их потом не возьмешь, ни стиркой, ни химчисткой, под ногами лед, с крыш течет, в лицо ветер, в транспорте давка гораздо плотнее летней, потому что из-за толстенных зимних одежд люди сильно прибавляют в объеме. Вот уж зимушка-зима, белая береза под моим окном, кто тут у нас последний в очереди на зимние забавы и катания на тройках?!

— Мить, если Светка будет спрашивать, так ты ей скажи, что я... с тобой заговорился, ну и... не сразу домой вернулся.

— Ладно.

— Мить, и если чего узнаешь про Кузю, сообщи мне! Меня Светка поедом съест, если у него деньги заведутся, а у нас нет!..

— Ладно.

— И если...

— Все, я поехал, — объявил Хохлов. — Бывай. И на работу завтра не опаздывай, понял?

— Иди ты на фиг.

Хохлов захлопнул дверцу и потихонечку тронул машину.

В заледеневшем зеркале заднего вида маячил силуэт Лавровского с трубкой, прижатой к уху. Уж дозвонился, наверно. Щебечет.

Хохлов вырулил на пустынную улицу, под тот же самый школьный фонарь, и некоторое время постоял в раздумье, куда повернуть. Направо поедешь — к дому и Галчонку приедешь; налево поедешь — к Родионовне попадешь.

Что лучше? Галчонок в страданиях или Родионовна с Кузей в любви?

А-а, наплевать на все!.. И он решительно повернул налево, в сторону центральной площади их крохотного городишки, который долго боролся за почетное звание «наукоград», получил его, и по этому поводу на площади поставили несколько круглых фонарей, долженствующих придать новоиспеченному «наукограду» весьма европейский и даже щегольской вид.

Некоторое время местные подростки сидели под фонарями на корточках, курили и шикарно матерились, девчонки сладко и обморочно повизгивали, а потом фонари им надоели, и они их побили. Остался единственный, рядом с памятником.

В советские времена «наукоград» отличался известным фрондерством, как все такого рода городишки, где были собраны научные институты и высокотехнологичные предприятия. В Дом культуры наезжали опальный музыкант Ростропович, опальный художник Глазунов и опальный певец Высоцкий. Позднее были замечены Макаревич и Гребенщиков и еще группа «Крематорий» на заднем плане. Из-за фрондерства ученых памятника Ленину на центральной площади не было, а возвышался памятник Циолковскому. Калужский мыслитель на постаменте был представлен исполином в сюртуке и каменных ботинках не по росту. К ботинкам скульптор приделал миниатюрную космическую ракету, какими их рисуют в детском саду ко Дню космонавтики, и казалось, что исполин собирается раздавить ракету, как мелкую букашку. Студенты Института общей и прикладной физики, где учились Хохлов и его компания, соблюдая традиции, в день выпускных экзаменов лезли на постамент и водружали по голову исполинского Константина Эдуардовича бумажный цилиндр. Милиция, тоже соблюдая традиции, делала вид, что пытается всех хулиганов переловить и посадить в «обезьянник», и хулиганы натурально боялись и прятались в ближайших подворотнях.

Целая жизнь прошла с тех пор, как Димон Пилюгин, стоя на плечах у Хохлова, пытался дотянуться до головы Циолковского, и Кузя снизу тревожно гудел, что их сейчас всех заметут, и нервически оглядывался по сторонам, а Лавровский стоял на атасе на повороте с улицы Маяковского, потому что всем доподлинно было известно, что менты приедут именно с той стороны. Наверное, лет через пять Хохлов, проезжая по площади Циолковского, вдруг сообразил, что на улице Маяковского одностороннее движение, и менты должны были нагрянуть ровно с противоположной стороны, как тогда и нагрянули!..

Арина жила в старом сталинском доме, выходящем окнами в аккурат на макушку памятника, и Хохлов, когда помогал ей зубрить билеты по химии, видел в окошке, как голуби удобно устраиваются на голове Циолковского и производят на ней всякие непотребства.

«Плохо быть памятником, — рассеянно думал он тогда, толкуя Арине про валентности и моли, — каждый голубь может на тебя...»

Тут Хохлов засмеялся, въехал в арку, задрал голову и посмотрел на окна. Свет горел, значит, она еще не спит. Ну и отлично, а на Кузю плевать.

Хохлов сильно замерз, и есть ему хотелось, и он даже пританцовывал от нетерпения, когда женский голос, показавшийся очень далеким, тревожно спросил за дверью:

— Кто?

— Ариш, это я, Хохлов. Открывай давай!

Загремели замки, лязгнули засовы, зазвенели ключи — а что вы думаете?! Приходится запираться, мало ли случаев известно, когда...

Дверь приоткрылась на цепочку, и в проеме показался блестящий глаз.

— Ты чего? — спросил Хохлов грубо. — Открывай! Своих не узнаешь?!

Не иначе у нее Кузя. У нее Кузя, и они оба голые!..

Дверь закрылась и через секунду распахнулась вновь.

— Митя?!

— Вася, — вновь отрекомендовался Хохлов и протиснулся мимо нее в квартиру. — Слушай, Родионовна, у тебя есть еда? И питье? А лучше и то и другое вместе? — Он снял ботинки и во второй раз за вечер стал шарить в чужой прихожей в поисках тапочек. — Ну хоть что-нибудь у тебя есть?

— Котлеты есть, — призналась Родионовна. — Картошка жареная. Будешь?

— Все буду, только быстро и очень много.

Она вдруг повеселела, как будто он сказал ей комплимент.

— На ночь есть вредно. — Она подсунула ему тапки и подтолкнула в спину в сторону ванной. — Руки мой и приходи.

— Что я, маленький, что ли, — для порядка возмутился Хохлов, — зачем я руки должен мыть?!

В крохотной ванной было тепло и пахло то ли шампунем, то ли еще чем-то, очень женским и всегда немного волнующим. Глядя на себя в зеркало, Хохлов вымыл красные от мороза руки крохотным кусочком прозрачного глицеринового мыла с какими-то цветами внутри, понюхал мокрую ладонь — пахло тоже цветами, — старательно вытер, потом пригладил сбоку волосы, которые странно торчали, и еще посмотрел на себя в профиль, сильно втянув живот.

Вот так, со втянутым животом, он себе, пожалуй, даже нравится. Пожалуй, так он вполне может произвести впечатление. И очень даже положительное впечатление он может произвести на кого-нибудь. Только вот на кого? Никого, кроме Арины Родионовны, поблизости не наблюдалось.

Он вышел из ванной и некоторое время еще помнил о том, что должен втягивать живот, чтобы произвести это самое впечатление, но увидел картошку с мясом — и позабыл.

Картошка была горячая и дымилась, котлеты шкварчали на сковородке, дух шел упоительный. Хохлов сел за стол, взял кусок хлеба, посолил его и затолкал в рот.

— Я же тебе кладу уже!

— Не могу, — сказал Хохлов с набитым ртом. — Сейчас умру от голода.

Она поставила перед ним громадную тарелку, полную еды, и сбоку еще примостила два огурчика, крепеньких, солененьких, и еще посыпала гору какой-то травкой, от чего запах стал совсем уж невозможный, и Хохлов схватил вилку и стал есть, и глаза у него сделались бессмысленные.

— Где это ты так оголодал?

— Целый день не ел.

— Что так? Поел бы.

— Некогда было. Слушай, Ариш, а выпить есть?

Она удивилась. Хохлов никогда не ездил за рулем, подвыпив. Такое у него было железное правило.

— А как ты поедешь?

— Я не поеду. — Он дожевал огурец и схватил второй. — Пустите переночевать, хозяйка! Сами мы не местные, нас в поезде ограбили, вот справка...

— Мить, ты что? С Галей поссорился?

— Какие все, черт возьми, проницательные! — сказал Хохлов вполне добродушно. Он всегда становился добродушным во время и особенно после ужина. Добродушным и сонным. — Ну, поссорился, и что?!

Арина присела напротив и посмотрела на него.

— Я тоже с Кузей поссорилась, — объявила она. — Представляешь?

Хохлов ел котлету и невнятно промычал, что представляет. Хотя ничего такого представлять ему решительно не хотелось. Но Арина ждала вопроса, и он его задал:

— Выпить есть?

Это был явно не тот вопрос, но про Кузю Хохлов не хотел слушать даже после котлеты.

— Того, что ты пьешь, у меня все равно нет.

— «Это», то есть что?

— Виски.

— А что есть?

Она засмеялась.

— Водка есть. Дать?

— Давай.

Она вытащила из холодильника бутылку, а из буфета крохотную затейливо-хрустальную рюмочку на высокой ножке и водрузила перед Хохловым.

Он покосился на рюмочку:

— Ари-иш, отсюда пить нельзя. Только нюхать можно. Рюмка на три понюшки, как раз хватит.

— А чего же тебе дать?

Хохлов подумал.

— Ну, стакан дай, что ли!

Она убрала рюмочку, достала стакан и сказала, что ему нужно записаться в клуб анонимных алкоголиков. Он пообещал, что непременно запишется, налил себе холодной водки, тяпнул и посидел с блаженным видом, как буддийский монах, почувствовавший первые признаки надвигающейся нирваны.

Потом он быстренько все доел и еще хлебной коркой подчистил тарелку, корку тоже съел, с сожалением посмотрел на початую бутылку и аккуратно поставил посуду в раковину. Он бы еще выпил, но Арина же сейчас станет нудить, чтоб не пил, что пить, как и есть, вредно, и вообще, она заметила: в последнее время он стал больше выпивать, и это ужасно, потому что проблема алкоголизма в нашей стране...

— Кофе будешь?

Хохлов чувствовал, что сейчас уснет, дайте только дойти до дивана, и кофе ему не очень хотелось, но немедленно заснуть было неприлично, а Хохлов старался соблюдать правила хорошего тона. Или думал, что старается.

— Давай кофе.

Она насыпала из банки в огромную кружку довольно много, полезла в холодильник и вытащила сгущенку. Еще со времен Института общей и прикладной физики он очень любил растворимый кофе со сгущенным молоком.

— Откроешь, Мить?

Старым-престарым консервным ножом с подгоревшей деревянной ручкой он открыл банку, пальцем снял тягучую сладость с обратной стороны крышки и засунул палец в рот.

Почему-то с Галчонком никогда не получалось вот так просто взять да и сунуть палец в сгущенку. Все время возникали препятствия. Она была убеждена, что это некрасиво, и молоко скиснет, и вообще негигиенично. Все это было совершенно правильно и грустно оттого, что иногда очень хотелось есть сгущенку именно так — пальцем.

Он хлебнул кофе, зажмурился от счастья, вытащил сигареты и спросил великодушно:

— Ну, и что там у тебя с Кузей? Когда он решил тебя... осупружить?

— Что это за слово?

Хохлов пожал плечами. Кузя не мог никого взять «замуж». Из этого следовало, что он должен выступить в роли мужа, а сие, по мнению Хохлова, было решительно невозможно.

Арина Родина, по прозвищу Родионовна, пристроилась напротив и тоже налила себе кофе.

— Вчера, Мить. Он пришел в гости и... сделал мне предложение. — Она глотнула кофе и посмотрела мимо Хохлова, в угол. — Сказал, что мы давно знакомы, что нам все друг про друга известно, одному ему надоело, и он хочет, чтобы мы...

— Ему не одному надоело, а в общежитии надоело! — сказал Хохлов неприятным голосом. — Он сколько лет в общежитии-то проживает? Оно, знаешь, кому угодно надоест!..

— Мить, чего ты злишься? Он же твой друг!

— И ты мой друг. И он мой друг. И что из этого?

Она помолчала.

— Ну и не буду ничего тебе рассказывать, раз ты так... реагируешь.

— Ну и не надо, — согласился Хохлов, и они замолчали.

Арина болтала ложкой в кружке с кофе. Хохлов сердито пил и фыркал.

Дмитрий Кузмин по прозвищу Кузя и в самом деле был давний друг, такой же давний, как и Лавровский с Пилюгиным. Получилось так, что на первом курсе все четверо оказались в одной группе, и им пришлось придумывать себе имена и клички, потому что всех четверых угораздило именоваться Дмитриями. Дмитрий Хохлов, Дмитрий Лавровский, Дмитрий Пилюгин и Дмитрий Кузмин.

Хохлов стал Митей, Лавровский остался Димой,

Пилюгина переименовали в Димона, а Кузмина невозможно было называть иначе, чем Кузя. Из всей четверки он был самый выдающийся, самый многообещающий — и хуже всех приспособленный к жизни.

Он писал контрольные так, что профессор Авербах, заведующий кафедрой теоретической физики, чуть не плакал, вручая ему вариант, где, помимо жирной, четкой, улыбающейся пятерки, было еще приписано «brilliant!!!», именно так, с тремя восклицательными знаками.

Кузя никогда не делал заданий, потому что мог решать их просто так, с листа, и решал в течение двадцати минут на подоконнике военной кафедры, куда редко заглядывали преподаватели, кроме усатого полковника с неприличной фамилией Задович. Студенты над полковником и его фамилией издевались, как могли, а он был вполне приличным человеком, по три шкуры не драл и не грозился поминутно отправить всех в Советскую армию выполнять свой гражданский долг.

Кузе достаточно было перелистать учебник, чтобы понять, о чем там идет речь, он никогда ничего не зубрил и все время смеялся над теми, кто в преддверии сессии ходил, как сомнамбула, и даже ел и спал с учебниками перед носом. «Зачем? — говорил он. — Зачем зубрить, если можно вывести?!» Он был твердо убежден, что любую формулу можно вывести самостоятельно, когда хоть приблизительно представляешь, о каком именно процессе идет речь, и ему это удавалось!

Списывать у него было бессмысленно, потому что никто из остальных студентов все равно не мог понять, что именно написано в его тетрадках, понимал только сам Кузя да еще профессор Авербах, который лишь качал головой и предрекал ему не просто большое, а огромное будущее, в котором Нобелевская премия по физике будет просто ступенькой в карьере.

Ничего этого не состоялось.

Никто не виноват — революция девяносто первого

года уничтожила науку, а вместе с ней и всех ученых, или, может быть, большинство. Те, кто посмелее и поактивней, уехали на Запад и там продолжали работать на благо мировой цивилизации. Те, у кого была хоть какая-то коммерческая жилка, начали быстро ее разрабатывать, и некоторым это вполне удалось. Те, у кого не было ничего, кроме желания заработать на хлеб с маслом, пошли в строители, таксисты или операционистами в банк и там тоже более или менее преуспели.

Остальные оказались у разбитого корыта.

Научный институт обезлюдел и заплесневел. Изредка в коридоре попадался невесть куда бредущий человек, с неизменной целлулоидной папкой в руке. Куда и зачем он идет, никто не знал, да он и сам не знал тоже. Тихо стало за высокими темными дверьми, в отделах никто не шумел и не спорил, не делил «машинное время» и не грозился вытребовать в профкоме путевку в Анапу для жены с детьми. В конференц-зале стулья были сдвинуты к стенам и покрыты пленкой, на которой лежала пушистая домашняя пыль. На работу приходили к двенадцати, да и то только затем, чтобы без помех со стороны семейства сыграть в «Полет на Луну» или в «Марсианские хроники». По привычке собирались «на чай» в самую большую комнату, где прежде было так весело и интересно, где обсуждалось все самое животрепещущее, научное, острое, где прежде ругали коммунистов и советскую власть и хвалили Солженицына и Буковского, а нынче обсуждали президентскую прибавку бюджетникам, пенсионные фонды и ругательски ругали капиталистов и Ельцина, хвалили КПРФ и некоего депутата, который призывал узаконить двоеженство и заложить в бюджет по две бутылки бесплатной водки на каждого жителя России старше восемнадцати к каждому празднику. Иностранные гранты получать было сложно и муторно, потому получали их единицы, и Кузя в том числе. В первый раз ему дали «за молодость», во второй раз «за талант», и все это не потребовало от него никаких усилий. В третий, когда нужно было хлопотать, Кузя громко сказал, что он ученый, хлопотать не желает и пошли все начетчики к черту!.. Он ученый, а не подстилка начальничья, а потому или опять давайте «за талант», или ничего ему не надо! И вообще с этими деньгами мороки очень много — дают всего ничего, а отчетность собирают, как будто миллион на благотворительность пожертвовали!.. Он, Кузя, так не хочет. Он ученый и, следовательно, личность мыслящая. Он сам знает, как и куда потратить деньги, а отчеты отнимают слишком много времени, которое он мог бы потратить на научную работу.

Комитет, ведавший распределением грантов, никаких его резонов в расчет не принял. Хуже того, на него смотрели с сочувствием и даже с опасением — кто знает, что у него на уме!.. В следующий раз, когда нужно было ехать за границу делать доклад, поехал не Кузя, а Димон Пилюгин, который и вполовину не был так талантлив, и Кузя совершенно разобиделся.

Не хотите, и не надо!.. Пошли вы к черту с вашими деньгами, толстосумы проклятые! Много ли нужно, чтобы прокормиться, а остальное все пыль, мусор!..

Примерно в это время от него ушла Катька-зараза, на которой он женился сразу после института. Катьке хотелось в кино, мороженого и подарочек на день рождения, а ничего этого не было. Кроме того, Кузя с каким-то странным, почти садистским наслаждением объяснял жене, что ничего этого никогда не будет, то, что есть у других, ей недоступно, и вообще он, Кузя, презирает всех этих дельцов, которые только и знают, что заколачивать свои деньжищи, а для него, Кузи, самое главное — наука, наука!..

Катька-зараза какое-то время пыталась его переделать, изменить его точку зрения, ободряла его и убеждала, что они «прорвутся», но он и слушать не хотел. С болезненным удовольствием он все повторял и повторял, что только проходимцы могут смириться с новой властью — несколько лет назад он был уверен, что только проходимцы могут мириться с коммунистической партией, — что самая правильная жизнь у ученых была во времена «шарашек», потому что там, кроме кормежки и работы, ничего не было, и ни о чем не приходилось заботиться, что Катька должна хорошенько подумать, сможет ли она провести жизнь с непризнанным гением, и все такое.

Катька подумала-подумала и выгнала непризнанного гения из своей жизни. Кузя еще некоторое время распространялся о том, что все правильно, все так и должно быть, избранная им жизненная позиция не для слабых и глупых, а потом как-то притих.

Он притих на довольно продолжительный срок, на работу ходить почти перестал, перетащил в общежитие компьютер и проводил время то за ним, то катаясь на велосипеде или на лыжах, смотря по сезону.

Так он катался лет восемь, а теперь вот решил жениться на Арине Родиной, с которой они все были знакомы столько лет, что даже вспомнить страшно!..

Дмитрий Хохлов допил свой кофе, вылез из-за стола, зажег под чайником газ, чтобы попить еще и чаю, и прислонился спиной к плите. Жар от конфорки приятно грел все обмороженные автомобильным сиденьем места.

— Свитер подожжешь, — не глядя, предупредила Родионовна.

— Да и шут с ним. Ты мне все-таки расскажи... про Кузю.

Она вздохнула и подняла на него глаза, которые все время держала долу.

— Ну, он в последнее время стал чаще приходить.

То есть почти каждый вечер. Как я приезжаю с работы, так он звонит и приходит. Пару раз они пришли вместе с Димоном и Ольгой, а потом он стал... сам по себе приходить.

— Это чей мальчик? — спросил Хохлов в воздух. — А ничей. Это сам по себе мальчик.

Арина помолчала.

— Потом, знаешь, Мить, у него вдруг появилась какая-то идея про деньги! Он стал говорить, что у него теперь будет много денег, понимаешь?!

Хохлов задумчиво смотрел на нее. Лавровский тоже говорил про Кузины деньги и заранее переживал, что Кузя их где-то добудет, а он, Лавровский, нет.

— Ну вот. Я у него спросила, может, он за границей работу нашел, но он сказал, что нет, и там работу можно получить, только если начальству задницу лизать, а он ничего такого не умеет, не хочет, и все такое. Ну, ты знаешь.

— Знаю, — согласился Хохлов. Спину грело все сильнее, и, кажется, даже стало попахивать паленым.

— Он все приходил, приходил, а потом сделал мне предложение. Сказал, что мы давно знакомы, что у нас все будет хорошо, потому что я сама зарабатываю на себя, а у него теперь тоже есть деньги.

— Ну-с, — подытожил Хохлов, — мотивация налицо. Ты сама на себя зарабатываешь, а у него теперь есть некие деньги. Не иначе стольник к зарплате прибавили, как молодому специалисту. Ну, и квартира у тебя есть. Опять же, папаша!.. Если что, унитаз, к примеру, протечет или лампочка перегорит, папаша твой тут как тут, стремяночку поставит, лампочку вкрутит, унитаз улучшит по всем статьям, самому Кузе ничего делать не надо! Все ясно, Родионовна. Большая любовь у вас. Нечеловеческой силы!

Нашарив рукой, он повернул пластмассовый краник и выключил газ. Ополоснул свою кружку и полез в шкаф за чайным пакетиком. Он знал эту кухню, как свою собственную, а может, даже и лучше.

Пакетиков не оказалось, и он вопросительно посмотрел на Родионовну. Она кивнула на большую железную банку, в которой держала заварку, и Хохлов зачерпнул оттуда щепотку.

— Будешь?

— Я лучше еще кофе.

Он бросил щепотку в кружку, налил кипятку и посмотрел, как чаинки всплывают в горячей воде.

— Вот что я тебе скажу, Родионовна. Ты, конечно, можешь на меня обижаться, но большей дурости, чем выйти замуж за Кузю, я не могу себе представить. Вот, ей-богу, не могу!..

— Так ты и не выходишь!

— Я? — удивился Хохлов. — Я не выхожу. И тебе не советую.

— Я с тобой и не советуюсь.

— А что ты делаешь?

— Хохлов, я тебе рассказываю про свою жизнь, — заявила Родионовна довольно сердито. — Если ты сегодня не в духе, то так и скажи, а не финти!

— Да я и не финтю!.. То есть не финчу. Или как правильно?

Арина пожала плечами.

— Вот что ты все плечами пожимаешь? — окончательно рассердился Хохлов. — Что ты делаешь скорбную мину и плечами пожимаешь?! Ты же не дура последняя, Родионовна! Как можно за Кузю замуж выйти, если не под наркозом?! Да выйти еще ладно, а жить-то с ним как?!

— Хорошо, — отчеканила Родионовна. — За него нельзя. За кого тогда можно?

— Чего — за кого?

— За кого мне можно выйти замуж, чтобы не под

наркозом и чтобы было понятно, как с ним жить? Ты знаешь такого, Хохлов?

Он не знал, а потому уставился на нее и даже перестал дуть на чай.

Она поднялась из-за стола, приблизилась к нему и уперла руки в боки.

— Мне тридцать четыре года, Хохлов! Я еще ни разу замужем не была. Ты когда по лестнице поднимался, наблюдал очередь из поклонников, которые мечтают на мне жениться?!

— Н-нет, — признался тот и с некоторой опаской посмотрел ей в лицо. У нее были гневно-пунцовые щеки и глаза сверкали довольно подозрительно. Ему вдруг показалось, что она сейчас в него чем-нибудь швырнет.

— Значит, очереди мы не наблюдаем!.. Кому я нужна, Хохлов, тридцатичетырехлетняя старая тетка с высшим образованием и работой в Москве?! Я только по большим праздникам домой приезжаю раньше девяти часов вечера, а уезжаю я, чтоб ты знал, в полвосьмого! Заметь, Хохлов, утра! В полвосьмого утра! По воскресеньям я убираюсь и глажу, а потом хожу к маме с папой, и там у меня семейный обед происходит. Улавливаешь мою мысль, Хохлов?!

— Н-не совсем.

— А я тебе сейчас растолкую! Я тебе сейчас запросто растолкую свою мысль! — Она вдруг всхлипнула и сердито вытерла глаза. — На работе у меня четыре письменных стола, и за ними сидят три тетки и один мужик. Тетки, как и я, тексты переводят, а мужик картинки на компьютере рисует. За него, Хохлов, у меня нет возможности выйти замуж, потому что он, во-первых, алкоголик, а во-вторых, уже женатый и, наверное, в третий раз. Лавровский женат, Пилюгин тоже женат, ты при Галочке, а я при ком?! При ком я, Хохлов?!

Наверное, не нужно было спрашивать, наверное,

следовало промолчать и не раздражать ее еще больше, но все-таки он спросил осторожненько:

— А тебе обязательно быть при ком-то?

— Да! — закричала она. — Да, представь себе! И не надо мне никаких песен про самодостаточность и про то, что умный человек всегда может найти себе массу интересных занятий без всякого мужа или любовника! Я знаешь сколько книг про это прочитала, Хохлов, сколько телепередач охватила?! Я знаешь какая подкованная?! Я в этом гораздо лучше подкована, чем Кузя в своей физике! Я знаю, что у меня все впереди, что у каждого своя дорога, что мне нужно настроиться на позитивное мышление! Я о-очень позитивно мыслю, Хохлов! — Тут она надвинулась на него, так что ему стала видна вздувшаяся на ее шее жила, и он подался назад и почти сел на плиту. — Я самодостаточна просто до безобразия! Я постоянно самосовершенствуюсь, Хохлов, и скоро из меня выйдет абсолютно гармоничная личность, как у писателя-фантаста Ивана Ефремова в книге «Туманность Андромеды»! Ты читал такую книгу, Хохлов?!

На этот раз он точно знал, что отвечать нельзя, и поэтому не ответил.

— Я сама себя кормлю, я занимаюсь интеллектуальным трудом, готовлю хорошо! Я себе шапку сама связала, глаза бы мои на нее не смотрели, на эту шапку!.. Я маме помогаю, и в прошлом году они с папой целую неделю в санатории были, и я за эту неделю заплатила, Хохлов, как любящая дочь! Еще я в коридоре обои поклеила, думала, с ума сойду, пока поклею, один раз рулоном в дверь запустила, потому что, как приеду с работы, как увижу весь этот бардак, так жить мне неохота! Это у тебя — сегодня Галя, завтра Валя, а вчера, может, Маня была! А у меня?! У меня никогда и никого не было, кроме вас четверых, навязались вы на мою голову еще на первом курсе! Да и вы ко мне никогда не относились как... как... — Она никак не могла сообразить, как именно они к ней никогда не относились, и наконец сформулировала: — Как к объекту своих вожделений, Хохлов! У вас вечно были девушки из текстильного общежития!

— Просто мы тебя... уважали, — зачем-то сказал он и отвел глаза.

— Вот спасибо вам большое! — крикнула она и с размаху отвесила ему поясной поклон, так что волосы взметнулись и задели его по носу. — Век не забуду! Доуважались! Это вы мне всю голову заморочили, когда я еще молодая была, вы мне жить не дали!

— Мы?! — поразился Хохлов. Он так поразился, что даже поставил свою кружку на стол и руки на груди сложил, отчасти как Наполеон, отчасти как невинная жертва, облыжно обвиненная в страшном преступлении. — Чем же мы-то тебе не угодили, Ариша?!

— Да вы мне всем угодили! Сначала я была влюблена в Лавровского, в него все были влюблены! Но он женился и уехал в Москву, и все на этом кончилось. Потом в Пилюгина, но тоже недолго музыка играла, потому что он влюбился в Ольгу и женился на ней. В Кузю влюбиться невозможно. Остался ты, Хохлов! Ты готов на мне жениться?! Вместо Кузи?!

— Да зачем обязательно жениться-то?!

— Да я тебе только что лекцию прочитала зачем! Если тебе не обязательно, так ты и сиди со своей Галей или Маней, а мне семья нужна, ребеночек, чтобы вечером телевизор смотреть, а в выходные в лес ездить.

— И с Кузей у тебя будет семья, да?

Тут она вдруг моментально сдулась, как проколотый воздушный шарик — пщ-щ-щ-щ, и осталась только одна оболочка, мятая и невразумительного цвета.

Она махнула на него рукой, села и уставилась в свою чашку.

— Может, что-нибудь и получится, — сказала она

тоскливо. — А что? Сидит он за своим компьютером и пускай сидит. Мне это не мешает. А еще, может, ребенок родится, и тогда я буду ребенком заниматься...

— А Кузя на лыжах кататься или на санках, он это любит, для здоровья, — договорил за нее Хохлов, — а еще кооператоров позорить и власть поносить. А папаша твой лампочки будет вкручивать. Ну, ты отлично все рассчитала, Родионовна! Молодец!

— Пошел к черту.

Хохлов еще постоял у плиты, взял было со стола кружку, глотнул и со стуком поставил ее обратно.

Жить ему не хотелось.

— Поеду я, — неожиданно для себя сказал он. — Слышь, Арин?

Она пожала плечами совершенно безразлично, и Хохлов от этого безразличия вконец расстроился. Ехать ему было некуда, но он заставил себя пойти к двери, засунуть ноги в холодные, еще не отошедшие от улицы ботинки и натянуть куртку. При этом он испытывал странные, садомазохистские чувства, наверное, очень похожие на Кузины. С одной стороны, он мстительно думал о том, что Родионовна останется одна со своими горестными и дурацкими мыслями, с другой стороны, он очень жалел себя, неприкаянного и никем не любимого, вынужденного тащиться в мороз искать еще какой-то приют!

Он потоптался на пороге, выжидая, когда она выйдет его проводить, и смутно надеясь на то, что она заставит его остаться, но Арина не вышла. Несмотря на то, что вздыхал и топтался он довольно шумно.

— Ну, я пошел! — в конце концов громко сказал он.

— Давай, Хохлов, — помедлив, отозвалась она из кухни. — Счастливо.

Упиваясь своим нынешним садомазохизмом, он еще добавил, что ждет приглашения на свадьбу, а она сказала, что непременно пришлет.

И он вышел, и захлопнул за собой тяжелую, холодную, крашенную коричневой краской дверь.

Он приходил сюда, в квартиру ее бабушки, и учил здесь теорию функций комплексного переменного, а заодно объяснял Арине ее дурацкую первокурсную термодинамику и химию, а бабушка пекла лепешки, которые они поедали с чаем. Никогда в жизни он потом не ел таких лепешек и не знал, как их готовят. Никто этого не умел, кроме Арининой бабушки.

Лепешки были рассыпчатые, тверденькие, но не жесткие, и чай она заваривала крепкий, а иногда еще был индийский растворимый кофе в круглой жестяной коричневой банке — большая редкость по тем временам!

Они учили термодинамику, поедали лепешки, захлебывали их чаем и смотрели на памятник Циолковскому в сквере под окном, засиженный голубями, и все еще было впереди, и им казалось, что их дружба вечна и незыблема, как постамент Константина Эдуардовича!

Дружба-то, может, и незыблема, но как-то все пошло наперекосяк. Как-то неправильно все пошло, не по прямой, а все больше ломаными линиями!

Или так всегда бывает в жизни?.. Никаких прямых и сплошные ломаные линии?..

Вот и Родионовна начала чудить, по-другому он не мог назвать ее странное поведение! Возраст, может, переходный случился, от молодости к старости? Не поймешь. Впрочем — Хохлов знал это совершенно точно, — даже самые лучшие из женщин время от времени начинают «чудить»: загадывать мужчинам загадки, намекать на какие-то высшие эмоции, недоступные мужскому пониманию, печалиться невесть из-за чего и радоваться тоже неясно чему.

С точки зрения Хохлова, эту женскую дурь нужно пережить, как переживают насморк, — если лечить, пройдет, и если не лечить, пройдет тоже. Подурит и успокоится, она же нормальная тетка, понимающая, умная, хватило же ей мозгов, чтобы окончить Институт общей и прикладной физики, значит, и во всем остальном она должна разбираться!..

Хохлов вышел из подъезда, вдохнул морозца и поежился в короткой курточке. Курточка была финская, дорогая и предлагалась в магазине как «очень теплая», кроме того, по капюшону она еще была подбита каким-то длинноволосым мехом — такие курточки в кино носят только положительные герои, сплошь спецагенты «на деле» или успешные бизнесмены «на отдыхе». Хохлов, завидев эту курточку, вдруг до смерти захотел выглядеть, как те, из кино, стильно, современно и самодовольно. Нынче он невыносимо в ней мерз — то, что было ниже джинсового ремня, леденело как-то особенно сильно, до деревянного состояния.

Остался только один адрес, который он еще сегодня не охватил, — Димона Пилюгина. Димон жил в шикарной новостройке на самом краю города, и Хохлов поехал туда, проклиная мороз, курточку, спецагентов, себя и Галчонка. Вот дура, не поссорилась бы с ним, не пришлось бы ему мотаться по заснеженному городу и жалеть себя!

Хохлову никогда не приходило в голову, что, может, это он дурак, что поссорился с Галчонком, может, не надо было ссориться!..

Пилюгин открыл дверь и сказал удивленно:

— О! Хохлов!

— А ты кого ожидал увидеть? — пробормотал окончательно заиндевевший «спецагент». — Прусского короля?

Неясно, при чем здесь был прусский король, но ничего более нелепого в голову Хохлову не пришло. Должно быть, от холода.

Произошла эпопея с поиском тапок — третий раз за вечер! — и взгляд Хохлова уперся в чьи-то коричневые боты. От них на полу натекла небольшая лужица. Хохлов вставил ноги в чужие тапки — третий раз за вечер! — и вопросительно посмотрел на Пилюгина.

— Кузя, — ответил тот на молчаливый вопрос тоном человека, полностью покорившегося судьбе. — Приперся и никак не уходит!

Что за невезуха такая!.. Вот только Кузи нам нынче и не хватает! Счастливый жених пришел обрадовать друзей вестью о своей помолвке с графиней Б. Свадьба состоится в апреле, об этом будет дополнительно извещено в газетах.

Что за маразм лезет мне в голову! Что за чертовщина такая!.. И все из-за Родионовны, которую невозможно, ну, никак невозможно выдать за Кузю замуж!

— Здорово! — мрачно сказал Хохлов, вдвигаясь в комнату.

Население вразнобой ответило, и Ольга улыбнулась приветливо.

В отличие от Лавровских, эта семья жила совершенно другой жизнью, как будто в некоей Аркадии, которая расстилалась вокруг них и только им была доступна.

Они поженились сто лет назад и все сто лет жили счастливо и... весело, что ли. Они очень легко любили друг друга, и невозможно было представить, что они вдруг развелись, или закрутили интрижку на стороне, или всерьез поссорились. Ольга хохотала над глупыми шутками Димона, прыгала вокруг него, когда он приходил с работы, и ста тремя способами готовила картошку еще в те времена, когда, кроме картошки, готовить было решительно не из чего. Когда появились ананасы, она полюбила и ананасы тоже, и казалось, что ничего не меняется в этой семье и не изменится никогда.

Однажды Пилюгин, очень мрачный, позвонил Хохлову и сказал, что переезжает к маме, ибо они с Ольгой решили развестись. Хохлов перепугался так, будто Пилюгин сказал, что попал под поезд. Этого никак не могло случиться! Никак и никогда!.. Планета Земля разлетится на куски, и атом перестанет расщепляться, если и эти тоже начнут жить, как все! Они не могут, не должны, у них такая миссия перед человечеством — жить счастливо и как-то так, что все начинали им светло завидовать, грустить, вспоминать молодость и трогательно посматривать на опостылевшую жену или мужа, словно призывая обратно то время, когда упомянутые жена или муж еще были не опостылевшими, а, наоборот, казались друг другу главной жизненной удачей! Ольга с Димоном были будто Пьером и Марией Кюри, альфой и омегой семейного счастья, залогом, примером и еще черт знает чем!..

Поэтому, когда Пилюгин объявил, что они разводятся, Хохлов заревел, как медведь, и помчался водворять Димона обратно в семью — и опоздал! Димон уже сам водворился обратно. Так они ссорились — примерно в течение получаса и раз в три года.

У них были красивые и веселые дети, рожденные с разницей лет в десять, и в этом тоже была особая прелесть — подросток и малыш, свидетельство продолжающейся родительской любви. Почему-то эти самые дети никогда не ссорились, а, наоборот, любили друг друга, и старший таскал младшего на плечах и покорно лаял, когда младший требовал, чтобы брат изображал ездовую эскимосскую собаку Балто из Анкориджа, которая привезла в замерзающий город Ном сыворотку и тем самым спасла весь город от эпидемии дифтерита. Про собаку Балто, про Тигру и Винни-Пуха, про Снусмумрика и Фрекен Снорк детям читала Ольга, и казалось, что она и сама получает удовольствие, когда в сто пятнадцатый раз читает одно и то же! И Димон получал удовольствие, когда по выходным вел всех на горку в парк и никогда не уставал, таская снегокат снизу вверх, а потом все вместе они ели свиную отбивную с жареной картошкой в маленьком кафе, и отбивная с картошкой тоже доставляла им удовольствие... Хохлов никогда не понимал, как можно так жить!..

Ольга улыбалась, а старший сын Степка неторопливо пил чай, и возле него, на салфетке, лежала небольшая горка сушек, обсыпанных маком, до которых он был большой охотник, и Хохлов с раскаянием подумал, что ничего не привез, даже сушек, явился с пустыми руками!

— Чаю или кофе?

— Чаю, Оль!

— Тише, — быстро сказала та и приложила палец к губам, — мы только маленького угомонили!

Старшего звали Степка, а младшего — Растрепка, потому что никто и никогда не мог заправить ему в штаны майку, она вечно вылезала со всех сторон, и тогда решено было переодеть Растрепку в комбинезон, что и было проделано, но майка как-то умудрялась вылезть поверх комбинезона тоже. Ольга смеялась и говорила, что дети — один в один папочка, который всегда выглядит так, как будто только что копался в городской помойке.

Это было преувеличением, хотя Пилюгин действительно не умел носить костюмы и выглядел в них нелепо.

С некоторых пор должность Пилюгина в научном институте была переименована, и перемена названия повлекла за собой и перемену формы одежды. Раньше он именовался «начальником отделения» и ходил на работу в джинсах, а нынче стал «генеральным менеджером» и стал ходить в костюмах. Хохлова все эти перемены ужасно веселили.

Кузя сидел на диване и листал какой-то журнал. Он кивнул Хохлову, и тот кивнул ему, сморщившись так, что Ольга немедленно спросила:

— У тебя болят зубы?

— Душа у меня болит, — буркнул Хохлов и сел так, чтобы не видеть Кузю.

Ну его на фиг, жениха этого!.. Может, со временем он и привыкнет к тому, что Кузя и Арина — счастливая семейная пара, а покамест ничего, кроме глухого и непонятного ему самому, Хохлову, раздражения, он не чувствовал.

— Бабы голые, — вдруг сообщил Кузя и зашелестел журналом. — С ума сойти, кругом одни голые бабы с титьками!

— Кузя! — в один голос воскликнули Ольга с Димоном, а Степка оторвался от чая и сообщил родителям, что он давно знает слово «титьки», и журнал с голыми бабами на прошлой неделе в класс принес Вовка, и они его рассматривали в туалете, и он, Степка, не знает, как остальным, а ему что-то ничего не понравилось!..

Сначала грянула немая сцена из «Ревизора», затем короткий эпизод из «Мистерии-буфф», когда все носятся с обезумевшими лицами, затем родители некоторое время выясняли, кто из них больше виноват в том, что ситуация с журналами и «титьками» вышла из-под контроля, потом некоторое время они пытались установить, что это за Вовка — такой низенький, белобрысый? Да нет, такой здоровый, с глазами навыкате! Да нет, он крепыш среднего роста! Или нет?.. Степка пил чай, грыз сушки и никаких наводок родителям не давал, предоставив им разбираться самостоятельно. Некоторое время Ольга говорила Димону, что он совершенно, ну совершенно не интересуется семьей, и воспитание детей полностью лежит на ней, а они, между прочим, мальчики, и им важнее всего не материнская забота, а отцовский авторитет, а он, Димон, никаким авторитетом у них не пользуется, потому что все время пропадает на работе, и когда даже бывает дома, то скачет с ними, как бешеный, вместо того, чтобы преподать им урок хорошего воспитания, тьфу, тона.

Но тут Димон встал, поцеловал Ольгу в висок и осведомился, при чем тут его авторитет, ведь журнал «с титьками» в Степкин класс принес вовсе не он, и они посмотрели друг на друга и улыбнулись, и Хохлов подумал с тоской — тьфу, пропасть!..

Хохлов пил чай и косился на Кузю.

Его так и подмывало спросить, и он спросил, не выдержал:

— Кузь, говорят, ты женишься?

— Чего?

— Да я слышал, что ты женишься.

Пилюгины перестали улыбаться друг другу загадочными улыбками и уставились на Кузю. Степка продолжал шумно грызть сушки.

— Ну, женюсь, и чего?..

— На Родионовне?

— Ну а на ком же еще!..

Хохлов почесал коленку, хотя она вовсе не чесалась.

— Так ты ее, выходит дело, любишь?

— Ну... да.

— И она тебя тоже?

— Чего? А... Ну... да.

— Здорово, — подытожил Хохлов.

Ольга с Димоном опять посмотрели друг на друга, и Пилюгин подсел к Кузе на диван:

— Так, выходит, все серьезно, да? А я думал, треп один! А чего это вдруг вы решили... пожениться?

— А почему бы нам не пожениться?

С Кузей было трудно общаться, и Хохлов, которому стало стыдно, что он так раздражается, отпросился у Ольги покурить на кухню. Она никому не позволяла, а Хохлову разрешала.

Степка вдогонку ему сказал, что от курения бывает рак и в Америке всем людям курить давно запретили, и, будь его воля, он бы папе и Хохлову тоже запретил курить, чтобы они преждевременно не скончались.

В другое время Хохлов с удовольствием ввязался бы с ним в перепалку, напирал бы на свободный выбор каждого и на то, что взрослые люди имеют право жить так, как им хочется, но сейчас только рукой махнул, прикрыл за собой дверь кухни, закурил и стал думать о Кузе, который заделался женихом и первым парнем на деревне.

Кузя обладал целым рядом достоинств, которые делали его «легким и приятным» в общении человеком, — у него не было никакого чувства юмора, он был упрям, как осел, самоуверен, как боевой слон Александра Македонского, и убежден в непогрешимости собственного мнения, как Адольф Шикльгрубер времен мюнхенских пивных.

Хохлов достал мраморную пепельницу в виде русалки, прилегшей отдохнуть на берегу моря. У русалки были каменные волосы, каменные груди, о которые предполагалось тушить сигареты, и весила она целую тонну. Шедевр преподнесла Пилюгину на день рождения Галчонок и страшно гордилась, что купила такой чудесный подарок. Она называла его «представительный». Хохлов пытался ей объяснить, что представительными бывают мужчины, а подарки — исключительно представительскими, но ничего у него не вышло.

— Мить, что с тобой?

Ольга вышла на кухню и плотно прикрыла за собой дверь.

— А что такое?

— Ты с Галей поссорился? Или у тебя на работе проблемы?

— Я и с Галей поссорился, — признался Хохлов, — и на работе у меня проблемы. Но это обычная история.

— А из-за чего ты в таком раздражении? — Она помолчала, разглядывая русалку, а потом тихонько вздохнула. — Из-за помолвки Арины с Кузей?

— Как ты это назвала?!

— Помолвка. Самое правильное слово, когда объявляют о том, что собираются пожениться.

— Лучше бы Кузя объявил, что собирается в сумасшедший дом.

— Зря ты так.

— Оль, а, по-твоему, он может жениться?! Он самый нудный, самый скучный, самый придурочный из всех нас!

— Да вы-то тоже не подарки на самом деле.

— Но он хуже всех! Ты вспомни, кто всю жизнь говорил, что всех баб надо переименовать в коров, потому что они ничего не соображают, только жрут, дают приплод, а потом молоко? Кто всю жизнь талдычил, что женщин нужно изолировать от мужчин, потому что они мешают работать, лезут в их жизнь и заставляют отвлекаться от науки?! Кто говорил, что ни одна баба не может пробежать лыжную дистанцию с такой же скоростью, как мужик, потому что она дура?! А еще, что их нужно выборочно стерилизовать, чтобы они могли рожать только после тестов на сообразительность, и если коэффициент ниже среднего, им нельзя размножаться?!

— Мить, прекрати.

— Так это все правда! — сказал Хохлов и с силой вдавил окурок в каменные русалочьи груди. — Если бы он хоть что-нибудь пооригинальнее придумал! Когда была Катька-зараза, он еще как-то держался в рамках, но Катьки давно нет! И что Родионовна станет с ним делать?

Ольга задумчиво походила по кухне, трогая ладонью деревянные панели. На одной из них был нарисован Винни-Пух, ведущий за руку Пятачка, и их она тоже потрогала любовно.

— Аришка взрослая девочка, Митя. Наверное, это совсем не наше дело, что именно она станет делать с Кузей.

— Не наше?! — взвился Хохлов, и Ольга ловко его

осадила: — Как абсолютно не наше дело, что именно ты делаешь с Галей, — невозмутимо договорила она.

Вот как ловко она его опустила в осадок, и возразить на это было решительно нечего!..

— Галя — человек тоже... своеобразный. Но тем не менее никто из нас не кричит, что ты должен с ней расстаться, потому что мы не понимаем, что такой... своеобразный человек делает рядом с нашим лучшим другом!

— Хорошо, — согласился Хохлов мрачно. — Уела.

— У Димона тоже какие-то постоянные проблемы с Кузей, — продолжала Ольга. — И чем дальше, тем хуже.

— Надеюсь, на Димоне Кузя не собирается жениться?

Ольга улыбнулась:

— Жениться не собирается, а работать он ему не дает.

— Как Кузя может помешать Димону работать?

— Кузя — его зам по науке, — печально сказала Ольга. — Помнишь, давно, лет пять назад, его выдвинули на руководящий пост и с тех пор все никак не задвигают? Ну, тогда у него, единственного в отделении, была научная степень! В то время вообще в институте никакой работы не было, и людей тоже, и выбирать было не из кого, вот Кузю и назначили!

Хохлов подумал. Он совершенно забыл о том, что Кузя занимает этот самый «руководящий пост» в научном институте, где они все когда-то проходили практику.

Пилюгин вернулся туда на работу после нескольких лет мытарств по всякого рода сомнительным конторам, которые продавали никому неведомые акции, компьютеры, лыжные ботинки и немецкие тренажеры. Димон тоже какое-то время продавал все это — нужно же было кормить семью! — и при первой возможности вернулся в родной институт, но уже не просто научным сотрудником, а начальником. Все сложилось более или менее удачно — у него было подходящее образование и некоторый управленческий опыт, пусть и накопленный в «Рогах и копытах», но вполне реальный. Формулы он больше не писал — на Кузином языке это называлось не «писать», а «гонять», — зато занимался поиском проектов, под которые можно получить деньги, выбиванием правительственных грантов, распределением должностей, то есть выполнял «грязную работу», по мнению все того же Кузи.

— И что там у них с Димоном? Диалектические противоречия?

— Ну да! — сказала Ольга с досадой. — Кузя три часа назад приехал, и они все три часа до твоего появления ругались! Без остановки. Кузя возражает против контракта с автомобилистами. Он говорит, что это не чистая наука, а какая-то прикладная хрень, не достойная внимания. Еще он возражает против контракта с тобой, потому что у тебя мелкие и дурацкие идеи. Он возражает против китайцев, потому что...

— Стоп, — сказал Хохлов устало. — Я ничего этого не знал.

— Димон тебе специально не говорил, потому что он считает, что это исключительно их дело, то есть его и Кузи, и они должны в нем сами разобраться.

— Да пусть разбираются! — перебил Хохлов. Злость на Кузю наконец-то преобразовалась в нечто конкретное, как будто вода перелилась в форму и застыла на морозе.

Ну вот, теперь все понятно! И главное, объяснимо! Сейчас он пойдет и всласть поцапается с Кузей именно из-за работы, а вовсе не из-за Арины! Кузя считает, что отделение не должно заниматься его, хохловскими, заказами?! Заказами, за которые уже давно заплачены деньги?! Которые нужны Хохлову как воздух?! Эти заказы недостаточно хороши для Кузи, как для большого русского ученого?! Ну, погоди же, сейчас я с тобой разберусь!..

— Митя, Митя, — тревожно позвала Ольга. — Перестань рыть копытом землю и пускать из ноздрей пар! Димон просил тебе не говорить, а я сказала...

— А что, виден пар? — вопросил Хохлов.

— Еще как видно! Прямо валит!

— Ну, тогда в самый раз! Я пошел!..

— Митя!

Хохлов распахнул дверь, ввалился в гостиную, пару раз пыхнул ноздрями, пару раз поскреб копытом паркет, приготавливаясь атаковать. Пилюгин и Кузя посмотрели на него с одинаковым удивлением.

— Что я слышу? — спросил Хохлов с любезной улыбкой. — Господа научные работники еще не брались за расчеты, которые были им заказаны летом, правильно я понимаю?! И не брались они потому, что до сих пор не могут договориться, как мои расчеты совместимы с их научным подходом и всеобщей гениальностью?!

— Ольга, — простонал Димон. — Я же просил!..

— Твои расчеты — говно, — заявил Кузя, положил ногу на ногу и той, что сверху, стал качать. Зеленый бумазейный носок у него протерся, и палец, тоже немного позеленевший от носка, выглядывал из дырки.

— Мам, я, наверное, спать пойду, — сообщил Степка. — Вы только громко не орите, а то Растрепку разбудите, и тогда мама будет с ним сидеть, а ко мне не подойдет.

Степка вылез из-за стола, немного повисел на вделанном в дверной проем турнике — оголился худосочный живот с ребрами наперечет, — после чего ушел в глубину ярко освещенного коридора. У Пилюгиных была большая квартира, и коридор в ней большой, и света всегда много.

Потом сын вернулся. Родители закатили глаза и спросили, почему ребенок никогда не может уйти спать с первого раза, и тот им объяснил, что пришел спросить у Хохлова, придет ли тот на его выступление. Степка занимался какими-то очень сложными спортивными танцами, и, по словам родителей, делал это виртуозно.

Хохлов обещал, что придет. Он понятия не имел, когда состоится выступление и где, но спрашивать не стал. Видимо, он должен был знать и забыл, а обижать Степку ему не хотелось.

Степка опять скрылся в коридоре, и только было разъяренные быки повернулись друг к другу и нагнули головы, чтобы вонзить рога, как Степка появился снова и объявил, что Растрепка уже давно орет из своей комнаты, просится на горшок, а его никто не слышит.

Ольга ринулась высаживать Растрепку на горшок, и Степка двинулся следом.

Впрочем, через некоторое время он вернулся, подошел к Димону, важно чмокнул его в щеку и сказал:

— Пока, пап!

Разъяренные быки следили за ним налитыми кровью глазами.

Димон почесал его за ухом, повернул и слегка поддал коленом под зад, но Степка опять вернулся и сказал, что всем остальным он тоже желает спокойной ночи.

Быки вразнобой попрощались.

Степка хотел еще что-то добавить, но Димон как-то очень ловко перекинул его через плечо, хотя тот был довольно длинный, и понес по коридору в сторону спальни.

— Значит, мои расчеты — говно?! — начал Хохлов. — И как это понимать?! Тебе чего, деньги не нужны, ученый хренов?! Я к вам и обратился только потому, что Димон мой друг! Да я мог эти расчеты где угодно заказать!

— Ну и валяй, заказывай! — ответил Кузя, встал и подтянул брюки. — Валяй, валяй! Нашему отделению это дерьмо не нужно! У нас ученые работают, ученые с большой буквы!

— Пошел ты!..

— И я не позволю своим сотрудникам тратить рабочее время на обсчет аэродинамики твоих идиотских труб!

— А твои сотрудники зарплату какую получают?!

— Ну и что, блин! Неужели самое главное в жизни — это зарплата?!

— Нет, ты мне ответь!.. Какую зарплату получает средний сотрудник вашего отделения?!

— При чем тут зарплата?! Вам, капиталистам, только деньги и важны, а нам...

— Кузя! — уже окончательно взъярился Хохлов. — Ты мне можешь ответить, сколько получают твои научные работники?!

— Ну, четыре восемьсот, и что?!

— А сколько бензин стоит, ты знаешь?! Один литр бензина?!

— На х... мне сдался твой бензин?!

— Если девяносто пятый, то восемнадцать рублей литр! Ты где живешь, черт тебя возьми?! На Луне, твою мать?! Там, может, бензин до сих пор по восемнадцать копеек?!

В комнату быстро вошла встревоженная Ольга и плотно прикрыла за собой двустворчатые двери:

— Тише! — сказала она укоризненно. — Вы в приличном доме, где есть дети!

— Дети тоже должны знать, что интересы науки...

— А я тебе, кретину, за исследование этих самых труб пятьдесят тысяч долларов заплатил! Пятьдесят! Если даже их поровну поделить на всех сотрудников вашего, блин, отделения, все равно получится больше, чем четыре восемьсот!

— А мне плевать на деньги! И кто не может за зарплату работать, пусть выкатывается к чертовой матери в коммерческую палатку, пиво продавать! Или в армии служить!

— Да чем тебе обсчет моих труб не угодил?! Тем, что трубы от газопровода, а не от космического аппарата?!

— Тем, что твои трубы ничего не добавляют к научному пониманию процесса!

— Какого процесса, Кузя?! — спросил Хохлов, которому вдруг как-то моментально осточертел весь этот спор, и он словно увидел себя со стороны. Увидел и не понял, чего ради он так-то уж старается!..

Кузя подумал секунду, а потом выдал:

— К процессу турбулентного течения газа в турбине! Именно этой проблемой занято наше отделение!

— Ваше отделение было занято этой проблемой еще в девяносто первом году, когда мы институт окончили! И с тех пор ни хрена не продвинулось! Турбулентное течение газа в турбине по-прежнему остается загадкой для всего прогрессивного человечества! Так, может, вы пока на досуге обсчитаете мои дурацкие, дешевые и ненаучные трубы для газопровода?!

Так как Хохлов спрашивал — именно спрашивал, а не орал просто так, — Кузя решил, что победил в дискуссии, а потому ответил очень твердо и очень солидно:

— Нет.

Хохлов опешил:

— Что — нет?

— Наше отделение, — веско сказал Кузя, — не станет заниматься твоими трубами. Я Димону уже говорил. Если он взял у тебя деньги, значит, он должен их тебе вернуть. Мои сотрудники...

— Они такие же твои, как и мои, — тихо сказал Пилюгин.

Оказалось, что он давно уже отнес Степку, вернулся в комнату и слушает их со странной, болезненной улыбкой на лице. Ольги, наоборот, не было видно.

— Наши с тобой сотрудники, — продолжал Пилюгин, — хотят зарабатывать, Кузя. Ну, хоть что-нибудь. Им всем по памятнику нужно поставить на Аллее звезд, что они не бросают работу и не уходят, как ты говоришь, пиво продавать. Они из последних сил держатся, ты понимаешь или нет? Мне... — Он замолчал на секунду, и Хохлову показалось, что замолчал для того, чтобы удержать себя в руках, не сорваться в крик и битье посуды. — Мне очень трудно достаются заказы, Кузя. И то, что они у нас есть, и отделение все еще не пошло по миру, это только моя заслуга. Я тебе точно говорю.

— Засунь свои заказы себе в задницу, — сказал Кузя. Ему было весело. — Поду-умаешь, какой финансист! Зачем ученым, теоретикам, заметь, обсчет какого-то пошлого заводского оборудования? Может, мы тогда в колхоз всем отделением двинем, как при советской власти, а? Картошку убирать, вместо того чтобы наукой заниматься.

— Обсчет труб — это ближе к науке, чем картошка, Кузя!

— Да я даже говорить об этом не хочу. Не будем мы заниматься всякой лажей, и точка, все! Я твой зам по науке!

— Да, ты мой зам по науке, — все так же тихо и грозно подтвердил Пилюгин. — И я имею полное право...

— Никаких прав ты не имеешь, — радостно заявил Кузя и опять залихватски подтянул брюки. — Не ты меня назначил, и убрать меня ты не можешь! А без моей подписи не будет никаких обсчетов!

Хохлов переводил взгляд с одного на другого. Открывая дискуссию, он не был готов к глубине диалектических противоречий, которые вырисовывались между Пилюгиным и Кузминым. Он собирался просто всласть поцапаться с Кузей из-за того, что тот вздумал жениться на Родионовне, что, по мнению Хохлова, не лезло ни в какие ворота. Всерьез обсуждать интересы своей работы, а также работы научного отделения он не был готов.

— Съел? — спросил Кузя у Пилюгина. — Не подавился? И пусть Митяй завтра же забирает свое бабло и тащит его в какой-нибудь НИИ, где все в носу ковыряют, и пусть ему там трубы и обсчитывают! А мы не будем!

— Да это несерьезный разговор! — сказал Хохлов с досадой. — Ты чего, бредишь, Кузя?! Ну, ладно, побазарили про интересы науки, и хватит уже! Я же не просто так денег дал, я за работу заплатил! И мне нужно, чтобы она была сделана.

— Так пусть ее сделают в какой-нибудь научной помойке, а не в самом лучшем авиационном институте страны!

— Так самый лучший институт как раз и занимается аэродинамикой!

— Но не такой примитивной, не примитивной, — пропел Кузя.

Он был счастлив, ему казалось, что он победил, а ему было так важно победить этих двоих хоть раз в жизни!

Они всегда его считали чудаком, почти кретином, и прощали ему странности только «за гениальность», а вот сейчас он им и без всякой гениальности покажет, где раки зимуют! Не даст он проворачивать всякие сомнительные аферы! Именно он, Дмитрий Кузмин, кандидат технических наук, заместитель начальника отделения, призван соблюдать интересы науки, и он их соблюдет, чего бы ему это ни стоило!

Вон как растерялись голубчики, смотрят друг на друга, как будто чего-то не понимают! А что тут понимать?! Ясно сказано — не будет теоретическое отделение ковыряться в каких-то ерундовых производственных обсчетах! Он, Дмитрий Кузмин, не позволит!..

Он всегда был умнее их в той науке, гранит которой они грызли вместе столько лет! Он раньше всех защитился, он писал самые забойные научные статьи, он почти сделал гениальное открытие! Не повезло — оказалось, что лет за десять до него такое же открытие сделал какой-то американец, хотя Кузя шел другим путем! Другим, совершенно другим!.. Он был умнее их, и все равно они постоянно оказывались впереди, им доставались самые красивые девушки, самые модные джинсы и самый дорогой портвейн! Вот теперь посмотрим, чья возьмет, — покрутитесь-ка, поюлите, поуговаривайте меня! А я не дамся! Мне-то что? Мне от ваших пятидесяти тысяч хорошо если штуку отстегнут, а я и без вашей штуки нынче полный кум королю и сват министру!

— Нам все равно нужны деньги, — произнес Пилюгин, и Кузе показалось, что он слышит умоляющие нотки в его голосе. — У нас дом не достроен, пол-отделения в общаге живет! Дом же паевой, нам нужно деньги вносить! А откуда я их возьму, если ты все мои заказы...

— А вот это мне по барабану, — перебил его Кузя, — где ты их возьмешь! Я сам в общаге пятнадцать лет живу, и ничего, все у меня нормально! И остальные пусть поживут! Ты-то чего переживаешь, Димон? Ты же сам в полном шоколаде!

— Стоп, — приказал Хохлов. — Димон, это что значит? Неужели мой заказ не будет выполнен?! Осталось три недели до моей поездки на завод!

— Подожди, — попросил Пилюгин, — подожди, Мить, мы же еще ни о чем не договорились!

— Считай, что договорились! — сказал Кузя, сел и опять стал листать журнал. — В *моем* отделении коммерции никогда не будет!

Он пролистал несколько страничек и добавил громко:

— О! Опять бабы голые! Слушай, Митяй, а ты интернетскую порнуху смотришь?..

— Я тебя убью, — вдруг отчетливо выговорил Пилюгин, быстро подошел и неловким движением стукнул Кузю по уху. Тот — от изумления, наверное, — ойкнул, завалился на бок и взялся за голову.

— Э! Э! — предостерегающе начал Хохлов, когда Пилюгин полез за завалившимся Кузей на диван с явным намерением еще раз ему двинуть. — Димон, ты что?! Ты чего?! Кончай, Димон! Хорош, тебе говорят! Вот ё-моё!

На диване продолжалась потасовка, совсем не мужская, а какая-то кошачья — там что-то возилось, двигалось, пищало и перекатывалось с боку на бок!..

Хохлов глупо бегал вокруг и пытался оторвать закадычных друзей и коллег друг от друга, и все ему не удавалось, но потом он вдруг сообразил, как нужно действовать, тоже залез на диван и моментально разбросал их в разные стороны.

Они тяжело дышали и косили бешеными глазами. У Кузи ухо было красным, и воротник коричневого свитера с одной стороны оторван. У Пилюгина красной была щека и весь вид помятый.

— Оборзели?! — спросил Хохлов. — Совсем?!

В это время Кузя приподнялся и потянулся, потом ухватил Пилюгина за рубаху и рванул так, что сильно затрещало, и Хохлов съездил ему по руке. Рука убралась.

— А чего он лезет?! — через некоторое время спросил Кузя. — Это он первый начал!

— Убью, — тяжело дыша, пообещал Пилюгин еще раз. — Ты мне жить не даешь, скотина! Нормально работать не даешь!

— Да что ты знаешь про работу!..

— А ты что знаешь!..

— Молчать! — гаркнул Хохлов. — Молчать и слушать сюда!

Заглянула Ольга, быстро окинула взглядом поле недавней битвы и нынешнюю диспозицию и опять убралась, дверь за ней плотно затворилась.

— Значит, так, — объявил Хохлов. — Плевать я хотел на ваши... внутренние противоречия. Мне заказали трубы для газопровода. Заказчик у меня серьезный. Завод должен эти трубы сделать, и простаивать он не может. Если я не получу обсчеты, особенно по прочности, ровно через три недели, я сам лично утоплю в Москве-реке вас обоих. Кому не понятно, поднимите руки!

— Пошел ты!.. — выругался Кузя, дернул шеей и двинул локтем в пространство.

— Все обсчеты будут, — сказал Пилюгин одновременно с ним и ничем двигать не стал. — Не волнуйся, Митяй.

— Не волнуйся, черт возьми! Как мне не волноваться, когда вы тут такие коленца выкидываете! И вообще, я сюда ночевать приехал. Я спать хочу, а не демагогию вашу слушать!

— А тебя чего, Галчонок выгнала? — заинтересованно спросил Кузя и перестал тереть пострадавшее в бою ухо.

— Тебе, Кузмин, как будущему молодожену, это, конечно, покажется странным, но никто меня ниоткуда не выгонял, — злобно сказал Хохлов. — Димон, я иду спать!

— Ольга тебе постелит.

— Я давно постелила, — раздался из-за двери приглушенный голос. — Вы перестали драться или еще будете?

— А я домой пойду! Чего мне по чужим хоромам ночевать? — заявил Кузя.

— Да тебя и не приглашает никто, — пробормотал Хохлов.

— Я тебя провожу, — предложил Димон Кузе. — Еще два слова скажу!

— Какие еще два слова, все равно ничего... — голосом ломаки и строптивца начал Кузя, но Пилюгин уволок его в коридор, и бормотание стало неразборчивым.

— Всем пока! — неизвестно зачем объявил Хохлов и потащился по широкому и светлому коридору в сторону гостевой спальни, где он тысячу раз ночевал, трезвый, пьяный, счастливый, несчастный, озлобленный на весь мир, любящий все человечество, раздавленный в прах, готовый к свершениям, унылый, веселый, какой угодно.

В спальне он стянул с себя одежду, пошвырял ее в кресло, решил, что душ принимать не станет — все равно ведь спать одному! Стоя в одних трусах, изучил себя в зеркале, очень от этого расстроился, упал на кровать и стал думать о том, что Кузя кретин, а у Димона, пожалуй, сложное положение.

Еще он подумал о том, что у него самого тоже положение не так чтобы суперлюкс, потому что пролететь с таким заказом, как фанера над Парижем, он не может себе позволить, значит, должен или прибить Кузю насмерть, или найти другую контору для обсчета его драгоценных труб, а времени на это оставалось маловато. Да еще и не всякой конторе такие сложные расчеты можно доверить.

Еще Хохлов подумал о том, что Родионовна тоже влипла, потому что жить с Кузей невозможно, он лампочку и ту не умеет вкрутить, и даже думать об их совместной жизни противно, и Хохлов решил не думать, но все-таки думал, а потом пришел Кузя и стал вкручивать в люстру лампочку с противным продолжительным звуком — вж-жик, вж-жик...

— Пошел ты!.. — сказал ему Хохлов и проснулся.

В комнате не было никакого Кузи, и лампочек, как это ни странно, никто не вкручивал. Из кучи одежды, валявшейся на кресле, звонил мобильный телефон, заходился длинным жужжанием.

Хохлов посмотрел на часы. Третий час — самое глухое и мрачное ночное время.

Кого разбирает звонить в третьем часу ночи ему на мобильный?!. Или номером ошиблись?!

Сделав над собой все необходимые усилия, он выбрался из теплой постели, увяз ногой в одеяле — в этом доме любили толстые, теплые, безразмерные одеяла — и взял трубку в ту секунду, когда телефон перестал звонить.

«Непринятый вызов» было написано на экранчике, и Хохлов собрался было послать телефон куда подальше, но тут снова зажужжало — вж-ж, вж-ж!..

— Але! — сказал он в трубку. — Але, чего вам надо среди ночи?!

— Хохлов? — спросили из трубки очень по-деловому и как-то буднично, словно не было ничего странного в том, что у человека в третьем часу из мобильного телефона спрашивают фамилию.

С Хохлова мигом слетел весь сон:

— Да.

— Дмитрий Петрович?

Он помедлил.

Мать или отец, пронеслось в голове стремительно и закрутилось водоворотом. Кто из них?..

— Але, это Хохлов Дмитрий Петрович?

— Да.

— Так приезжайте. Контору вашу ограбили.

Хохлов ничего не понял.

— Вы чего, не проснетесь никак, что ли? Из милиции с вами говорят! Приезжайте, ограбили вашу контору! Сигнализация сработала! Без вас мы не обойдемся. А вы где? Далеко?

От облегчения, оттого что — господи, спасибо тебе! — всего-навсего ограбили его контору, Хохлов сел в кресло, прямо на кучу одежды, и вытер совершенно сухой лоб.

— Але, вы меня не слышите? Или слышите?!

— Слышу.

— Вы где? Долго вам ехать?

— Пять минут, — ответил Хохлов. — Сейчас приеду. А вы ничего не путаете? Точно мою контору ограбили?

— Послушайте, мужчина, — сказал голос в трубке, — мы ничего не путаем. Офис научно-производственного объединения «Технологии-21» по адресу: улица академика Иоффе, один. Это ваш?

— Мой, — признался Хохлов. — А правда, «Технологии-21» глупейшее название?

Он еще не отошел от испуга, но голос в трубке не мог этого знать.

— Чего?

— Ничего, извините, — быстро сказал Хохлов. — Я буду минут через пятнадцать, я тут недалеко.

— Да уж постарайтесь.

Он быстро одевался и ни о чем не думал.

Ну, ограбили и ограбили, мало ли что!.. А может, ложная тревога. Впрочем, у него в конторе и красть особенно нечего! Офис — несколько комнат, где сидят секретарша, несколько инженеров, парочка юристов, Лавровский, работа которого заключается в том, что он должен обновлять и корректировать сайт компании, и престарелая бухгалтерша в шали и пластмассовых очках. Бухгалтершей Хохлов особенно гордился, потому что она была коршуном. Орлом она была. Вернее, орлицей.

Вальмира Александровна — так ее звали, и, видит бог, она решительно не могла бы быть Марией Ивановной или Настасьей Петровной. Она являлась виртуозом бухгалтерских отчетов, и нынешние профурсетки в подметки ей не годились! Она знала наизусть все нормативные акты, все формы отчетности и все время с энтузиазмом познавала новые, как поэму читала. Она вела дела Хохлова с филигранной четкостью, как турецкий лоцман ведет по Босфору американский авианосец, и ни разу не напоролась на мель. Хохлов знал по крайней мере два случая, когда нечистые на руку конкуренты, акулы капитализма, так сказать, пытались подкупами и посулами переманить могущественную Вальмиру на свою сторону, но она осталась ему верна, и эта ее вера щедро оплачивалась шефом. На Восьмое марта Хохлов первым делом покупал подарок ей, а уж потом всем остальным женщинам его жизни.

Он улыбнулся, натягивая штаны. А если и в самом деле украли что-то нужное?.. Компьютер, к примеру, или ее драгоценную бухгалтерскую базу? Вот тогда будет шум на весь мир, вот тогда она себя покажет, его любимая и незаменимая! Придется ментам на самом деле жуликов поискать, иначе орлица Вальмира их живьем склюет!

Он натянул свитер, на ощупь умылся в ближайшей ванной, вытерся полотенцем для рук, выдавил на указательный палец немного пасты и потер зубы — почистил вроде. Чище они, конечно, не стали, но во рту посвежело, и на том спасибо!

Он вышел в коридор, постоял, прислушиваясь, и, крадучись, стал пробираться к двери.

Где у них свет зажигается, слева или справа? Забыл! Станет искать, еще свалит чего-нибудь, всех перебудит! Вроде слева. Или нет, справа! Это когда заходишь в квартиру, то слева, а если с этой стороны...

— Митяй?! — Шепот был громкий, театральный такой шепот.

— Не ори.

— Я не ору! А ты гулять, что ли, собрался?!

— Свет слева или справа? — спросил Хохлов, и Пилюгин подошел и зажег свет.

— Ты чего, лунатик, Хохлов?!

— Мне сейчас менты позвонили. — Он быстро обувался и на Пилюгина не смотрел, а зря. При слове «менты» генеральный менеджер научного отделения как-то странно и театрально подался назад, налетел на вазу, та зашаталась, загремела, и они оба с двух сторон кинулись и подхватили ее, чтобы не упала.

— Ты чего, Димон?

— А что... случилось?

— Говорят, контору мою... того... Грабанули.

— Как?!

— Да откуда я знаю — как?! Короче, я поехал.

Пилюгин смотрел растерянно, словно ждал известий о начале третьей мировой войны, а оказалось, что разведка ошиблась и грядет не третья мировая, а митинг пенсионеров в защиту коммунистов Монголии.

— Подожди, — сказал он после некоторой паузы и помотал головой, будто стряхивая наваждение, — я с тобой. Мне только одеться нужно.

— Ничего тебе не нужно. Иди, ложись.

— Митяй, я с тобой.

— Да не надо мне твоих геройств! — сказал Хохлов сердитым шепотом. — Ехать две минуты, машина под окном, ничего со мной не случится! Давай, все, пока, Димон!

Он одернул курточку «суперагента», тщательно обмотал шею клетчатым шарфом, натянул перчатки, заправил их под манжеты и только после этого вышел за дверь.

В подъезде было непривычно холодно, и чувствовалось, что за кирпичными стенами — Великая Стужа. Хохлов заранее поежился и натянул на голову капюшон, и все равно мороз, вломившийся с улицы в дверной проем, дохнул в лицо, пробрал до костей.

— У-ух! — проревел Хохлов и щелкнул зубами.

Кожа на лице затвердела, и скальп, кажется, затвердел тоже. Курточка зашуршала, как бумажная, — промерзла моментально и насквозь. То, что было ниже курточки, привычно и болезненно задеревенело. Хохлов сначала быстро шел, а потом побежал к своей машине, но бежать было тяжело — мороз не давал дышать, Хохлов закрыл перчаткой рот и нос и вновь перешел на шаг.

Грядет второй Ледниковый период. Динозавры и прочие, кто не сумеет приспособиться, вымрут, и им на смену придут более совершенные существа. Про себя Хохлов знал, что точно вымрет, особенно если в ближайшее время не сменит курточку на бараний тулуп или медвежью доху. Что там у нас думают защитники природы относительно тулупов и шуб? Каким таким синтетическим мехом можно прикрыть замерзающее тело, когда мороз тридцать градусов держится уже полтора месяца и вечная мерзлота воцарилась вокруг — промерзли асфальт, земля, стены домов?! Когда изобретут искусственный мех, который будет греть, как настоящий, и сколько на его изобретение пойдет так называемых «технологических усилий»?! То есть сколько нужно будет света, тепла, электричества — суть нефти, газа и воды?! И как именно станет работать химический завод, производящий этот самый греющий искусственный полимер, и как именно этот завод станет загрязнять окружающую среду, какую воду он начнет сливать в очередное озеро Байкал и какой дым выпускать в атмосферу?!

Профессор Авербах Виктор Ильич, когда-то преподававший у них в аспирантуре газодинамику, любил повторять, что величие человеческого разума подчас заключается вовсе не в том, чтобы сделать сумасшедшее научное открытие, а в том, чтобы вовремя остановиться и никакого открытия вовсе не делать, если последствия его туманны и непонятно, как оно повлияет на дальнейшую жизнь всего прогрессивного человечества.

Правда, добавлял Виктор Ильич, справедливости ради нужно заметить, что история не знает таких примеров. Любопытство всегда оказывается сильнее здравого смысла, и осознание того, что ответ на вопрос вот-вот будет найден, полностью затмевает осознание чудовищности самого вопроса.

Кое-как, не с первой попытки, Хохлов вставил ключ в замок и потянул дверь на себя, и конечно, она не открылась, потому что примерзла, и он стал дергать ее и потряхивать, очень осторожно, чтобы не оторвать ручку. С ним уже была такая история, и пока на сервисе ручку не приделали обратно, он влезал в джип через багажную дверь. Наверное, с неделю так лазал. У дома на него никто не обращал внимания, а вот у конторы, когда он появлялся из багажника, сдавая задом и нащупывая ботинком землю, все сотрудники радовались и даже специально выходили посмотреть, как начальник «дает гастроли», и приводили своих знакомых.

А что он станет делать, если машина не заведется?.. Вот что делать? Пешком не дойти — замерзнешь, как Скотт во льдах Антарктики, в четырехстах метрах от человеческого жилья!

А ничего я тогда не стану делать, решил Хохлов и повернул в зажигании ключ. Не поеду, и все. Вернусь к Пилюгиным досыпать. Там тепло, одеяло громадное, как парашют, и уютное, как плюшевый мишка, и наплевать мне на все, красть в конторе особо нечего!..

Машина завелась — умница, хоть и старушка! И в тот момент, когда двигатель вдруг закашлялся, а потом все-таки заурчал, утробно, устойчиво, он вспомнил.

Вспомнил, и пот прошиб его, несмотря на мороз.

В сейфе лежат деньги, целая куча. Как он мог про них позабыть?!

Третьего дня он оставил в сейфе сто тысяч североамериканских долларов в толстеньких, упитанных пачках, перетянутых банковскими резинками. Он оставил их в офисе, потому что банк, в котором обслуживались Хохлов и его контора, был в Москве, а в столицу, хоть до нее всего двадцать три километра, он наведывался не каждый день.

Целый пакет денег, господи Иисусе!.. На пакете нарисованы синие розы и лиловые ромашки, а внутри — сто тысяч долларов!

Хохлов нажал на газ и, поминутно оглядываясь, стал подавать назад, ничего не видя сквозь замерзшее стекло.

«Если украли деньги...» — начал было думать Хохлов и до конца недодумал. У него наступал короткий мозговой паралич, как только он представлял себе, что денег в сейфе нет. Украли.

Он выехал на пустую улицу с желтым пятном света единственного фонаря и нажал на газ. Снег под фонарем лежал белой плотной неживой массой, не искрился и не играл, должно быть, от мороза.

Городок спал — в столичных пригородах спать ложатся рано и спят крепко, потому что нет в них ночных клубов, казино и открытых до утра дансингов. Только залы игровых автоматов, призывно сияющие солнцами, молниями и «зигзагами удачи», но у жителей денежек, как правило, не слишком много, и они спускают их менее охотно, чем в столице.

Памятник Циолковскому в серой морозной пленке казался не таким громадным и чуть более человечным, как будто каменное изваяние съежилось от холода на своем пьедестале. Сквер был совершенно темен и от того похож на Шервудский лес — непроходимая чаща посреди спящих домов. На его освещение средств всегда не хватало, и почему-то иллюминированным оказалось только одно дерево на самом углу. Голые, обмороженные ветки были кое-как опутаны гирляндой. Гирлянда горела синим больничным огнем, и Хохлову казалось, что весь городок — это огромная больничная палата, а на углу, где дерево, медсестринский пост.

Он свернул направо, на центральную улицу имени

Жуковского. Улица была длинная и прямая и упиралась прямо в небо, подсвеченное снизу лихорадочным желтым заревом. Там была Москва, вечно не спящая, громадная, ледяная, взбудораженная, прорезанная автомобильными фарами и закованная в транспортные кольца, ночью гораздо более опасная, чем днем, и гораздо более притягательная — ибо «ложишься спать с красавицей, а встаешь с трактирщицей»!

Хохлов думал обо всем этом, только чтобы не думать о деньгах, оставленных в конторском сейфе, а потом, свернув налево, увидел милицейский «газик» и...

...и проснулась от того, что сильно хлопнула входная дверь и с улицы ворвался морозный воздух и заклубился, как в черно-белом кино про сибирские стройки.

Комендантша общежития баба Вера страсть как любила черно-белые фильмы про стройки.

Она зевнула, проворно спустила ноги с топчана, поправила коричневый пуховой платок, завязанный крест-накрест, и выглянула из-за фанерной перегородки.

— Хто там?

Человек, вошедший с улицы, сразу не ответил, и баба Вера, не признавшая его, переспросила еще строже:

— Вы куды?!

— Сюды, — ответил человек сердито, и тут она его признала.

— Чегой-то поздненько возвращаешься сегодня, Борисыч!

— Нормально, баб Вер!

— Или симпатию какую на стороне завел? Гляди, Борисыч, охомутають тебя, глазом моргнуть не успеешь, как Витюшку, сыночка мово!

Витюшке полтинник стукнул уже давно, баба Вера и сама точно не могла вспомнить, когда именно, и он числился водопроводчиком в той самой жилконторе, которой принадлежало общежитие.

Спина удалялась в сторону лестницы, и баба Вера вдруг спохватилась, что забыла передать важную информацию.

— Стой, стой, Борисыч!

— Чего?

— До тебе бывшая жена приходила, днем еще! Говорю ей, нету его, он об эту пору еще на работе!

— И чего?

— И не пустила ее! Чего она шастать будет, когда ты работу работаешь!

— Ну, и правильно сделала, что не пустила!

— И еще бумага пришла. Но та не сама, ту почтальонша принесла и велела тебе лично в руки вручить. И еще говорит мне: ты, мол, за этой бумагой полную ответственность несешь! А я ей: да, может, он в мое дежурство и не объявится, куды ж тогда я ее дену, если я за ней ответственная! Ящика железного у меня нету, и не для того я здесь поставлена, чтобы бумажки всякие хранить! А она мне... Да постой, куды ж ты пошел?!

— Некогда мне, баб Вер. Устал я. Завтра заберу.

— Как завтрева, когда велено сегодня?! Ты мне голову не морочь, гражданин Кузмин! Ты есть здесь проживающий, и до тебе бумажка пришла, и сказано на ней русским по белому — Кузмину Дмитрию Борисычу! А как ты и есть Кузмин Дмитрий Борисыч, так и забирай свою бумажку!

Но Кузя только посмотрел на нее с лестницы, повернулся, поправил серый кроличий треух, который носил еще с институтских времен, и пошел себе наверх, помахивая портфельчиком.

Бабу Веру от такой наглости жильца чуть удар не хватил.

Вы поглядите на него, люди добрые! Ни спасибо тебе, баба Вера, возьми вот полтинничек за службу, ни уважения, ни понятия! Сказано ему — забери бумажку, а он пошел себе, да еще этаким гоголем!..

Баба Вера толком не знала, что такое «пошел гоголем». Когда Витюшка еще в школу бегал, ему в библиотеке книгу дали, и на ней это смешное слово было написано: «Го-голь», вот ей-богу! И портрет носатого какого-то, видать, книжка была про этого самого, про носатого, и толстая такая!.. А может, и не про носатого, а про мертвецов, потому что в названии души усопших поминались. Витюшка книжку читать не стал, а муж Василий, который тогда еще живой был, по пьянке поставил на нее сковороду с салом, и обложка почернела маленько. Потом в библиотеке бабу Веру за обложку пробрали, вот она и запомнила оттуда этого самого Гоголя!

— Сказано тебе, возьми у мене бумажку, а ты чего?! Пошел сразу! Обленился вконец, ко мне, пожилому человеку, на три ступеньки спуститься не можешь!

— Не ори, баб Вер!

— Я тебе не «баб Вер», а дежурная! И у мене для тебе бумажка! А мне за ней отвечать неохота! Развелось тут вас, бездельников! И ежели каждому бумажки станут приносить, а баба Вера знай забирай и таскай вам?!

— Спокойной ночи, баб Вер!

И не оглянулся, и не спустился, и конверт не взял! Откуда только гонор у них, у образованных этих?! Всю жизнь в общаге провел, как самый последний алкаш, шапка двадцать лет одна и та же, жена от него сбежала, а он туда же!.. Некогда ему, видите ли, завтра заберет! Умаялся больно! Сидит с утра до ночи на стуле, вон задница от сидения вся залоснилась!

Все это примерно в таком порядке, а может, чуть в другом, баба Вера прокричала в лестничный пролет, задирая голову, с которой падал пуховой платок, и она придерживала его рукой. Кузю она не видела, но слышала, как он поднимается. Лампочки с лестницы всегда воровали, и нынче горела только одна, на первом этаже, а жил Дмитрий Борисович на третьем!

— И ты ко мне больше звонить не являйся! — выпустила последний заряд баба Вера. — Не пушшу!

Платок упал окончательно, она деловито натянула его, заправила жидкие пряди за уши, промаршировала к двери, из-под которой сочился мороз, и поплотнее ее прикрыла.

Как же!.. Пустит она теперь этого Кузмина к телефону! Кукиш с маслом! И баба Вера сложила этот самый кукиш — довольно увесистый — и потрясла им в сторону лестничного проема. А Кузмин частенько позвонить просится, небось с мобильника-то дорого ему встает, вот он и шастает к городскому. Говорит, руководство у него в Москве! А какое такое у него руководство, когда он как есть чистый бездельник, все только на заднице сидит и руками ничего не работает!

В то, что существует некая деятельность, которая требует работы головой, баба Вера сроду не верила. Взять, к примеру, писателя! Ну, что это за работа такая, скажите, люди добрые?! В смену ему не выходить, в каморке не ночевать, трубы гнилые, как вон Витюшке приходится, голыми руками не крутить! Сидит себе, писатель-то, и пишет, и пишет на бумажке. Кто его знает, чего он там пишет? Да никто и не смотрит небось! А может, он просто книжку толстую переписывает, а как перепишет, так несет в типографию, а ему там денег отваливают! Никто ж не догадается, что он из другой книжки переписал! А раньше, при советской власти, так бывало, что писатель возьмет, да и против правительства напишет! Ну, тогда порядок был, тогда за такие дела — раз, и по месту назначения! Судили их, всяких писателей-то! А все почему? Потому что народ они не крепкий, руками не работают, вот от безделья и лезет в голову чума болотная! В прежние времена баба Вера этого самого Борисыча и в общежитие не допустила бы! Пришел после двадцати трех ноль-ноль, ночуй где знаешь! И жалобу в местком — общественный порядок, мол, нарушал! Пойди отмойся! А сейчас что такое?! Приходи, когда хочешь, уходи, когда вздумаешь, за бумажкой и то не спустился даже!

Баба Вера фыркнула, пристроилась на топчан и свет от настольной лампы прикрыла вчерашней газетой. Газета называлась «Городские вести», и в ней часто давали беседы с разными интересными людьми. Вот во вчерашней — баба Вера скосила глаза на страницу, длинно зевнула и перекрестила рот — беседовали с ясновидящей одной. И сказала она, что скоро уж, скоро всадник на огненном коне явится, а следом за ним разверзнется геенна огненная. Всем людям велела каждое утро выпивать по ложке репейного масла, для очищения. Как раз к концу света успеешь очиститься, только где ж его нынче взять, масло-то репейное?! Небось «новые русские» все попили, но им-то вовек не очиститься!

Где-то наверху грохнуло что-то тяжелое, и баба Вера прислушалась, выпростав ухо из платка. По радио играли гимн, и баба Вера радиоточку приглушила.

Показалось? Или опять на четвертом Серега Почкин, по прозвищу Тля, жену Маринку на воспитание взял?

Грохот больше не повторялся, и баба Вера успокоилась, зато стал слышен неясный шум, как будто бегал кто-то, а может, двигалось что-то тяжелое. Не иначе Тля Маринку по полу за волосы таскает, решила баба Вера. Сегодня он с ней по-дружески, по-божески, по-людски. Обычно-то смертным боем бьет, у него за дверью для этой цели полено березовое всегда стоит. Баба Вера сама видела, как он ее этим поленом дубасит и нечеловеческим голосом кричит: «У-у-убью, су-у-ука!» Бьет, да хоть мужик нормальный, не то что Кузмин этот! В заводе деньгу получает и пропивает не все, Маринке подарки покупает, когда не в запое. Вот она его и любит, Маринка-то!..

Баба Вера начала засыпать, когда наверху опять грохнуло. Ну, это дела семейные, не милицию же вызывать, подумалось ей в наплывающей дремоте. Разберутся как-нибудь, да и она, баба Вера, стара стала, наверх не полезет драку супружескую разнимать!.. Пусть уж сами как-нибудь... Полюбовно...

Кузмин в комнате, запертой на ключ, прислушался, сдавленно и тяжело дыша.

Он ничего не понимал.

Денег в портфельчике не оказалось, а он был уверен, что они там! Он обшарил все отделения, даже подкладку надорвал и посмотрел, хотя портфельчик ему нравился и жалко было отрывать приятную шелковую подкладку.

Под подкладкой денег тоже не оказалось.

Нужно искать. Они могут быть только где-то здесь.

Он начал с письменного стола и последовательно вынимал бумаги из одного ящика за другим, просматривал и бросал на пол. Вскоре крашенный грязно-коричневой краской пол уже весь был устлан бумагой, очень белой офисной бумагой, исписанной рядами формул, и он ходил по ней башмаками, и это напоминало вакханалию, варварство, надругательство над невинным и чистым.

В столе денег тоже не оказалось.

Кузмин передохнул и осмотрелся. Были еще шкаф и длинный, узкий шифоньер с посудой. Работы предстояло много.

Он стал вытаскивать из шкафа вещи и шарить под ними, даже оторвал одну полку, державшуюся на хилых фанерных штырьках! Полка упала, сильно загрохотала, и тут ему пришло в голову, что сумасшедшая бабка-вахтерша может прибежать на шум, и ему никак нельзя шуметь! Никак!

Дальше он работал в полной тишине. Он двигал мебель, напрягая все силы, так что вены вздувались у него на лбу, и пот выступил на висках, хотя в плохо протопленной комнате стоял лютый общежитский холод. Он заглядывал во все углы, шарил в пыли под продавленным диваном, он точно знал, что должен найти, и не находил!..

Но деньги должны быть! Они были обещаны и не могли пропасть!

Вокруг царил первобытный хаос. Он даже не подозревал, что в таком небольшом пространстве может поместиться столько вещей, бумаг, книг! Когда все это стояло на полках и лежало в шкафу, казалось, что вещей почти нет, а сейчас они как будто размножались сами по себе!

Все было выворочено, выпотрошено, разрушено. А деньги так и не нашлись. Он огляделся, как будто видел комнату в первый раз.

Книги! Он еще не посмотрел в книгах! Да, конечно! Он много раз видел это в кино — книжка, а в ней тайник, куда плотно укладывается толстая пачка!

Он стал просматривать книги, в которых почти не было текста, только формулы, и по одной кидать их на пол. Учебник человека со странным именем Дмитрий Васильевич Сивухин упал на вынутую из шкафа доску, она вновь грохнула по полу, и он опять замер, прислушиваясь.

Может, свет погасить? Если придет сумасшедшая бабка, можно прикинуться спящим!

Он погасил свет и некоторое время тяжело дышал в холоде и тесноте содеянного им вещевого ада. В окно заглядывал город, который он ненавидел.

Этот город, который по-хорошему и городом назвать нельзя, достал его, выел у него все внутренности, просверлил ему мозг! Город ученых, твою мать!.. Общежития, хрущевки, разбитые дороги, наполовину порубленный парк, в котором когда-то были аттракционы, заборы секретных предприятий, заборы несекретных предприятий, заборы новых домов, которые понастроили местные и московские богачи, и посередине мэрия, как бельмо на глазу! Два конца, два кольца, посередине гвоздик! В этом городе ему было душно и все хотелось в Москву, где кипение и радость жизни, где рестораны не закрываются в полночь, где шикарные девчонки, дорогие тачки, богатые казино, услужливые швейцары!.. И все это может быть твоим, были бы только деньги, а вот денег у тебя как раз и нет!

Он еще раз взглянул в окно, за которым ненавистный город видел уже десятый сон, и показал ему кулак.

Ты у меня еще получишь! Я еще распатроню тебя до самого донышка, я на многое способен, а ты об этом даже не подозреваешь!

Город спал, совершенно равнодушный к нему, и это тоже его бесило.

Он зажег свет, который больно ударил по глазам, зажмурился на секунду и продолжил поиски.

Он искал долго и, не найдя, пошел по второму кругу, хотя уже понимал, что не найдет денег просто потому, что их нет.

Нет!.. Нет!!. Не-ет!!!

Он зажал себе рот рукой, прикусил кожу на ладони, чтобы не закричать от разочарования и горя и еще от того, что он опять потерпел поражение, да еще на глазах у ненавистного ему города! Город видел все, на окнах не было штор, и собственный позор невозможно скрыть от мира!

Нужно думать. Просто спокойно думать, а это ты всегда умел, что бы и кто бы о тебе ни говорил.

Перешагнув через кучу раскуроченных вещей, он присел на диван и стал думать.

Если денег в комнате нет и в портфеле тоже нет, значит, они где-то в другом месте. Он точно знает, что они есть, но не здесь. Отрицательный результат — тоже результат, и поиски придется перенести в другое место. Только вот... в какое именно?

Он стал грызть ногти.

Тут что-то другое. Совсем другое.

И он вспомнил об Арине, как будто озарение пришло.

Скорее всего, так и есть. Скорее всего, деньги у нее. Нужно просто пойти и взять их. Это несложно.

Дрожащей рукой он вытер со лба испарину, натянул кроличий треух двадцатилетней давности и застегнул куртку, которую даже не снял, — вот отчего ему было все время жарко! Потом раскопал на разгромленном письменном столе портфельчик с надорванной подкладкой, сунул его под мышку, вышел и осторожно прикрыл за собой дверь.

Бабка наверняка уже дрыхнет, и будить ее нельзя. Впрочем, какая разница! Она все равно ничего не поймет.

Снизу лестница чуть подсвечивалась жидким светом с первого этажа, и он стал спускаться по ней, скользя крепкой рукой по перилам.

У него есть еще одно важное дело. Придется сначала доделать его, а потом вплотную заняться поиском денег.

Он улыбнулся.

Он найдет деньги и заживет, и ему будет наплевать на город, и...

...и тут она вдруг открыла глаза, очень сонные и недовольные, и посмотрела на мужа.

— Ну что? — спросил он и присел на край кровати.

Ему хотелось еще раз ее поцеловать, и он раздумывал, как бы это сделать половчее, потому что, как пить дать, целоваться она не станет, будет уворачиваться, закрываться одеялом и бубнить, что у нее не вычищены зубы.

— Что?

— Я ухожу.

— Скатертью дорога, — пожелала нежная супруга и зевнула. — А сколько времени?

— Восемь семнадцать.

— Димон, — сказала Ольга, села и пригладила руками короткие волосы на две стороны, отчего стала похожа на приказчика из бакалейной лавки, какими их показывают в фильме «Рожденная революцией», — почему ты не можешь сказать, как все люди?! Почему ты не можешь сказать, что сейчас двадцать минуть девятого?

— Потому что сейчас восемь семнадцать, — ответил Пилюгин, во всем любивший ясность и точность. — А Степка сегодня в школу вообще не идет?

— Не-а, — протянула Ольга и опять зевнула, — у них две физры, две математики и какой-то странный предмет под названием ОБЖ. Математичка болеет, на лыжах в такой мороз нельзя, а ОБЖ можно и пропустить. Никак не могу запомнить, что это за предмет!..

— Основы безопасности жизнедеятельности. Бывшая НВП, то есть начальная военная подготовка.

— Все-то ты знаешь, — сказала Ольга, потянулась и обняла его за шею горячими со сна руками. — Даже то, что ОБЖ — это бывшая НВП!

— Все равно ребенок должен ходить в школу, — заявил Димон и потерся щекой о ее руку. — Ты неправильно его воспитываешь. У него должны быть ответственность и чувство долга.

— А у тебя есть ответственность и чувство долга?

— Сколько хочешь.

— Тогда сходи на собрание. Они решают вопрос про телевизор в кабинете биологии. Уже год решают. Никто не хочет деньги сдавать. Я говорю — давайте мы купим, да и дело с концом.

Димон за руку притянул ее к себе, так что щекой она прижалась к ворсистой ткани его «офисного» пиджака. По причине невычищенных зубов дышать Ольга все время старалась в сторону, так что он видел только ее щеку.

— И что?

— Да ничего. Родительский комитет против. Если мы телик купим, получается, что все остальные ни при чем, и гороно может усмотреть в этом взятку, которую мы даем биологичке.

Пилюгин подумал.

— Дикость какая-то.

— А что делать, Димон? Мне препирательства надоели хуже горькой редьки, и на собрание я не пойду, хотя у меня тоже есть ответственность и чувство долга!

— Нет у тебя ничего такого.

Он медлил, ему не хотелось уезжать, и Ольга моментально это поняла, потому что придвинулась поближе, сунула руки ему под пиджак и зачем-то укусила за узел галстука. Потом она вспомнила про свои зубы и опять стала дышать в сторону.

Через ее плечо Пилюгин посмотрел на часы. У него было еще минут пятнадцать, после которых начнется «опоздание», а опаздывать ему не хотелось. День предстоит трудный — много объяснений и сложных разговоров.

Или... наплевать?..

Он поцеловал ее в ухо, которое оказалось ближе всего, и еще в макушку, а потом она наклонила голову так, чтобы он поцеловал в шею, и он стал целовать ее в шею, и в этот момент решил — наплевать! Наплевать! Ну, опоздает и опоздает, подумаешь! В первый раз, что ли!

Ольга опять все поняла, хотя он не сказал ни слова. Им, прожившим вместе пятнадцать лет, слова не требовались.

— Сейчас, — сказала она, выпростала ноги из одеяла, отбежала, нашарила что-то в ящике и вернулась счастливая. От нее теперь сильно пахло мятой.

— Ты что, слопала тюбик с пастой?

— Какая тебе разница!

А и вправду! Никакой разницы ему нет, и если ей нравится пахнуть мятой, пусть пахнет, он согласен. Он практически на все согласен.

Жена быстренько стащила с него галстук, расстегнула рубашку и стала целовать его в грудь короткими, быстрыми, горячими поцелуями.

— Мы помнем твой пиджак.

— Шут с ним.

— Нет. Ты и так все время мятый. Вот почему ты становишься мятым через пять минуть после того, как я все погладила?!

Он не отвечал, он был очень занят и еще помнил про то, что у них есть всего пятнадцать минут, но какое это имеет значение! Даже если бы в запасе у него было не пятнадцать минут до работы, а пятнадцать секунд до конца света, он бы точно знал, *как* потратить эти драгоценные секунды.

Ольга терлась о него, целовала и, кажется, даже похрюкивала от счастья. Потом отстранилась и сказала с эдаким женским кокетством, с полным сознанием своего могущества и власти над ним:

— Тебе же нужно на работу!

— Подождет моя работа.

Иногда с ними такое бывало, словно приливная волна накатывала, сбивала с ног и накрывала их с головой. Вдруг становилось невмоготу, и ничего с этим невозможно было поделать, только бы получить друг друга в безраздельное владение, хоть ненадолго, хоть на пять минут, но получить, и прямо сейчас!..

Так было в далекой юности, и так осталось до сей поры, только к этому чувству добавились еще полное знание друг друга и уверенность в том, что второй не подведет, не подкачает, что ему это так же важно и нужно.

Офисные брюки свалились с кровати на пол, звякнула пряжка ремня, и Пилюгин подумал, что, в отличие от всех остальных мужчин, которые кем-то понимающим считались полигамными, он никогда не хотел других женщин. Только эту.

Ну, вот так случилось.

Пресловутый инстинкт охотника, который якобы подталкивает всех мужчин гнаться за любой юбкой, догонять и присваивать, в его случае распространялся только на Ольгу. Только ее он всегда хотел догнать и присвоить. Мысль о том, что когда-нибудь она ему надоест и он начнет с тем же рвением гоняться за другими, представлялась ему дикой.

И привыкания никакого не наступало. Иногда он почитывал женские журналы, которые Ольга бросала на пол возле кровати, и из этих журналов ему было известно, что секс, а тем более супружеский, особенно многолетний, требует разнообразия и тонкости подхода. Советов, которые давались для того, чтобы разнообразить секс и сделать его более тонким, он вообще не понимал. Нет, наверное, отлично, если жена встречает тебя с работы в пеньюаре, искусно сотканном из лепестков роз, на столе горят свечи, что автоматически означает не просто ужин, а романтический ужин, и в ванне плавает — нет, не оживший карп из гастронома, а цветок лаванды! Наверное, отлично, если жена, предварительно освоив на специальных курсах процедуру тайского — или китайского! — массажа, станет растирать подогретым маслом усталые мускулы любимого, а потом подаст ему чай, предварительно освоив чайную церемонию на специальных курсах для гейш. Также, наверное, хорошо заниматься любовью в ласковом прибое теплого моря, контролируя попадание песка в некоторые труднодоступные места, и в уютном горном шале, когда за окнами гуляет метель, а в камине трещат дрова. На море и в шале следует ехать «сюрпризом», чтобы супруга до последнего не догадывалась о том, какое романтическое путешествие задумал любимый, — все для усиления тонкости и разнообразия чувств!

Пилюгин читал, все ему нравилось — и массаж, и свечи, и лаванда, и шале, — только, на его взгляд, это не имело никакого отношения к жизни!.. Какой пеньюар из роз, если Степка, как только отец открывает дверь, начинает канючить, что не может справиться с химией, а Растрепка сует ему исчирканные цветными карандашами листки и объясняет, что «это Степа, это бабушка, а вот это, синее с красным, ты, папочка!». Где взять силы и время на эротический массаж, если они добираются до постели в первом часу ночи, а встают в семь пятнадцать утра?! И как понять, вожделеет ли сегодня вечером супруга получить именно эротический массаж или, напротив, бутерброд с колбасой, кружку горячего чая с сахаром, детектив, и чтобы к ней не приставал никто?!

Была еще одна загвоздка.

Дмитрий Пилюгин не осознавал до конца, в чем тут дело, но ему одинаково нравилось в постели, засыпанной розовыми лепестками, в постели, застеленной обычной простыней, и на лесной опушке, где когда-то собирали землянику, — именно там в джинсы ему понализли муравьи, и они с Ольгой потом долго их вытряхивали и так до конца и не вытряхнули. Муравьи кусались до самого дома, Пилюгин подпрыгивал за рулем, и машина продвигалась вперед скачками. В пеньюаре было отлично, и без пеньюара отлично, и в джинсах с протертыми коленями, и в старом свитере с закатанными рукавами, и в сенном сарае у дальних знакомых, где внизу хрупала лошадь, а в щели светило огромное, горячее солнце и щекотало между лопаток!.. И на родительской дачке тоже было отлично, на втором этаже, среди бела дня, пока все отвлеклись и никто не мог их застукать!

Вот и сейчас все тоже отлично — в последние пятнадцать минут перед работой, кое-как выбравшись из делового костюма, и вовсе не потому, что она лежала перед ним в розовых лепестках, а потому что, когда он пришел поцеловать ее перед уходом, открыла сонные, недовольные глаза.

— Я тебя люблю, — сказал он ей в самый последний момент, он всегда говорил ей эти слова, и это была чистая правда!

У них была еще минута, чтобы просто полежать, обнявшись, но в коридоре затопали ноги, хлопнула дверь ванной, потом зажурчало, полилось, Пилюгин вскочил с кровати, и натянул штаны, и сунул голову в петлю неразвязанного галстука, а Ольга проворно поползла под одеяло и заняла исходное положение — голова на подушке, и накрыта до ушей.

— Ма-ам! — позвали приглушенным басом. Бас шел из дверной щели. — Мам! А мам!

— Что ты кричишь?! Растрепку разбудишь! Заходи!

Пилюгин рывком натянул пиджак, сделал антраша ногами, правильно размещая брюки вдоль себя, и когда вошел Степка, всклокоченный и в пижаме, Димон как раз неторопливо наклонялся, чтобы поцеловать дорогую супругу перед уходом на работу.

— О! Пап, и ты здесь?

— Я уже ухожу.

— А в школу точно не идем?

— Точно, — ответила мать.

— Это разгильдяйство, — сказал отец.

— Мам, давай, пока Растрепка не встал, валяться и смотреть телевизор?

— А ты зачем встал?

— Ну, я пошел, — объявил отец. — Счастливо оставаться.

— Пока, — сказал Степка. — Не забудь, у меня в пятницу выступление, и ты должен отпроситься с работы.

— Я не забуду.

— Я тебя провожу.

Ольга виртуозно умела проделывать всякие штуки, вот и сейчас как-то моментально и незаметно натянула под одеялом халат и поднялась.

Степка нашарил на полу возле кровати телевизионный пульт, подбил под спину все родительские подушки, старательно укрыл ноги клетчатым пледом, который всегда лежал сбоку, — устроился с комфортом.

— Меня машина разбудила, — вдруг сказал он. — Вот почему я встал! Там, внизу, милицейская машина гудела.

— Почему милицейская? — рассеянно спросила мать. Отец уже вышел из комнаты.

— А потому, что я сверху посмотрел. У нашего подъезда милицейская машина стояла и еще «Скорая помощь».

Мать взглянула на него и ушла вслед за отцом. Сейчас она его проводит, вернется, и они будут валяться до тех самых пор, пока не проснется младший брат, а потом станут неспешно завтракать все вместе — омлет с грудинкой, творог с изюмом, сыр толстыми кусками, свежая булка с «Докторской» колбасой. Булки точно есть, он вчера вечером проверил, пополнила ли мать запасы. А потом придет Мила, домработница, с которой у Степки были хорошие, дружеские, партнерские отношения, а мама уедет на работу. У нее какая-то замороченная работа, он никак не мог понять, что это за работа такая!.. У матери в Москве была мастерская, где сидели тетеньки и шили... шторы. Вот уж работа так работа, с ума можно от такой сойти! Даже компьютеров ни у кого нет! Мать эти самые шторы придумывала, а тетеньки шили. Хотя чего их придумывать-то? Вон окно, на нем висят две тряпки, одна так, а другая эдак, и у этой другой еще бантик какой-то. Ну и что тут думать? Это что, самолет, что ли, или новая компьютерная игра?! Но матери нравились эти самые шторы — Степка покосился на окно, фыркнул и тряхнул головой, — и отец сказал... Как же он сказал-то? Как-то очень умно! А, вот, вспомнил! Он сказал так: «Интересы другого человека нужно уважать!» Это, если кто не понял, он про то говорил, что раз матери нравится такое дикое занятие, то пусть она им и занимается, а смеяться над этим нельзя!

Степка зевнул и повыше натянул плед. От подушки славно пахло мамиными духами и вообще ею, и ему вдруг ужасно захотелось спать — если бы не милицейская машина, он бы до пол-одиннадцатого проспал, не меньше! Ему недавно стукнуло тринадцать, и он все время хотел есть и спать.

Мать что-то долго не возвращалась, и он решил, что подремлет совсем немножко, пять минуточек. Степка был уверен, что раз уж случился у него неожиданный выходной, нет ничего глупее, чем потратить его на сон.

Неизвестно, сколько он проспал, только вдруг мать сказала очень громко:

— Степа, сыночек, вставай.

Он распахнул глаза, хотел немедленно заявить, что вовсе и не спал, и не собирался даже, как вдруг увидел, что она плачет.

Мама плачет!..

Он перепугался так, что первый раз в жизни почувствовал, что у него есть сердце. Вот здесь, с левой стороны, где бок, что-то затряслось, мелко-мелко.

Отец говорил: «Как заячий хвост».

— Мама! — Степка сбросил плед и сел, встревоженный. — Что случилось?! Мам, ты почему плачешь?!

Мать быстро вытерла глаза.

— Ты не пугайся. Ты быстренько вставай, и все. Сейчас приедет дед и заберет вас с Растрепой к бабушке.

— Зачем?! У нас же выходной!! Ма-ма!

— Кузю убили, — как-то очень буднично сказала

мать, села на край кровати, будто у нее подкосились ноги, посидела и прижала к лицу ворсистый плед. — Представляешь, Степка? Он вчера от нас ушел, и его... убили.

— До смерти?

Она помолчала.

— Ма-ам!

Она все молчала.

На коленях он подполз к ней, приладился и сунул голову ей под локоть. Он не слишком испугался из-за того, что убили папиного друга — мало ли что бывает, да, может, еще и не до смерти убили! — но он очень переживал за мать.

Она повернулась, обняла его, прижала так, что ему стало душно и неудобно дышать, и заплакала навзрыд.

— Мам! Ну, ты перестань! Может, его еще можно спасти, а?

— Нет.

— Ну, не переживай, а? Хочешь, я тебе чаю сделаю? Прямо сейчас!

— Не нужно, Степочка. Ты одевайся, собирайся, и поедете к бабушке.

— Я не хочу к бабушке! Ты одна тут не справишься!

— Я не одна. Папе пришлось остаться дома.

— Как?! — поразился Степка и только тут понял, что дело серьезное. Настолько серьезное, что отец даже не пошел на работу. Такого с ним никогда не случалось.

Мама говорила, что отец... Как же она говорила-то? Как-то очень умно!.. А! Вот что она говорила: отец трудоголик, ну, то есть как алкоголик, только не пьет, а все время работает. Он и вправду все время работал. Однажды все болели гриппом и лежали дома, и только отец ходил в институт с температурой, и когда мать на него ругалась, говорил, что, если он не будет ходить на службу, его уволят. И кто тогда станет кормить семью?

Степка сказал, что он станет, и родители почему-то засмеялись хриплыми, простуженными голосами.

Может, они смеялись потому, что он был тогда маленький и они не верили в то, что он сможет прокормить семью?

Мать неожиданно погладила его по голове, как последнего сироту, вышла из комнаты, и Степка потащился следом за ней.

По квартире гулял сквозняк и пахло чужими людьми.

В гостиной сидели два дядьки в куртках, курили и негромко разговаривали с папой. Один из них время от времени что-то записывал.

— Па-ап! — позвал Степка из-за двери.

Отец обернулся и строго посмотрел на него, словно он был не его родной сын, а чей-то чужой мальчик.

— Степ, иди к маме. И оденься, пожалуйста!..

Один из дядек в куртке что-то спросил у другого, но Степка опять не расслышал, что именно. Они курили и стряхивали пепел в любимое бабушкино блюдце, и это Степку возмутило! Как будто нет пепельницы в виде каменной русалки! Бабушка привезла чашку с блюдцем из Карловых Вар. На чашке был нарисован олень, а на блюдце зеленый лес, и Растрепка любил рассматривать этот лес и рассказывать, как летом они «всей семьей поедут за имлиникой». «Имлиника» — это, каждый понимает, земляника.

Степка быстро оделся, решил, что зубы в связи с чрезвычайной обстановкой вполне можно сегодня не чистить, и вернулся в гостиную, но его оттуда прогнали. Мать с тревожным лицом быстро одевала Растрепку, и он все время громко спрашивал:

— Се такое?

И сам себе отвечал:

— И заю! — что означало «не знаю».

— Степа, ты взял рюкзак?

— Зачем мне рюкзак, мам?

— Мы не знаем, сколько вы там пробудете, у бабушки! Может быть, до завтра. А тебе в школу! Собери рюкзак, только быстро, я тебя жду!

— Не-е, мам, мы так не договаривались!

Он понимал, что уже все решено, по ее тону понимал, но решительно не хотел оставаться в стороне от таких важных событий.

— Степа, я тебя прошу, давай без демагогии и дискуссий! Собирай рюкзак, и пошли, дед уже за вами приехал.

— А завтликать? — вдруг вспомнил про завтрак упакованный в комбинезон, шапку и шарф Растрепка. — Где мы будим завтликать?

— У бабушки, зайка! Степа, пошли!

Входная дверь была почему-то открыта, хотя мать терпеть не могла, когда ее не запирали, и всегда ругала отца за то, что он совершенно не думает «о безопасности детей».

У подъезда толпился народ, совсем как в сериале про ментов, все покуривали и разговаривали, и даже с детской площадки подтянулись мамаши, которые обычно катали там коляски, несмотря на морозы.

Растрепка держал мать за руку, сосредоточенно сопел и пластмассовой лопаткой пытался время от времени на ходу ковырнуть снег.

Мать приостановилась, зачем-то взяла за руку и Степку тоже, как маленького, и сказала строго:

— Не нужно туда смотреть.

— Куда? — не понял Степка.

А потом понял. Когда они завернули за угол.

Там толпа стояла погуще, и к деревьям были привязаны полосатые ленточки, как все в том же кино про ментов, а за ленточками снег был обрызган чем-то красным, и Степка второй раз в жизни почувствовал свое сердце, когда подумал с леденящим восторгом, что это кровь!.. Настоящая кровь, совсем не киношная!..

Несмотря на предостережение, он все пытался заглянуть туда, за спины людей, которые тоже вытягивали шеи, словно стремились за полосатую ленточку, будто невидимый магнит их притягивал.

Ничего не было видно, и Степка подумал со смешанным сожалением и облегчением, что ему не придется увидеть самый настоящий труп!

У матери было напряженное и строгое лицо, и она шла очень быстро, так что Растрепка не успевал переставлять ноги, обутые в крохотные унты, и ему приходилось время от времени подъезжать и переходить на бег.

— Мам, — сказал Степка укоризненным басом. — Что ты его тащишь, он не успевает!

Но мать не ответила, хотя это было на нее не похоже, и Степка отнес ее молчание к тому, что она расстроена из-за своего друга Кузи. Хотя так и непонятно, до смерти его убили или не до смерти, трупа-то за полосатыми ленточками нет!

Они почти миновали ограждение, и за воротами уже показалась дедова машина, когда один из тех, посвященных и причастных, что бродили и ковырялись в снегу, вдруг вытащил из сугроба какой-то предмет и, держа его на весу двумя пальцами, стал сдувать с него снег.

Степка ни за что не узнал бы предмет, если бы Растрепка не пришел в полный восторг.

Он пришел в полный восторг, вырвал у Ольги ладошку, побежал, поднырнул под ленточки и сказал, улыбаясь во весь рот и немилосердно картавя:

— А вы нашу пепельницу нашли!..

В руках у незнакомого человека, в недоумении смотревшего на Растрепку, была каменная русалка, в которую Хохлов вчера стряхивал пепел, и те, другие, что ковырялись в снегу за заграждением, повернули головы и уставились на Ольгу и Степку, и вся толпа повернулась в их сторону, и тот, что держал обледенелую русалку, присел перед Растрепкой на корточки, и...

...и Хохлов лихо зарулил под березку, радуясь тому, что приехал так рано и во дворе много свободных мест.

Слава богу, хоть чему-то можно порадоваться за весь длинный, морозный, черный день!..

Машина оказалась под самыми окнами, таким образом, появилась твердая надежда на то, что местные бомжи не открутят зеркала и не оторвут «дворники». Московские бомжи, насколько Хохлову было известно, этим нехитрым промыслом уже не занимались, а у них, в так называемом «тихом пригороде», — вовсю промышляли.

В случае чего выскочу, надаю по мозгам, решил Хохлов мрачно.

В подъезде, оснащенном кодовым замком, было холодно и влажно и как-то неуютно, и он в сотый раз сказал себе, что давно нужно было поменять квартиру, купить что-нибудь поприличней, в более «престижном» районе.

В их городке тоже есть свои «престижные» и «непрестижные» районы.

К «непрестижным» относились унылые хрущевские поселения вокруг небольшого заводика и двух научных институтов. В одном из них Хохлов проходил студенческую практику и знал, что институт именуется «почтовым ящиком» и занимается «секретными разработками», а что именно производит заводик, он никогда не подозревал. В хрущевских поселениях водились самые отпетые бандиты, самые горькие пьяницы, самые многодетные семьи и самые неудачливые инженеры, которые так и не смогли отстоять свое законное право и выбить из начальства квартирку получше.

Микрорайон назывался почему-то Романовка, хотя ни о каких Романовых или романах там никто отродясь не слышал. Говорили, что так называлась деревня, на месте которой потом построились «хрущобы», так ли это было — неизвестно.

Дружить с выходцами из Романовки считалось делом опасным, и с припозднившихся с электрички граждан там до сей поры сдергивают шапки.

«Престижным» считался район возле скверика, где жила их старая подруга Родионовна и где унылые хрущевские пятиэтажки чередовались с помпезными сталинскими домами, построенными в пятидесятых для ученых. Дома считались хорошими, хотя в них то и дело прорывало отопление и почти не текла горячая вода, ибо после кончины «отца народов» прошло уж больше чем полвека, и за эти полвека их ремонтом отродясь никто не занимался. Пьяненькие сантехники, в духе журнала «Фитиль», гремели советскими фибровыми чемоданчиками, смолили вонючие самокрутки и говорили жильцам, что «льеть кипяток, туды ее в качель, а как ему не лить, когда трубы — решето, того гляди из унитазов попрет!». Жильцы пугались и как приговора ждали, когда «попрет» из унитазов, и писали жалобы в мэрию, а оттуда отвечали, что на ремонт «нет бюджета».

Еще был престижный район на самой окраине — там строили кирпичные коттеджи и опрятные невысокие домики, этажей в шесть, и там была «инфраструктура», то есть свои сантехники с мобильными телефонами, своя помойка и свой магазин, но зато вокруг простирались свекловичные поля и пустырь до самой Москвы-реки, и Хохлов не хотел туда переезжать, предпочитал жить в центре.

Он купил квартиру неподалеку все от того же скверика с Циолковским, сделал в ней евроремонт, то есть побелил все стены и на пол настелил ковролин, и в первый же месяц его залил верхний жилец, глухой интеллигентный дедок, доктор наук, учитель и наставник Виктора Ильича Авербаха. Дедок открыл в ванной воду, чтобы набралась, ибо вода из труб не шла, а «сикала», как выражалась мать, и уселся смотреть программу «Время». Что-то в этой самой программе взволновало его до глубины души, и про ванну он позабыл, а вода все «сикала», и «насикала» целую ванну, и перелилась, и затопила Хохлова. Стены и потолки стали серыми, ковролин вздулся, потемнел и пошел фиолетовой химической плесенью, и Хохлов решил, что наплевать, затевать новый ремонт он ни за что не станет.

Галчонок добавила в его «берлогу» неповторимый штрих — разбросала везде свои вещи, которые Хохлов называл литературно «разными капотами», а не литературно так, что и повторить невозможно, и разложила книги по информатике, чтобы Хохлов не забывал о том, что она не просто домашняя хозяйка, но еще и студентка — видите, учится, вот и книжки кругом разбросаны, все как у настоящих студентов!..

Он приехал рано, Галчонка не было дома.

Не иначе к мамаше побежала или к недавно родившей подруге Тане. Вдвоем с подругой они рассматривали младенца и обменивались бессмысленными замечаниями о его, младенцевой, попе — одной казалось, что попа «пошла прыщами», а другая считала, что это не «прыщи, а аллергия». Бабушка с одной стороны утверждала, что это от памперсов, и младенца «переводили» в пеленки, а бабушка с другой стороны утверждала, что это от грудного молока, и тогда Таню «переводили» на другой рацион. Мамаша Галчонка считала, что это от экологии, потому что самолеты летают над городом и распыляют то, что она называла «рецепелентом», видимо, объединяя «репеллент» и «рецептор» — ни тот ни другой не имели никакого отношения к делу! — и от этого совершенно нет зимы и у всех повально прыщи на разных местах, а тетя Галчонка считала: это от того, что во время беременности Таня пила витамины, а нынче витамины — чистая химия, вот младенец и страдает.

Хохлов был в курсе всей этой объединенной женской вакханалии, сочувствовал младенцу и был уверен, что у него, послушай он эти разговоры, сделалось бы воспаление мозга.

На всякий случай с порога он позвал:

— Галчонок!

Не получил ответа, совершенно расслабился и решил, что не станет думать ни о чем, пока не напьется чаю.

К чаю были хрустящие печеньица. Хохлову стало немного стыдно, что он увлекается таким «женским» лакомством, и живот в последнее время приходилось втягивать, чтобы нравиться себе в зеркале, но ему всегда было грустно пить чай «просто так», «без всего», так что печеньица он исправно покупал. От них пахло сдобой, настоящей сдобой, а не какой-то там ерундой, и он съел примерно полкоробки, запивая чаем.

Потом подумал, сварил себе кофе и съел еще немного. На дне коробки теперь болтались всего три печенья, но он твердо решил их не доедать, оставить на вечер.

Оставить не получилось. Он все догрыз и теперь испытывал смешанные чувства. С одной стороны — полного удовлетворения, с другой стороны — недовольства собой и легкой грусти, что не осталось «на потом». Нужно будет выйти и еще купить.

Отступать было некуда — главное, печенье съедено! — и Хохлов сел думать.

Сначала он сидел и думал просто так, потом улегся и пристроил ноги на диванный валик. Галчонок всегда его гоняла и говорила, что подушки от его ног засалятся. Без нее хоть можно полежать с задранными ногами, ей-богу!

Устроившись таким образом, он немедленно начал задремывать, а дремать было никак нельзя — случилось несчастье, даже не одно, а два подряд, и их необходимо «разложить по полочкам», как говаривал профессор Авербах.

Хохлов снова сел и потер лицо. Спать хотелось невыносимо.

Можно снять носки и выйти босиком на балкон, на снег, и сон снимет как рукой, но при одной мысли о такой экзекуции его передергивало. Ладно, если сосредоточиться не удастся, он мужественно пойдет на балкон, решено!..

Он встал и походил по белой комнате, застланной серым ковролином с лиловыми разводами, — дернул его черт делать этот самый евроремонт! Потом Хохлов вытянул из принтера два листка бумаги и взял со стола ручку.

Нужно писать, а то ничего не понятно!..

Он сел и написал: «Кузя». Напротив Кузи поставил цифру «один». Снизу написал: «Деньги» — и напротив поставил цифру «два», и еще приписал: «Мои».

Таким образом, пункт первый состоял из Кузи, а пункт второй из его, хохловских, пропавших денег.

Слово «Кузя», написанное на белом листке хорошей бумаги, показалось ему очень одиноким и таким несчастным, что у Хохлова вдруг ни с того ни с сего защипало в глазах.

За что Кузю убили?! Кто его убил?! Кому он мог помешать, нищий инженеришка из научного института?! Он ничего собой не представлял ни как ученый, ни как муж, ни как отец — недаром Катька-зараза давным-давно бросила все свои попытки сделать из него человека!

Он всегда был неловок, носил какие-то нелепые укороченные брючата, раздражал всех вокруг рассуждениями о богачах и недоумках, захвативших власть, и по его выходило, что богачами и недоумками стали все, кто нашел работу в бизнесе или получает иностранные гранты. Он вечно плохо выглядел, зимой всегда гундосил, ибо был простужен с первого декабря по тридцатое апреля, но все же, все же...

Он был старый друг и когда-то «подавал большие надежды» и никому не делал плохого до тех пор, пока не вздумал жениться на Родионовне!

Впрочем, в этом тоже не было ничего плохого, нормальная попытка «устроить свою жизнь», как пишут в журналах, которые Галчонок читает в свободное от телефона и валяния на диване время!

Хохлов подумал и приписал рядом со словом «Кузя» — «За что?».

Тут ему в голову, совершенно некстати и никак не сообразуясь с его нынешним отчаянием, полезла развеселая опереточная ария «За что, за что, о боже мой, за что, за что, о боже мой!». И вопрос «За что?» он зачеркнул и вместо него написал: «Мотивы».

Ну, какие могут быть мотивы?!

Никаких мотивов не может быть.

Хохлов закурил в надежде, что вместе с сигаретой в голову придут умные мысли.

Мысли не пришли.

Он просто лежал, курил и ни о чем не думал.

Потом он стал думать про Кузю, про то, какой тот был нескладный человек — во всем нескладный!.. Он никогда не умел жить, боялся всего на свете — начальства, гаишников, больших собак, здоровых мужиков! До такой степени боялся, что в своей общежитской комнате держал под рукой топорик — отбиваться от тех, кто станет на него покушаться! Кто именно мог на него покуситься, на его убогий, нищенский, серый скарб, он не знал, но топорик всегда держал.

И Катька-зараза его бросила!.. А Кузя даже с ребенком не смог сохранить хорошие отношения, хотя поначалу Катька все таскала к нему в общежитие мальчонку, чтобы тот погулял с папочкой, да и после никогда не препятствовала их встречам! А Кузя только рассказывал всем, как ему повезло, что Катька не знает истинных размеров его зарплаты, не знает, что он еще и «сверху» получает, и таким образом набегает долларов четыреста, а Катька думает, что у него, как у всех, — четыре пятьсот в рублях, и до смерти рада, когда он ей дает алиментную тысчонку!

И вот его убили.

Когда позвонила Ольга Пилюгина, Хохлов сидел в дежурной части на единственном стуле с ободранной спинкой и ждал, когда до него дойдет очередь. Фанерная дверь сильно хлопала, когда в нее вваливался народ в милицейских ватниках и гаишных куртках, и ледяной воздух обдавал Хохлова с головы до ног. За стеклом хрипела рация, за прутьями «обезьянника» маячили фигуры — они стояли у решетки, держась за нее смуглыми немытыми руками, и их влажные черные глаза были печальны, словно у инопланетян, недоумевающих, как они оказались на этой планете. На плиточном полу стояла лужа от растаявшего снега, и все проходящие расплескивали грязную воду, а пересесть было некуда. В этот момент позвонила Ольга и сказала, что Кузя... убит.

Хохлов стал переспрашивать, дуть в трубку, кричать, чтобы повторила, потому что он ничего не понял, а когда понял, то не поверил!.. Ольга повторила и еще сказала, что убили его ночью и недалеко от их подъезда.

— Но его же Димон провожал, — растерянно сказал Хохлов. — И у вас двор охраняется!

— Вот именно, — проскрипела Ольга и повесила трубку.

С тех пор, с самого утра, он так и не мог с ней связаться — на звонки она не отвечала.

По сравнению со смертью Кузи пропажа денег уже казалась делом второстепенным и неважным, хотя Хохлов понимал, что деньги придется искать самому. Побывав в дежурной части, он проникся сочувствием к людям в ватниках, с желтыми от усталости лицами.

Они входили и выходили, топали ногами, обивая снег с ботинок, поднимались на второй этаж или оставались на первом покурить и снова уходили. Ему даже как-то совестно было думать, что его сто тысяч долларов должны искать *они*. Дались им его сто тысяч!..

Хохлов стряхнул пепел в кофейную чашку и одним глазом поглядел на листок.

Пункт второй, собственно говоря, вот эти самые деньги и есть. Очень много денег. Кто их упер?.. Кто мог их упереть, если никто о них не знал, даже Вальмира Александровна! Иногда Хохлов утаивал от своей орлицы и коршуницы некоторые финансовые дела. Утаивал, потому что был уверен, что есть вопросы, о которых посторонним людям лучше не знать. Он часто работал с провинциальными заводами, которые до сей поры расплачивались черным налом, и ничего поделать с этим было нельзя! И неудобно, и стремно, и этот самый нал нужно в руках нести, а потом еще на поезде везти или на самолете, но что тут поделаешь!

Что поделаешь, если законы устроены таким образом, что провинциальному заводу легче самому себя с молотка продать, чем соблюсти все нормы и формы! Что поделаешь, если принцип «хочешь жить — умей вертеться» во многих случаях имеет самый прямой и ясный смысл — если не успеваешь оглядываться по сторонам, налетят лихие махновцы, отберут последнее, а самого тебя порубят шашками в мелкий винегрет. Махновцы, как и в те лихие и далекие времена, могли налететь неизвестно откуда — хоть из налоговой, хоть из администрации, хоть из счетной палаты, Минфина, Минюста, а может, из ставки местных братков, которые вознамерились на директорское место посадить своего человечка, а завод перепрофилировать на выпуск дешевой водки!..

Хохлов, как большинство предпринимателей средней руки, никакими деньгами не брезговал — наличные тоже брал, и перевозил, и переносил, и трясся, если сумма была большая. Не столько за деньги, сколько за собственную шкуру!.. Вот так и появились у него в сейфе сто тысяч долларов, которые он не успел довезти до банковской ячейки.

Теперь попробуй объясни, что это за деньги, да откуда, да почему наличные, и где на них документы, если всех документов — липовый договор, в котором проставлена липовая сумма, да еще объясни так, чтобы того самого директора не подвести, который ему, Хохлову, выплатил деньги черным налом!

Сигарета обожгла пальцы, и Хохлов затолкал окурок в чашку. Вот приедет Галчонок, даст ему за все эти окурки в чашке по башке и еще за то, что он лежит, задрав ноги на диванный валик!..

«Я не знаю, что делать», — подумал Хохлов, и еще он в этот момент подумал, что надо бы нажраться до потери сознания и таким, очень мужским и понятным способом на время отодвинуть решение всех трудных вопросов.

Будет скандал, будет просто ужасающий скандал — Галчонок терпеть не могла, когда он пил, караулила, провожала взглядом каждый стакан и зудела о том, что он сопьется, что полстраны спилось, что у мамы на работе... что у тети Зины на работе...

Поутру после попойки она его никогда не жалела, громко и отчетливо выговаривала за то, что он, Хохлов, совсем распустился, скоро начнет пропивать вещи и пропьет ее, Галчонка, нательный крестик и мамино колечко, что алкоголизм требует лечения, что Хохлов слабовольный, коль не может раз и навсегда бросить эту заразу.

Слабовольный Хохлов, пока она выговаривала ему, сидел на кровати, держал руками голову, чтобы не раскололась, большими пальцами еще придерживал глаза, чтобы не вылезли из орбит, качался из стороны в сторону и мечтал, чтобы Галчонок куда-нибудь сгинула вместе с ее холодным и острым, как гвозди, голосом, который впивался ему в череп.

Пить дома нельзя. Нужно опять ехать к Димону или на худой конец к Родионовне. У Лавровских тоже нельзя, там Света в некотором роде еще хуже Галчонка. Света в обличительных речах всегда нажимала на детей и их бедственное положение при папаше-алкоголике и его пьющих дружках!..

Хохлов сел. Теперь его занимал только один вопрос: как бы быстро и аккуратно напиться. Он даже представил себе стакан, круглый такой, с тяжелым дном, и в нем на три четверти виски — самый легкий путь к свободе!..

Виски в доме нет и быть не может, Галчонок повывела все запасы. Придется бежать в гастроном на площади, который нынче стал называться супермаркетом, но Хохлов отлично помнил, как в незапамятные времена за десять копеек там можно было купить молочный коктейль с легкой кружевной пенкой, которая поднималась над краем граненого стакана, и от одного вида этой пенки у маленького Хохлова начинали течь слюнки, а десять копеек были не всегда!

Хохлов проворно спустил ноги с дивана, скомкал лист, на котором недавно написал «Кузя» и «деньги». Нужно спешить, ибо неизвестно, когда прибудет Галчонок.

Он был уже в куртке, когда в дверь позвонили. Он на секунду замер, потом длинно и неслышно выругался сквозь зубы, но делать было нечего, только покориться. Он покорился и открыл.

— Мить, — с порога сказала Ольга Пилюгина, тяжело дыша. — Мить, они забрали Димона и думают, что это он убил Кузю.

— Кто?! — изумился Хохлов.

Он моментально позабыл про виски, про гастроном, про молочный коктейль, про все на свете. Ничего подобного он не ожидал.

Ольга сделала шаг, но не вошла, а привалилась плечом к косяку. У нее было бледное лицо, и только щеки горели с мороза.

Они стояли, смотрели друг на друга и молчали, а потом она спросила:

— Ты что, уходишь? Или только пришел?

— Я? — удивился Хохлов. Он лихорадочно соображал, кому и как могло прийти в голову, что Пилюгин убил Кузмина.

Да ну, бред, бред!..

— Можно мне войти?

— Ну конечно! — спохватился Хохлов. — Кто его забрал?! Когда?! Куда?

— В милицию. — Ольга вошла, скинула яркую белую шубу и почему-то не повесила ее на крючок, а бросила на обувную полку. — Его допросили и увезли. Митя, это ужасно! И пепельница еще!..

Она прошла в комнату, села на диван, взяла хохловские сигареты и закурила.

Хохлов продолжал стоять и таращиться на нее в растерянности.

— Подожди, я не понял ничего, — сказал он наконец. — Ты мне толком...

— Да что там объяснять! — крикнула Ольга и махнула рукой. Сигарета выпала у нее из пальцев и покатилась по ковролину. Она подобрала ее, сунула в рот и еще раз глубоко затянулась. — Утром он пошел на работу, милиция к тому времени уже приехала. Он увидел... Кузю... и...

— Оля!

— Да, — быстро среагировала она. — Я не заплачу. Я не заплачу, не волнуйся. Он им сказал, что Кузя вечером был у нас, а потом ушел. Он сказал, что провожал его.

— Я понял, понял, дальше что?!

— Господи. — Ольга закрыла лицо ладонями. Сигарета дымилась между пальцами. — Господи. Зачем он пошел его провожать?!

— Оля!

— Какая-то соседка видела, что они долго стояли у подъезда, а потом... потом... подрались. Димон Кузю стукнул, Кузя упал. Больше она ничего не видела, потому что испугалась и убежала домой. Так она сказала... милиции.

— Твою мать!..

— А утром еще пепельницу нашли. Ну, нашу пепельницу, с русалкой! Нашли в снегу, недалеко от места, где Кузю... убили. Говорят, что этой пепельницей Димон его убил, понимаешь?! Стукнул в висок. У него... у Кузи повреждения в области височной кости.

— Мать твою!..

— И получается, что когда Димон пошел его провожать, то уже собирался его прикончить и для этого взял из дома пепельницу.

— Твою мать!..

— Димона увезли, а я... к тебе приехала. Они сказали, что поедут в институт, им нужны доказательства. Хотя их начальник утверждает, что и без доказательств все ясно.

— Мать твою!..

Ольга докурила, прищурилась и затолкала бычок в кофейную чашку. Она сидела на самом краешке дивана, сильно выпрямившись, мороз сходил с ее щек, лицо стало совсем бледным, только на скулах горели два маленьких пятнышка.

— Мить, у тебя есть выпить?

— Твою мать!..

— Это значит есть или нет?

— Нет! — гаркнул Хохлов и стал бегать по ковролину взад-вперед. — Это же невозможно... мать твою! Димон убил Кузю пепельницей?! Да это бред, бред!

— Ты пойди в милицию и скажи им, что это бред.

— Я там уже был сегодня. У меня деньги украли из офиса.

Ольга не обратила на его слова никакого внимания.

— Митя, мы должны найти того, кто убил Кузю. Менты искать не станут, у них есть Димон, наша пепельница и факт драки, зафиксированный в протоколе. — Она вдруг улыбнулась, и Хохлов подумал: лучше бы не улыбалась. — Видишь, как быстро я научилась выражаться... как в телевизоре выражаются.

— В институте скажут, что Пилюгин был с Кузей на ножах, потому что Кузмин не разрешал ему проворачивать темные коммерческие дела, — задумчиво проговорил Хохлов. — И считай все, дело закрыто.

Ольга посмотрела на него и медленно кивнула.

Хохлов перестал бегать по комнате, сел на диван и замолчал надолго.

— Митя, ты же умный, — жалобно сказала наконец Ольга. — Кроме тебя, никто не поможет, Митя! Ну, у тебя же есть мозги! Ты самый первый из аспирантов диссер защитил. Нет, Кузя раньше.

— У меня просто куча мозгов, чтобы защищать диссеры, — возразил Хохлов. — Но я не умею расследовать преступления.

— Так научись, твою мать!.. — крикнула Ольга, и слезы опять показались у нее на глазах. — Или... ты связываться не хочешь? Ты лучше сразу скажи, я... я пойму.

— Да ни хрена ты не поймешь, — сказал Хохлов. — Ты за Димона глотку перегрызешь, это нам со второго курса известно!

— Тогда говори, что делать, Митя! Думай быстрей и говори!..

— Делать, делать... — пробормотал Хохлов, — что нам делать... Значит, так. Ты на машине?

— Ну конечно.

— Значит, берешь машину и дуешь в гастроном за виски, колбасой и батоном. Потом заезжаешь за мной, и мы едем к вам.

— Зачем?

— Осматривать место преступления, — буркнул Хохлов. — Или там менты дозорных оставили?

Ольга покачала головой:

— Нет там никаких дозорных. Только ленточки висят. А как Димона увозили, весь двор видел. У нас же маленький двор, ты знаешь. Все вышли смотреть, как его в машину сажают. Все по правилам, головой вперед. — Она опять улыбнулась, и опять Хохлов подумал: лучше бы рыдала и рвала на себе волосы. — Это так страшно, Митя. Если бы ты знал, как это страшно!..

Мысль, пришедшая ему в голову, тоже была страшной, и он не мог оставаться с ней наедине. Он должен был спросить и не знал, как это сделать. И все-таки должен!..

Хохлов сбоку посмотрел на Ольгу, помолчал, вздохнул глубоко и спросил:

— Оль, а Димон не мог... ты прости меня, конечно, но Кузя кого хочешь может до исступления довести... а Пилюгина он всю жизнь доводил... Димон... не мог его двинуть так, что...

Он говорил все медленнее, потому что Ольга повернулась и теперь смотрела ему прямо в лицо. У нее были страшные глаза, должно быть, оттого, что зрачки сильно расширились, как у слепой.

Хохлов сбился и замолчал.

— А мне наплевать, Митя, — сказала она, наконец. — Мог или не мог, какая мне разница!.. Я должна его спасти, и я его спасу.

— Черт тебя побери, Ольга.

— Тебя побери, Хохлов.

Таких страстей конец бывает страшен, вдруг подумал он, и ему стало весело.

Это было нелогично, неправильно, неуместно, но веселье — какое-то залихватское, ухарское, разухабистое этакое — накатило, хоть гопака пляши!..

Вот, значит, оно как! Вот так, значит, бывает! Ей все равно. *Она должна спасти своего мужа от тюрьмы, и она его спасет.*

До сегодняшнего дня, до их нынешнего сидения на диване, Хохлов думал, что так бывает только в кино и никогда не бывает в жизни. Ошибся.

Ольга поднялась с дивана, взяла чашку, в которую они курили, и пристально посмотрела внутрь, как будто собиралась гадать на кофейной гуще или, вернее, на сигаретных бычках.

— Мить, — спросила она дрогнувшим голосом, — а мы придумаем, как его спасти?

— В случае чего наймем адвоката Пери Мейсона, — буркнул Хохлов. — Давай, Пилюгина, дуй за водкой, и поедем уже.

— Ты же сказал — за виски.

— Ну, дуй за виски. И заезжай за мной, а я пока позвоню.

Позвонить ему не удалось Через пять минут после Ольгиного ухода явилась Галчонок. Она была в оскорблении чувств «после вчерашнего», то есть после того, как любимый уехал, хлопнув дверью, и дома не ночевал, а Хохлов об этом позабыл. Об оскорблении чувств, то есть.

Она вошла, посмотрела на Хохлова и отвернулась, когда он привычно сунулся, чтобы ее поцеловать.

— У нас беда, — сказал Хохлов, хлопая себя руками по бокам, как наседка крыльями. Он всегда таким образом пытался определить, где у него кошелек. — Кузю вчера вечером убили. А Димона в каталажку упекли.

Про пропавшие сто тысяч он не успел сказать, потому что Галчонок потянула носом и осведомилась, кто курил в квартире.

— Ольга курила, — Хохлов нашел кошелек, но денег в нем было маловато. Придется заезжать на заправку, где есть банкомат. — И я тоже...

— Ты же знаешь, у меня аллергия! Я не разрешаю курить в квартире!

— Ну, я поехал, — сообщил Хохлов. — Ольга сейчас меня заберет. Ты не жди, я, наверное, поздно.

Галчонок показалась в дверях гостиной. Чашку с окурками она держала двумя пальцами на отлете, вид у нее был брезгливый.

— А ты ничего не хочешь мне сказать, Митя?

Хохлов ничего не хотел сказать и честно об этом заявил.

В дурацкую мужскую логику никак не укладывалось, что после сообщения о том, что убили Кузю, он, Хохлов, должен встать перед ней на одно колено и галантно попросить у нее извинения за свое вчерашнее недостойное поведение. Он уж и забыл даже, в чем его недостойное поведение заключалось!

Глаза у Галчонка немедленно налились слезами.

— И это я слышу после всего того, что было... вчера?!

Хохлов вдруг пришел в раздражение:

— Галя, я уезжаю к Ольге Пилюгиной, потому что Димона забрали в милицию, а Кузю убили. Ты меня слышишь?.. И что такое было вчера?!

— Ты забыл?! — вскрикнула Галчонок, и губы у нее затряслись.

— У-у-у, — протянул Хохлов. — Пошло-поехало!

— Митя, как ты можешь так говорить?! Тебе что, совершенно неважно, что будет со мной?! Что будет с нами?!

— А что такое может быть с нами?! Или тебя тоже

собираются забрать в милицию по обвинению в убийстве?!

— Митя, ты говоришь что-то несусветное! Мы вчера поссорились. Ты уехал. Ты ни разу за ночь мне не позвонил. А я даже прилечь не могла, все ходила и ходила! Мне мама под утро «Скорую» вызывала!

— Галь, — сказал Хохлов. — Ну что ты несешь?! У тебя что, инфаркт вчера случился? Мама «Скорую» ей вызывала! Ты здоровая молодая лошадь, зачем тебе «Скорая»?!

— Я?! Я лошадь?!

— Ну, это я просто так сказал, — пробормотал Хохлов. — Фигурально выражаясь. Ты не лошадь, ты лань, конечно же! Но мне нужно уезжать к Пилюгиным. У нас беда, Галя! Кузю убили!

Она молчала и плакала, а потом сказала какую-то ужасную фразу в том смысле, что раз уж убили, то не воскресишь, мертвому все равно не поможешь, а его, хохловское, равнодушие убивает ее, Галчонка. На самом деле убивает, мама же вызывала вчера «Скорую»!

Хохлов исподлобья посмотрел на нее.

Посмотрел и вдруг в одну секунду перестал понимать, *что* эта чужая женщина делает в его квартире, почему она держит двумя пальцами его чашку, почему морщит нос и хлюпает, почему называет его на «ты» и требует каких-то объяснений.

Секундное наваждение прошло, он помотал головой, прогоняя мысль о том, что человек, который что-то длинно говорит ему с трагическим придыханием, совершенно ему неизвестен, а потом спросил:

— Галь, а если меня посадят за убийство, тебе тоже будет все равно, совершил я его или нет?

— Митя, ты совсем меня не слушаешь!

— Или ты будешь изо всех сил стараться вытащить меня из тюряги? Просто потому, что сильно любишь! Да, Галя?

— Что?

— Так все и будет?

Она помолчала.

— Да еще курил в комнате, — наконец сказала она и сморщилась. — Ну как это можно? У меня голова теперь будет болеть! А Таня обещала завтра малыша принести! Знаешь, как ковролин впитывает запахи?

— Как? — осведомился Хохлов.

И Галя — умница-разумница — ответила:

— Сильно.

— Ну вот и отлично, — заявил Дмитрий Петрович, в одну секунду переставший быть Митей. — Собирайся-ка ты, дорогая, к маме своей, Тамаре Германовне. У нее никакого ковролина нет и никто не курит.

— Мить, что ты говоришь?!

— Я говорю, что дома тебе лучше будет, Галь! Вот ей-богу! А я сегодня нажрусь, ночью приду, храпеть буду, зачем я тебе такой нужен?! Я тебя недостоин и только что это осознал! — И Хохлов с силой постучал себя кулаком в куртку, чтобы продемонстрировать, как именно он осознал. Он не думал, что у него все это так легко выговорится. — У меня проблемы, Галя! У меня один друг погиб, и в милиции считают, что его убил второй! У меня украли мешок денег, и я понятия не имею, как мне разгрести навоз, понимаешь?! Зачем тебе мой навоз?

— Деньги? — переспросила побледневшая Галя. — Какие деньги? Из офиса? Сколько?! Говорила же я тебе, что деньги нельзя нигде оставлять, люди кругом воруют! А ты все — у меня охрана, у меня камера!.. Куда они смотрели, твоя охрана и камера?! Сколько было денег?!

— Галь, — сказал Хохлов, которому надоело это представление. — Ну все, да? Давай к Тамаре Германовне! Договорились?

— Ты... ты... меня... бросаешь?!

— Ну, брось сама меня, если тебе это важно!

— Митя, это... нечестно! Нечестно!

И она заревела в голос.

Он неловко погладил ее по голове, пробормотал что-то вроде «ну, все, все» и вышел из квартиры.

Он не чувствовал никаких угрызений совести — ну, почти никаких! — и искренне не понимал, почему она так рыдает. Ну, не собиралась же она провести с ним остаток жизни, на самом-то деле! Если бы кто-нибудь сейчас сказал ему, что собиралась — да, да, по-настоящему! — он бы ни за что не поверил.

Галчонок появилась в его жизни после какого-то дома отдыха, где он спал, играл в теннис, а по вечерам пил в баре пиво. Она приехала с подругой, и обе барышни скучали. Хохлов выбрал одну, впрочем, ему было почти все равно, какую именно, и устроил с ней небольшой постельный романчик. Романчик вместе с ним приехал из дома отдыха прямиком в его квартиру, и все было неплохо, только больно скучно и как-то слишком уж похоже на худший вариант семейной жизни, и Хохлова это тяготило. Он был уверен, что месяцем раньше или месяцем позже они разбегутся и быстро позабудут друг о друге — не любовь же у них, на самом-то деле!.. — и они оба это понимают.

Он думать не думал, что Галчонок с первого дня строит планы — как она будет жить с ним, как сделает ремонт в его квартире, как потом ее продаст, заставит его переехать, чтобы их дети жили в доме получше! Как сделает из него человека, чтоб не курил, не пил и по ночам со своими полоумными друзьями и их женами не шлялся! Как перевезет маму, чтобы сидела с детьми, а сама она, Галчонок, заживет, как живут жены всех бизнесменов, — фитнес-клуб, зеленый чай, дорогой парикмахер, трехчасовая процедура по наращиванию ногтей, бассейн и еще конный спорт. По телевизору показывали, что нынче все, ну, просто повально, увлечены скаканьем на конях. Или как правильно говорить?.. Катанием на лошадях? Ну вот, и она будет скакать и кататься! Купит себе норковую шубу, сапоги до бедер и... ну, и бриллиантиков парочку. Как там в песенке? Чудесная такая песенка! «Лучшие друзья девушек — это бриллианты!» И это истинная правда.

И потом!.. У нее же любовь! У нее самая настоящая любовь, как показывают в сериале «Страсть маркизы». Там, правда, про восемнадцатый век, хотя один граф все время говорит: «Круто!» — видно, в восемнадцатом веке выражались вполне по-современному. И все очень жизненно. Она — несчастная такая, из бедной, но благородной семьи, а он тоже несчастный, потому что его деньги и положение не позволяют ему жениться на хорошей девушке, и вот она прикидывается маркизой, ну, просто для того, чтобы он заинтересовался ею, и на одном балу...

И до сих пор все шло, как в сериале, ну, почти, почти!.. Конечно, Хохлов, прямо скажем, не граф вовсе, благородства в нем нет никакого, и друзья у него все как на подбор, те еще фрукты, и жениться он особенно не горел, да еще все бубнил, чтобы она, Галчонок, отправлялась на работу. Она не хотела работать, у нее были другие жизненные планы, она готовила себя... в жены бизнесмена, а институт придумала так, чтобы не приставал никто!..

Она еще немного порыдала, а потом перестала.

Ну, хорошо же! Раз так, пожалуйста, она уедет к маме, и вдвоем с ней они что-нибудь придумают, наверняка!.. Например, можно наврать ему, что она, Галчонок, беременна и непременно хочет оставить ребенка, и посмотрим, что он запоет, когда она, бледная и несчастная, как маркиза из сериала, скажет ему, что носит во чреве его дитя!..

Картинка показалась ей настолько привлекательной и «жизненной», что она совсем воспрянула духом, утерла глаза и улыбнулась мстительной маркизо-сериальной улыбкой. Подошла к зеркалу и посмотрела на себя.

Красивая, бледная, очень интересная, решила она. А вещи собирать я не буду, еще не хватает!.. Он еще пожалеет, что со мной связался! Он еще у нас попляшет! На коленях будет ползать и умолять, чтобы я вернулась, и руки целовать, и прощения просить, и...

...и пришлось тащиться на электричке, маршрутку Арина так и не дождалась! А с ними, с маршрутками, вечная история — то они в аварию попадают, то ломаются посреди дороги, то вообще не ходят, как сегодня.

Народу в электричку набилось ужас сколько, дальше тамбура пройти не удалось, и вокруг только и говорили о том, что на шоссе какая-то большая авария и ни автобусы, ни маршрутки не ходят.

Арина стояла на одной ноге, стараясь не валиться на дядьку в драповом пальто и лыжной шапке. От дядьки крепко несло чесноком, и он постоянно перекладывал сумку из одной руки в другую и при этом бормотал извинения. Лучше бы не бормотал, потому что чесночный дух во время бормотания становился просто невыносим.

Арине очень хотелось поменять ногу, но никак не удавалось, потому что та где-то застряла и не вытаскивалась, и в конце концов она решила, что и так доедет. Упасть ей некуда, а на ее остановке все выходят, так что ее вынесут в любом случае, хоть на одной ноге, хоть на двух.

Она стояла на одной ноге, старалась не вдыхать чесночный дух и думала все время одно и то же и одними и теми же словами.

Бедный Кузя. Бедный, бедный, глупый Кузя!..

Она думала так с самого утра, с тех пор, как позвонила Ольга и сказала, что вчера поздно вечером Кузю убили недалеко от подъезда их дома.

Арина сначала ничего не поняла, потом не поверила, потом закричала, что сейчас приедет, но Ольга приезжать не велела. Очень холодным, как промерзшее за зиму железо, голосом она сказала, что Димона арестовали — или задержали? — по подозрению в убийстве, и она сейчас поедет к адвокату, а потом к Хохлову. Дети у бабушки, и делать ничего не нужно, по крайней мере... до похорон.

На слове «похороны» Ольга Пилюгина запнулась, но не заплакала, а Арина зарыдала во весь голос и даже не дослушала промороженный металлический голос, положила трубку и продолжала реветь.

Она не пошла бы на службу, но не могла — нужно сдавать перевод, все сроки давно прошли, и начальница каждый день осведомлялась, почему Арина так задерживает работу.

А задерживала она потому, что Кузя, которого вчера убили, вдруг сделал ей предложение, и она решила его принять.

Арина Родина, про прозвищу Родионовна, поняла, что сейчас опять заплачет, в переполненной электричке, сдавленная со всех сторон, а ей даже нечем вытереть нос. Потому что салфетки в сумке, а сумка зажата телами так, что не достать ничего, и Арина закинула голову, чтобы слезы не полились.

— Поаккуратней, женщина! — прикрикнули сзади сердито. — Тут тоже люди стоят!

Как назло, переводить было еще довольно много, и весь день она строчила на компьютере, смотря то на книжку, заложенную пластмассовой линейкой, чтобы не закрывалась, то на монитор. Монитор был старенький, подслеповатый, от него очень уставали глаза, и она старалась долго за ним не сидеть, а тут пришлось!

И роман еще попался на редкость убогий, не роман, а дикость какая-то!

Героиня — вдова с двумя детьми и фиалковыми глазами. Герой — хозяин земли, на которой стоит ее дом. Он собирается дом снести и выселить несчастную с ее глазами и с детьми. Она ни за что не выезжает. Он присылает людей, адвокатов и банкиров с чемоданами денег. Она не выезжает, и все тут. Арину всегда интересовало — почему?! Если тебе дают деньги на новый дом, еще лучше прежнего, обещают выплатить компенсацию и поселить не вблизи федеральной шоссейной дороги, а, например, на берегу озера, почему бы на это не согласиться?! Почему у автора никогда не хватает фантазии придумать что-нибудь другое?! Что-нибудь более правдоподобное?!

Ну так вот. Она ни за что не выезжает, и ее фиалковые глаза все время заволакивает пелена слез. Слезы из-за усопшего мужа, разумеется, и еще из-за того, что никто не может теперь ее защитить. Герой, рассерженный ее упорством, в конце концов прибывает к ней на участок сам, смотрит в ее фиалковые глаза, обнаруживает, что это самое дивное зрелище в мире, его мужественная рука берет ее хрупкую ручку, в другую руку он берет обоих детей, и все вместе они уходят в светлое будущее.

Занимается заря.

Арина строчила перевод, старалась не слишком ерничать — начальство любило «серьезные» тексты, что за неуместный смех! — и то и дело выбегала покурить и еще немного поплакать о Кузе.

Поплачь о нем, пока он живой. Люби его таким, какой он есть.

Она не плакала о нем, пока он был жив, и любить его она не могла.

— Извиняюсь, гражданочка, — сказал дядечка, дохнув чесноком, — мне выходить надо. Потеснитесь как-нибудь!

Арина потеснилась, со всех сторон на нее навалились люди, которые тоже пытались потесниться, и ремень сумки, которую она судорожно сжимала в руке, как-то странно подался, должно быть, оторвало его. Она стала тянуть ремень к себе, и вытянула, и перехватила — ну, так и есть, оторвался!

В тамбуре стало посвободнее, но в вагон все равно не пробраться. Зато она обнаружила свою вторую ногу и поставила ее на пол. Ногу тут же закололо, как иголками, — затекла.

Кто и зачем мог убить Кузю?! За что?! Разве таких, как он, убивают?..

Убивают богатых — за их деньги. Убивают деловых — если пересекаются «интересы». Убивают журналистов — чтоб не повадно было. Убивают алкоголиков и бомжей — это в криминальной хронике называется «преступление на бытовой почве».

Но Кузя-то тут при чем?!

Глаза опять налились слезами, и Арина шмыгнула носом. Он никому не мешал, никаких «интересов» у него не было, денег тоже не было никогда! Ну, была у него жизненная позиция, которой он очень гордился, — прославление благородной нищеты и осуждение развращающего богатства, ну и что? Эта самая позиция никому не мешала, да и кому она могла помешать?! Хулиганы?! Но возле дома Пилюгиных не могло быть никаких хулиганов — дом за забором, в воротах охранник, камеры вдоль решетки.

И эта дикая история с Димоном! Они дружат двадцать лет! Разве один из них мог убить другого?! Даже предположить такое невозможно! Это все равно что предположить, что она, Арина Родина, возьмет да и прикончит Хохлова за то, что когда-то он так на ней и не женился, хотя все шло именно к тому.

...почему не женился? Чем она оказалась тогда нехороша?..

Электричку качало, и Арина качалась вместе с ней, прижимая к боку сумку с оторванным ремнем.

Хохлов не женился, а Кузя собрался жениться, и она бы вышла за него, потому что больше не за кого было. Не за кого, и точка.

Она бы вышла за него замуж и, может быть, родила бы ребенка, и была бы у них своя компания — с Кузей или без, какая разница! А теперь Кузмина нет, и никакого ребенка не будет!..

Слезы полились по щекам, и она украдкой вытерла их варежкой с норвежским рисунком. Варежки ей привез Хохлов, когда в прошлом году катался на лыжах, и она их очень любила.

Поезд остановился, людская толпа выплеснулась наружу, под синий свет фонарей, и вмиг на платформе стало тесно, как в фильмах про войну, когда показывают эвакуацию. Мороз к вечеру еще окреп, влажные щеки сразу задеревенели, и Арина повыше натянула шарф.

Только бы домой доехать, а там как-нибудь...

Двигаясь в толпе, покачиваясь вместе с ней, она держалась за скользкий поручень, нащупывала ногами обледенелые ступеньки — впереди был спуск в переход, будто в адское подземелье.

Уже десятый час, а завтра в восемь ей снова выходить, чтобы успеть на работу. И так каждый день, и так всю жизнь, и этому нет ни конца, ни края, ни... оправдания.

Зачем она живет?.. Для чего?.. Для кого?..

Для того, чтобы строчить переводы про фиалковые глаза и мужественную грудь?.. Для того, чтобы раз в год, поднакопив деньжат, слетать в Ялту, посидеть у моря? Или чтобы в родительскую субботу съездить на кладбище к бабушке, сгрести там листья, посадить анютины глазки и постоять, глядя в умытое синее небо, которое почему-то всегда бывает таким весной на кладбище?

Толпа, закутанная в шубы и шарфы до глаз, покачиваясь, медленно продвигалась по переходу, и Арина продвигалась вместе с ней.

...Для чего?.. Для кого?..

С тех пор как бабушка умерла, ей не приходилось бывать на похоронах, и мысль о том, что Кузю тоже похоронят, как бабушку — в гробике с нелепой цветной оборкой по краю, крышка с крестом, отнесут на кладбище, опустят в яму, закидают землей, — казалась ей до странности нелепой. А потом все побредут к автобусам, мимо заваленных снегом памятничков, с которых глядят мертвые фотографии, а Кузя останется один в промерзшей кладбищенской земле, и галки будут кричать так тоскливо, так маетно...

К тому времени, когда она выбралась из перехода, первая волна автобусов и маршруток уже загрузилась и уехала, и пришлось ждать следующую. Ноги сильно мерзли, и сумка неудобно болталась на оборванном с одной стороны ремне. Да что за жизнь такая!..

Маршрутка останавливалась почти напротив ее дома, надо только перебежать скверик, где на углу стояло одинокое «иллюминированное» дерево, опутанное синей гирляндой. Вот интересно, кому из городского начальства пришло в голову устроить такую красотищу?..

Зато в подъезде было тепло, так замечательно тепло, что она размотала шарф и вздохнула, и нос не обожгло морозом! С тех пор как поставили железную дверь, в подъезде наступил рай земной — во-первых, всегда тепло, во-вторых, всегда есть свет.

Странное дело, на этот раз света в подъезде не было. То есть горела только одна лампочка где-то высоко наверху, и еще одна — у самой двери, а больше ничего не горело.

Ну и ладно. Она уже почти дома.

На площадке мгла сгустилась до чернильного состояния. Маленькую Арину Родину в школе заставляли писать почему-то перьевой ручкой, и у нее на столе всегда стояла бутылочка синих чернил, которые казались абсолютно черными. Они даже на свет казались черными, но если сунуть палец, оказывалось, что чернила синие, и ноготь потом долго оставался необыкновенного синего цвета, и бабушка пугалась, что Арина прищемила палец и ноготь «теперь сойдет».

Ключи лежали в сумке, на самом дне, и предстояла эпопея их поиска. Арина на ощупь принялась искать. В руку лезли всевозможные предметы: бумажки, кошелек, телефон, странная неопознанная штука с острыми углами, какая-то коробочка, что ли, — все, кроме ключей. Она потрясла сумку, чтобы понять, с какой стороны звенит — с левой или с правой — и тогда уже продолжить поиски, так сказать, прицельно, но чудилось, что звенит везде.

В конце концов она вытащила связку, за ней из сумки полезло еще что-то, она засунула все обратно и стала последовательно открывать замки на двери. Замков было три — верхний, нижний и средний, все как положено.

Зачем ей такое количество замков?! У нее совершенно нечего красть! Телевизор? Стиральную машину, которая никогда не стирала и все время ломалась в тот момент, когда за мастером закрывалась дверь? Компьютер, настолько древний, что его можно принять за археологическую находку, обнаруженную во время раскопок в Силиконовой долине?

Решено! С завтрашнего дня она будет запирать дверь только на один замок, и точка.

Ну все, слава богу, путь свободен.

Арина сделала шаг в темную прихожую, привычно пахнущую старыми шубами и кофе, но свет зажечь не успела.

Что-то сильно ударило ее по голове, как будто обрушился потолок. От удара она присела и стала валиться на спину, цепляясь руками, — или ей казалось, что она цепляется?.. Что-то загрохотало, повалилось, и, похоже, опять на нее, но сознание не исчезло. Было очень больно, и она долго не могла понять, почему так больно, да так и не поняла, и заплакала — именно от боли, а не от страха.

— Где деньги? — спросил какой-то странный, словно искривленный голос, но она не поняла, что спрашивают у нее.

Перед глазами было темно, и Арина решила, что ослепла, и подумала, что ничего этого не может быть. Просто не может быть, и все тут.

Она шла домой, и пришла, и даже открыла дверь, а все остальное — просто кошмар, привидевшийся ей ни с того ни с сего. Может, от переживаний и оттого, что сегодня не успела поесть, она упала в обморок?..

Арина открыла глаза, уверенная, что сейчас увидит прихожую и свалившуюся на нее с вешалки бабушкину шубу, в которой она ходила на помойку, и снова закрыла, потому что все оказалось не так, как она ожидала.

Она сидела в комнате, на стуле, и никак не могла удержать голову, которая качалась в разные стороны, как цветок на стебле, и от того в глазах все плыло. Почему-то она не могла пошевелить ни рукой, ни ногой, и, осознав это, Арина перепугалась.

До этой секунды она не боялась, вроде бы забыв о том, что надо бояться.

Теперь страх оказался повсюду, как будто накрыл ее мешком.

Арина пискнула, стала вытаскивать руки, дергаться и метаться, она даже попыталась встать, не смогла, и сильный удар, от которого губы размазало по зубам, а зубы словно вылетели и застряли в горле, обрушился на нее.

Стало нечем дышать. Воздух не проходил в будто забитое зубами горло. От боли разорвалось сердце.

— Отдай деньги, — сказал кто-то ей в самое ухо. — Отдай по-хорошему.

Она заскулила от боли в голове и разбитых губах. Глаза не открывались, наверное, она все-таки ослепла. Где-то далеко брезжил дальний свет, но Арина не могла понять, откуда он идет.

— Ты что? — снова спросил ласковый голос. — Оглохла? Оглохла, я тебя спрашиваю?!

— Н-нет, — прохрипела Арина, сообразив, что разговаривают *с ней*.

Все это на самом деле происходит с ней!..

— Где деньги?

— В шкафу, — выговорила она, — где посуда. Там... коробка с ложками, и в ней деньги.

Какое-то движение произошло за границей сумрачного мира, в котором она ничего не видела, кроме желтого пятна, светившегося где-то в отдалении, что-то тихонько стукнуло, покатилось, и голос вернулся.

Она втянула голову в плечи, потому что знала, что вместе с ним вернется боль.

— Зачем ты врешь? — спросил голос нежно. — Врать нехорошо!..

Ее сильно дернули за волосы, так что вся кожа собралась на затылке в узел.

— Лапушка, — повторил нежный голос. — Ты меня не поняла?.. Совсем, совсем не поняла меня, моя лапушка! Где деньги?

Комната качалась у Арины перед глазами, и одна мысль занимала ее — началось землетрясение, и нужно бежать, спасаться. Надо взять документы и деньги и спасаться.

Деньги!.. Нежный голос спрашивал ее про деньги, и она сказала, где они, чтобы он оставил ее в покое. Зачем он спрашивает опять?!

Чужое дыхание приблизилось, и от него зашевелились волосы у нее на макушке. Видимо, чужой стоял сзади, у нее за спиной, она его не видела.

— Где деньги, сучка мокрохвостая? У твоего любовника были деньги, и я тебя про них спрашиваю! Где они?

Арина Родина ничего не поняла.

Какой любовник?! Какие деньги? Землетрясение начинается, вот-вот рухнет дом, завалит ее бетонными плитами, перекрытиями и балками, а она этого не переживет. У нее клаустрофобия. Она умрет не от землетрясения, а от клаустрофобии.

Ей всегда казалось, что самое страшное — это лежать под обломками и ждать, когда умрешь. Сразу умереть гораздо легче и приятнее. Почему она не умерла сразу?!.

— Ну, ну, соображай быстрей! Где твой любовник держал деньги?!

И тут вдруг она поняла, что нет никакого землетрясения. Нет и не будет. Какой-то человек пришел ее грабить и, кажется, собирается убить.

Оказалось, что это гораздо страшнее землетрясения, потому что в этом тоже было ожидание смерти, чудовищное, затянутое, но не потому, что обрушился дом, не из-за цунами или тайфуна, а из-за того, что какой-то человек, совсем незнакомый, просто решил убить ее.

Ему все равно. Он хочет ее убить и забрать деньги.

У нее за спиной что-то произошло, двинулось, и с двух сторон ее шею как будто сдавило железными клещами. Арина и не знала, что у нее такая податливая, хрупкая шея, только тронь, и она сломается.

Клещи давили очень сильно, и в горле что-то ломалось с отвратительным животным хрустом. Арина задергалась и захрипела, от боли и ужаса она перестала понимать, что нужно делать, чтобы дышать.

Никто не задумывается о том, как дышит, оказывается, это очень сложно.

В глазах помутилось, и в голове что-то осыпалось с тихим стеклянным звоном, словно осколки от разбитой чашки, и осколков было очень много, и тут вдруг Арина Родина вырвалась из стальных клещей.

Это было совсем несложно, она просто перетекла за границу ужасных рук, давивших ее шею все сильнее и сильнее, и оказалась над ними. Это новое положение было очень приятным, и к ней вернулось спокойствие, и даже возможность дышать вернулась, Арина расправила плечи и осторожно посмотрела по сторонам.

Комната выглядела странно, и Арина не сразу осознала, что смотрит на нее сверху и сбоку, из-под люстры, и видит внизу, под собой, незнакомого человека, который что-то делает со скрюченным на стуле телом.

Какое-то время она рассматривала стены и потолок и потом опять посмотрела вниз, на этот раз даже с любопытством. Никакой боли она не чувствовала и страха тоже, только удивительное и никогда ранее не испытанное чувство свободы.

Мне все равно. Я уже не здесь.

Голова у того, скрюченного тела запрокинулась назад, и туловище обвисло, как будто сползло на стуле, и незнакомый человек, который вызывал у нее теперь лишь спокойное любопытство, разжал свои клещи и стал трясти тело на стуле. Голова моталась, как у куклы, и Арина подумала, что у живых людей голова не может так мотаться, непременно оторвется. Еще ей хотелось поподробнее рассмотреть человека, который убил ее, и, придерживаясь рукой за стену, чтобы не свалиться прямо на него, она стала медленно спускаться вниз, описывая круги. Ей было немного неловко спускаться, потому что она боялась, что заденет стену или сервант и сильно ушибется, но ничего такого не происходило. Она словно проходила сквозь стены, и это тоже было совершенно особое и даже веселое ощущение.

Она спускалась все ниже и ниже, человек в сером кроличьем треухе перестал трясти ее тело, пнул ногой стул, на котором оно корчилось, и стул упал, сильно загрохотав.

И вот когда загрохотало, ее плавное снижение вдруг превратилось в пикирующий полет. Она больше не могла управлять собой. Головой вниз, на бешеной скорости она врезалась в собственное тело, показавшееся ей очень неуютным и тесным. Там, внутри, было страшно и очень больно, и ей не хотелось там оставаться, хотелось на волю, и она заплакала от отчаяния, понимая, что не сможет вырваться, и вдруг увидела картинку.

Арина никогда не видела ее раньше, но почему-то знала все подробности и знала, что это настоящее. Именно это, а не чернота и боль собственного тела, казавшаяся ей невыносимой.

На картинке, в которую она перенеслась, было море, холодное и зеленое, и плотный серый песок, и осеннее небо в рваных клоках снеговых туч. Налетел ветер, остудил ее щеки, растрепал волосы, и луч солнца вдруг победно раздвинул тучи, упал в море и разделил его пополам. Оно было теперь совсем разное — изумрудное, прозрачное с одной стороны и малахитовое, глухое — с другой. Арина стояла на песке, у самой кромки воды, которая накатывала и отступала, швыряла камушки, и какой-то человек, о котором она знала только, что он самый лучший человек на свете, показывал ей, как нужно кидать, чтобы получились «блинчики», а у нее все не получались. Они раскидали все камушки, и потом он рассказал ей смешную и трогательную историю о том, как в зоопарк привезли носорога и носорожиху. Носорога звали Теодор, а носорожиху Фелиция, и у них не было детей, потому что дети у носорогов бывают, только если они могут гоняться друг за другом по саванне, а в клетке у них не получаются дети, вот какая история!..

И Арина слушала, и ей было смешно и жалко носорогов, и солнце постепенно уходило за тучи, и вода становилась все темнее и темнее, и было ясно, что сейчас пойдет снег, и ей было уютно в теплой куртке, и самый лучший человек на свете держал ее за руку, и они шли вдоль моря, и это было так хорошо, просто замечательно!..

Ну да, конечно. Она ничего не может сделать, она должна вернуться, потому что самый лучший человек на свете станет искать ее и не найдет, а так не бывает!.. Если уж суждено встретиться, значит, они встретятся, значит, она не может просто так взять и уйти, оставив собственное тело бесхозным и никому не нужным!

И она вернулась окончательно, а вернувшись, почувствовала ту же боль, и тот же страх, и то же отчаяние, и ужас, и...

...и Хохлов залпом проглотил виски и подцепил шпротину из банки. Очень старался не капнуть маслом, но все-таки капнул, и на белом столе осталось желтое пятно. Хохлов стыдливо подвинул стакан так, чтобы пятна не было видно.

Ольга ходила из угла в угол уютной и веселой кухни. У Пилюгиных была уютная и веселая кухня.

— Выпей, — сказал ей Хохлов.

Она машинально подошла и так же, как он, залпом проглотила виски. И снова стала ходить.

— Как в сугробе могла оказаться пепельница? Мить, ну как?! Димон не мог взять эту чертову русалку и пойти с ней провожать Кузю! И потом стукнуть его по голове так, чтобы тот умер!

— Не мог, — согласился Хохлов. — Только давай сначала. Что у нас есть?

Белый лист бумаги, совершенно чистый, опять лежал перед ним, и Хохлов боялся этого листа, боялся, что на нем придется что-то писать, и это неведомое «что-то» приведет к тому, что Димон убил Кузю!..

— Первое. Кузя не давал Димону работать. Он зам по

науке, и все коммерческие договоры проходят через него. Он должен их визировать. Правильно я понял?

Ольга печально посмотрела на него и кивнула.

— Хорошо. Кузя кого угодно мог довести до инфаркта своим бухтением и идиотскими приставаниями. Это два. Или это не два?

Ольга пожала плечами, и Хохлов все-таки записал пунктом два скверный Кузин характер.

— Вчера они даже здесь намеревались набить друг другу морду, — продолжал Хохлов, — и уже было начали, но я их остановил. Это три. Ты, кстати, ментам об этом не говорила?

— Митя, я же не сумасшедшая!

— Выходит, три пункта.

Ольга остановилась прямо напротив него и вдруг крикнула:

— Да! Это три! И все против Димона! Все!

— Естественно, — согласился Хохлов и посмотрел на список из трех пунктов. — Оль, но это и все! Больше-то ничего нет! О том, что они пытались подраться еще здесь, менты не знают.

— А пепельница?!

— Точно. Я забыл. — И Хохлов дописал пепельницу пунктом четвертым.

— И еще соседка видела, как они подрались у подъезда и Кузя упал!

— Да, — согласился Хохлов и дописал еще один пункт.

Все пункты обвинения, собранные вместе, выглядели внушительно.

Ольга перестала ходить и села напротив, зажав ладони между коленями. Плечи у нее сгорбились, и лицо было серым, и Хохлов вдруг подумал, что она совсем не так молода, как ему всегда казалось. Тридцать семь? Тридцать восемь?..

Оказывается, у нее есть морщины, и под глазами черно, и губы сложены как-то по-старушечьи.

— Так, — он заговорил громко и быстро, чтобы отделаться от мысли, что Ольга уже почти старуха. — Суть не в том, что у нас есть *против* него. Суть в том, что мы должны найти что-то *за* него. Димон не мог убить Кузю, и значит, мы должны поставить на этом точку. Не мог, и все тут.

— И что из этого следует?

— Что его убил кто-то другой.

— Митя, это и так понятно, — почти простонала Ольга. — Подумаешь, логический вывод!..

— Ну, какой есть, — сказал Хохлов. — Значит, так. Хулиганов и гопников мы исключаем.

— Почему?

— У вас двор охраняется. Камеры где стоят?

— Вдоль забора.

— А у подъездов?

— Нет у подъездов камер. Правление решило, что это слишком дорого, еще и у подъездов ставить камеры!

— Хорошо. Но если бы кто-нибудь лез через забор, охранник бы это увидел, так или не так?!

Ольга немного подумала.

— Ну... логично. А свои?

— Сколько у вас в подъезде квартир?

— Шестнадцать.

— Ты знаешь всех соседей?

— Ну, конечно!

— У вас есть алкоголики, бандиты, уголовники и тунеядцы?

— Мить, ну что ты несешь? Откуда?

— Значит, нет, правильно я понимаю? То есть здесь живут более или менее добропорядочные граждане, которые за свои кровные купили в этом доме квартиры, и у них нет проблем, где найти полтинник, чтобы залить глаза водярой! Больше полтинника у Кузи отродясь не водилось! Кому из добропорядочных граждан могло понадобиться темной ночью в собственном дворе прикончить Кузю?! Он здесь даже не жил! Речи ни перед кем, кроме Димона, не произносил, следовательно, за политические взгляды, занудство и маразм ваши соседи не могли его прикончить! Да или нет?

— Ну... да. Скорее всего.

— Вот именно. Слишком невероятно, чтобы у него был какой-то враг, который по совместительству еще и местный житель. Значит, хулиганство исключается, и соседи... почти исключаются. Кто остается?

— Никого не остается, — мрачно сказала Ольга. — Остается Димон, которому Кузя мешал жить и который дал ему в ухо!

— А помнишь, Димон ему на третьем курсе на картошке тоже в ухо дал? — вдруг спросил Хохлов. — Кузя чего-то разгулялся, мы тогда в деревню на дискотеку ходили, и стал к тебе приставать!

— Кузя? — не поверила Ольга. — Ко мне?

— Ну, не в прямом смысле, а в том, что, мол, все бабы глупее мужиков, и ни одна корова — он так тогда называл девчонок — ни фига не смыслит в матанализе! А ты отличница была! Неужели не помнишь?

— Нет, — светлея лицом, сказала Ольга, и Хохлов вдруг с облегчением понял, что она еще молодая, совсем молодая, просто у нее беда, и именно эту беду вместо ее лица он видел и ужасался. — Ты представляешь, совсем не помню.

— А Димон ему сразу в дыню!

Они помолчали, вспоминая.

— У Кузи и тогда денег не было, — Ольга улыбнулась. — Он у меня три рубля занял, когда на Восьмое марта Катьке-заразе гвоздики покупал. Да так с тех пор и не отдал.

Хохлов вдруг вспомнил:

— Подожди. Подожди, Оль. Лавровские мне сказали, что он все толковал про какие-то деньги! Ну, Кузя толковал!.. И Родионовна мне говорила! Что у него теперь есть деньги и всякое такое! Он... вам ничего об этом не говорил, когда вчера приходил? И зачем он вообще приходил?!

Ольга вспоминала, даже лоб наморщила.

— Пожалуй... пожалуй, он говорил про деньги. Да, да, точно говорил! Он говорил до твоего прихода, что теперь у него есть деньги и он женится на Родионовне! Но мы как-то быстро с этой темы... съехали.

— А зачем он приходил?

— Не знаю. Просто так. Он часто приходит просто так, ему же совсем нечего делать по вечерам! Ни детей, никого... Ну вот, он приходит и изводит Димона.

Хохлов провел на листе длинную перпендикулярную линию и справа от линии написал: «Деньги неизвестного происхождения». И поставил знак вопроса.

Подумал и спросил:

— Может, он наследство получил? Как в кино?

Но эта мысль никуда не годилась именно потому, что была слишком похожа на кино, а киношные сценарии, как правило, радикально отличаются от настоящей жизни!..

— Мить, хочешь, я кофе тебе сварю?

Хохлов кивнул. Можно и кофе, раз уж виски пить расхотелось.

Слово «деньги», написанное на бумаге, притягивало к себе, как магнит.

— А у меня из конторы деньги украли, — задумчиво сказал он в спину Ольге, которая гремела посудой, доставала чашки и маленький кофейничек. — Много.

Она обернулась, бросив кофейничек:

— Да ты что?!

— Ну да. Ночью меня вызвали в контору, сказали — грабеж. И знаешь, Оль, странно так!.. Никто не знал про эти деньги! Я их до банка в Москве просто не довез, в сейфе оставил. У меня работы было много, а чтоб до банка доехать по нашим пробкам, нужно часа два точно! Два туда, два обратно, и там еще сколько-то, вот и выходит полдня, а у меня времени, ну, совсем не было. И никто про них не знал!

— А охранник? У тебя же в офисе охранник?!

— Да в том-то и дело! Какая-то женщина попросилась позвонить, что ли! Он говорит, красивая очень и... приличная. Мужу хотела позвонить, что у нее машина не заводится, а на улице тридцать градусов. Он впустил. Что там дальше было, он не признается, но и без признаний все ясно. На столе у него два стакана, закуска и водка обнаружились. Водкой его дама угощала. Он говорит, что у нее с собой была. Он выпил и больше ничего не помнит.

— Ничего себе! — почти по слогам произнесла Ольга. — Мить, но это какое-то невероятное совпадение, чтобы в одну ночь убили Кузю и у тебя украли деньги! Подожди, а сейф? Они же у тебя не просто в столе лежали, правильно?

— Сейф открыт ключом, — сказал Хохлов, морщась оттого, что чувствовал себя идиотом. — Все честь по чести, никаких медвежатников не наблюдается!

Ольга присела к столу.

— Значит, она ему что-то подмешала в водку?

— Да снотворное небось, что еще она могла ему подмешать! Не мышьяк же! — Он морщился и говорил грубо, все из-за того, что сам идиот, бросил в офисе такую сумму долларов, вот и поплатился! — Отоварила его по полной программе, он вырубился, а она забрала мои деньги!.. Открыла ящичек ключом, и готово дело!..

Тут Хохлов вдруг стукнул кулаком по столу так, что подпрыгнули и зазвенели стаканы, и даже несокрушимая бутыль с виски покачнулась.

— Мить, а камеры? Или у тебя их нет?

— При входе есть одна, и на ней ничего не видно —

просто какая-то баба в шубе! В коридоре тоже есть, но она как знала, понимаешь! Все время спиной поворачивалась, и темно там! По ночам же свет не горит! А камеры у меня самые простые, не такие, как в фильме «Тайны Пентагона»!

— А что охранник?

— Да ничего охранник! Когда очухался, все сразу рассказал. Башка у него болела, он из стороны в сторону качался. Ну, менты его на всякий случай тоже в «обезьянник» загребли, как Димона. Больше-то некого! Говорят, вполне возможно, он сообщник бабы этой. А я им говорю, что этого быть не может, потому что, когда я деньги привез и положил в сейф, этот охранник еще не существовал в природе.

— Как?!

— А так! Я его на работу нанял четыре дня назад. Он сутки отдежурил, двое дома пробыл и опять на сутки вышел. Он о деньгах вообще ничего не мог знать! И ключа у него быть не могло, и копии моих ключей он не мог сделать, потому что, когда в первый раз на сутки вышел, я на работу вообще не приезжал! А ключ только у меня, больше ни у кого нет!

Ольга вернулась к плите и стала там что-то делать, на ощупь, как слепая. Хохлов закурил.

...и вообще все это странно очень! Охранник второй раз на работу вышел и сразу какую-то бабу на «охраняемый объект» пустил! И он, Хохлов, нанимал его, собеседование проводил, важность задачи объяснял! Сто тысяч сперли, жалко, что не миллион! Была бы тебе наука, предприниматель чертов!..

— Слушай, Мить, — вдруг сказала Ольга. — А не про эти ли деньги Кузя все твердил, а?

— Про мои?! — поразился Хохлов. — Да нет, Оль, ты что?!

— Хорошо, тогда объясни мне, откуда у него деньги?!

— Да, может, он гонорар за статью получил, шестьсот долларов, вот тебе и деньги! Ты же знаешь, что такая сумма, по Кузиным понятиям, могла называться деньгами!

— Он ведь не сумасшедший! Странный, да, но все-таки не шизофреник и не даун! Вряд ли он стал бы рассказывать, что у него появились деньги для женитьбы, если бы речь шла о шестистах долларов!

— Оль, но еще глупее всем рассказывать про то, что у тебя появились бабки, если ты собираешься их украсть! Причем у друга!

— Митя, не бывает таких совпадений!

— Не знаю, — отрезал Хохлов. — Не знаю. Дай мне бутерброд с колбасой.

Она подумала немного, будто не сразу поняла, о чем он просит.

— Тебе с какой?

— Да все равно мне. Только побольше!

Ольга отрезала толстый ломоть черного хлеба и почти такой же толстый ломоть розовой «Докторской» колбасы и еще сверху пристроила унылый петрушечный листик — украсила — и сунула Хохлову.

— Сейчас будет кофе.

— Фа-во-фо, — с набитым ртом ответил тот, что означало «хорошо».

— Мить, а родственники у него есть? У Кузи? Может, с ними поговорить?

Хохлов пожал плечами.

Стройная схема расследования никак не выстраивалась, и он ненавидел себя за это. Нужно думать, принимать решения и отвечать за них, а он... не может. Не получается у него!

Ему жалко Кузю, жалко своих денег, страшно за Димона, который вполне мог его убить, но если это так, значит...

...значит, весь мир устроен совсем по-другому. Не так, как это себе представлял Хохлов до того, как все случилось! Это значит, что все люди, даже самые близкие, на самом деле волки, и он просто не видит их оскаленных хищных пастей, прикрытых привычной овечьей шкуркой! Впрочем, у людей нет никакой овечьей шкурки, что за глупость! Они просто люди, и, вполне возможно, их испортил квартирный вопрос, но Хохлову всегда казалось, что к его окружению это не имеет отношения. Они особенные. Они не такие, как все. Они точно знают, что нужно делать, чтобы крепко дружить, не предавать, не подличать!..

...значит, он ошибался?! Значит, он неадекватно оценивает мир вокруг?! Может, он душевнобольной?!

— Митя! О чем ты думаешь?.. Я у тебя в третий раз спрашиваю про Кузиных родственников!

Хохлов очнулся и посмотрел на Ольгу:

— Я не знаю никаких родственников. Знаю только брата, Максима. Помнишь его?

— Почти нет. Он же... намного младше?

— Лет на десять, по-моему. Кузя его несколько раз приводил в нашу компанию, а потом перестал. Он, кажется, институт так и не закончил, женился, и... в общем, нет, я не знаю. А что?

— Да ничего, — сердито сказала Ольга. — В детективах всегда пишут, что нужно искать того, кому была выгодна Кузина смерть. Может, родственникам?

— Зачем родственникам его смерть? — осведомился Хохлов. — Чтобы завладеть его комнатой в общежитии?

Ольга пожала плечами.

— Все равно придется звонить этому самому Максиму, — мрачно заявил Хохлов. — По-моему, мать у них умерла давно, а впереди Кузины похороны и все такое...

Предстоящие тяжкие и унылые дела словно придавили их, и это было так страшно, так невероятно, так больно!.. Никогда ни один из них не думал, что придется хоронить другого. Смерть была еще так далека от них, и им некогда было про нее думать, а она оказалась совсем рядом, за углом дома, и ее присутствие теперь чувствовалось во всем — кухня не была больше веселой и легкой, у Ольги стало старушечье лицо, а сам Хохлов мается и не знает, как ему жить дальше.

Он не знает, как жить, именно потому, что смерть подошла так близко.

— Пойду я посмотрю на... то место, — сказал Хохлов и поднялся из-за стола, в первый раз в жизни не доев бутерброд с «Докторской» колбасой.

— Темно на улице, как ты будешь смотреть!

— Очень хорошо, что темно, — отрезал Хохлов. — Значит, во дворе никого нет, а я... фонариком посвечу.

Недоеденный бутерброд он взял с собой, и, когда Ольга спросила зачем, он ответил, что оставит его у подъезда для какой-нибудь собаки или кота. Привычка никогда не выбрасывать еду сохранилась из детства, как будто Хохлов был блокадник! Он не был блокадником, но ему слишком отчетливо помнилось, как штурмом брали продовольственные магазины, как не было ничего, кроме сосисок, которые казались верхом гурманства, как мать притаскивала сумки, по нескольку часов отстояв в очередях. И еще ему помнилась история, как он сам стоял за пельменями. Это было году, наверное, в восемьдесят девятом. Он вышел из автобуса и зашел в «Молочный», так назывался магазин рядом с остановкой. Он знал, что дома ничего нет, кроме картофельной запеканки, но она была с луком и без мяса, а ему хотелось именно мяса. В «Молочном» волновалась и переживала очередь, пока еще не слишком большая. По очереди носился слух, что сейчас будут давать пельмени, по две пачки в одни руки, и студенту Хохлову так захотелось пельменей, очень горячих и очень большую миску! Он встал в очередь, стоял долго, а пельмени все еще не начинали «давать». Очередь все нарастала и уже не помещалась в магазине, выпирала на улицу, и продавщицы покрикивали на покупателей, чтобы те стояли смирно. Потом стали «давать», начались свалка и ажиотаж, но предприимчивый Хохлов успел добежать до телефона-автомата и позвонить матери, которая работала поблизости. Мать протолкалась к нему, и они отхватили целых четыре пачки, немного помятые, но все равно чудесные, холодные, увесистые, с нарисованной красной деревянной ложкой!

С тех пор он никогда и нигде не оставлял еду. Даже в ресторане.

Пока он надевал куртку, Ольга стояла в коридоре, сложив на груди руки, и смотрела на него.

— Я сейчас, — пообещал Хохлов и выскочил из квартиры.

...что он станет искать?! Как?! На что именно он будет смотреть? На Кузину кровь на снегу?!

В машине у него был фонарик, и он достал его и нажал кнопочку, но фонарик не загорелся — замерз, и Хохлов сунул его за пазуху куртки «суперагента», и пошел вдоль дома, оглядываясь по сторонам и чувствуя себя преступником.

На улице никого не было, только мороз скрипел и уличный фонарь заливал двор синим неверным светом.

Значит, камеры у нас вдоль забора, а возле подъездов никаких камер нет. Охраннику видны только забор и часть территории, а фасада дома совсем не видно, кроме того, охранник мог спать, время-то уже позднее было!

Но все равно с ним нужно будет поговорить. Обязательно поговорить.

Стоянка находится с другой стороны дома, и мало надежды на то, что в тот момент кто-то уезжал или приезжал. Со стоянки не видно подъездов.

Нужно еще обязательно найти соседку, которая видела, как дрались Пилюгин и Кузмин, и спросить у нее, что было на самом деле! Только как ее найти? В милицию позвонить и спросить номер ее квартиры и телефон?!

Хохлов дошел до угла, до полосатых лент, протянутых между тоненькими, только по весне посаженными деревцами.

В прошлом апреле был субботник — почти что ленинский, почти коммунистический, — и все соседи, их друзья и родственники сажали деревья, мели асфальт и жгли прошлогодние листья. Дети носились, собаки лаяли, было весело, небо чистое, и весна еще только началась, и пахло хорошо — свежевскопанной землей и помытым асфальтом. А потом жарили шашлыки под тентом, пили пиво и вели приятные разговоры, и дым стлался по земле, и тент щелкал под ветром!

Хохлов тоже тогда сажал, старательно копал яму, таскал воду, поливал, притаптывал и чувствовал себя настоящим мужчиной, который должен... что там он должен? Дерево, дом и сына так, кажется?

Теперь, ежась от мороза в никудышней своей курточке, он шел по расчищенному асфальту и думал о том, какая раньше была прекрасная жизнь!..

Когда Ольга привезла его к своему дому, было еще светло, и он специально старался не смотреть туда, за ленточки, а теперь ему предстояло найти там нечто такое, что убедило бы ментов в том, что Димон ни при чем!

По крайней мере, Хохлову именно так представлялась поставленная задача.

Оглядевшись по сторонам, он нырнул под ленточки, сделал шаг и остановился. Почему-то он думал, что увидит рыхлый и мягкий снег, вмятину от тела и кляксы черной крови на сугробах, а оказалось, что площадка утоптана десятком ног до совершенно ровного состояния, как будто на ней играли в футбол. Не было никакой вмятины от тела, и кровавых следов тоже не было, только какие-то пятна, затоптанные до такой степени, что не разобрать — кровь это или грязь.

Хохлов вытащил из-за пазухи фонарик и снова нажал кнопку. На этот раз фонарик загорелся, видно, отошел в тепле под курткой.

Тоненький луч прошелся по деревьям и кустам, едва торчавшим из снега, задержался на пятнах и вернулся обратно.

Что здесь можно найти?! Как искать?!

Хохлов присел и посветил прямо перед собой. Снег со следами башмаков, только снег, и больше ничего. Перчаткой Хохлов поводил по снегу, ничего не обнаружил и передвинулся вперед.

Минут через семь зуб у него не попадал на зуб, спина заледенела, и пальцы, державшие фонарик, застыли в скрюченном положении. Естественно, он ничего не нашел.

Не нашел, будь оно все проклято!..

— Эй, послушайте!..

Хохлов вздрогнул, поднялся с корточек и накинул на голову капюшон — для конспирации.

— Вам чего нужно? Вы кто? Вы не из нашего дома!

— Добрый вечер, — пробормотал Хохлов.

— И вам того же. Вы кто? Что вам здесь надо?

Женщина, крест-накрест перевязанная платком, как в фильмах про войну, в старомодной цигейковой шубе и меховой шапочке пирожком, которая выглядывала из-под платка, стояла на расчищенном тротуаре и смотрела на Хохлова.

Он вздохнул.

— Ну-ка давайте отсюда! Или я милицию вызову!

Тут вдруг его осенило.

Как пишут в романах, решение пришло само собой.

— Я как раз и есть из милиции, — выпалил он и одернул куртку, чтобы было похоже, что он из милиции. — Никого вызывать не нужно!

Женщина переступила валенками, скрипнул снег.

— А ищете чего? Или днем не нашли? Вот говорила я жильцам — надо камеры везде ставить, а все богатые — жадные!.. Не нужны, говорят, нам камеры у подъездов, хватит, мол, нам тех, что у ворот стоят! А по нынешним временам не то что камеры — сторожа с собакой надо и ток электрический пропустить! Вот и достукались! Человека убили!

— А... вы кто? — спросил Хохлов осторожно, и она махнула рукой в теплой варежке.

— Да меня днем уж спрашивали ваши, из милиции! Валентиной Петровной меня зовут, я здесь... ну, вроде домуправ! Это я вас вызвала утром, когда Хаким, дворник, ко мне прибежал и говорит, что недалеко от первого подъезда за углом человек мертвый лежит. Он со своей машиной поехал снег чистить, ну и... доездился.

— А где он ездил? Вокруг дома? На снегоочистительной машине?

— Да на какой машине, сынок! Ну, у него штука такая есть, снег в сторону кидает! Он ее везет, вроде как тачку, а она кидает, дорожки чистит! Вот машину жильцы купили, — добавила дама с каким-то мстительным удовольствием, — а камеру повесить дорого им!..

— Значит, человека нашел дворник Хаким, — подытожил Хохлов, — и позвал вас. Вы прибежали и... в милицию стали звонить. Нам, то есть.

— Нет, сынок, я ведь ученая! Я перво-наперво вам позвонила, а уж потом смотреть пошла. Я Хакиму-то сразу поверила! Он непьющий, аккуратный такой, не брешет никогда. Одно слово — иноземец!

Хохлов не знал, какие он — как профессиональный сыщик! — должен задавать вопросы, и поэтому задал очень глупый:

— А Хаким тут... ничего не трогал?

Валентина Петровна возмутилась:

— Да ваши-то ведь допрашивались у меня! Не трогала я ничего, и Хаким не трогал! Да и как можно, труп ведь, господи прости!..

— Ну да, ну да, — поспешно согласился Хохлов. — И ничего подозрительного вы не заметили?

— Да чего подозрительного, сынок! Ну, этого, убиенного, вспомнила я, он тут у нас в одну квартиру приходил! Так все говорят, что хозяин его и убил, не поделили они там чего-то, и тот этого в темечко и стукнул хорошенько! И Наталья Пална видела, как дрались они, ввечеру еще! Этот тому как даст, как даст, ну и упал он! Я сама не видала, а Хаким сказал, что голова у него... прям с дыркой!

Тут Хохлов вдруг сообразил, что происходит нечто странное.

— Да не мог ваш Хаким голову с дыркой видеть! На голове шапка должна быть! На улице мороз!

— Не было шапки, — страстным шепотом сказала Валентина Петровна и оглянулась по сторонам. — Так и лежал, головой в снегу, и шапки при нем не найдено! Ваши тоже про шапку все толковали, где, мол, головной убор и все такое! А тот, который убил-то его, ну, который из этого вот подъезда, солидный такой, все вашим говорил, что раньше он при ушанке был, я сама слыхала!

«Это точно, — быстро подумал Хохлов. — Кузин серый кроличий треух был известен всем еще со времен Института общей и прикладной физики».

— А Наталья Пална видела, что он упал и остался лежать?

— Вот чего не знаю, того не знаю, сынок! Ей тоже небось интересу нету смотреть, как мужики дерутся! Она собачку свою подхватила, и в подъезд! Собаки эти проклятые весь двор загадили, а ведь не убирает никто за ними! Все дворники только! А им тоже дерьмо собачье подбирать больно надо! Сколько раз я на правлении говорила, чтобы каждый за своей скотиной сам убирал, так нет же! Никто не убирает! И кусты мне поломали!

— Какие кусты?

— Да вот же! — И она показала варежкой несколько перемороженных обломанных былинок, торчавших из сугроба. — Только осенью посадила, думала, к лету зацветут, и красиво будет: тут газон, тут клумба, а тут живая изгородь вроде. Так нет, все переломали!

— Так небось переломали, когда тело осматривали!

— Нет, сынок! Я когда за Хакимом прибежала, кусты уж все поломанные торчали. А ты чего ищешь-то на морозе на таком?! Вроде ваши уж все нашли!

Хохлов посмотрела на нее и спросил задумчиво:

— А эта Наталья Пална из сорок пятой квартиры? И собака у нее доберман, да?

— Из какой такой сорок пятой! Из восемнадцатой она квартиры! И никаких твоих дубельманов я не знаю, не слыхала, а собака у ней называется таксой. Милкой кличут.

Тут она вдруг как-то подозрительно на него посмотрела, и Хохлов быстро отвернулся, будто изучая место преступления.

— Что-то лицо мне твое знакомо, — сказала она задумчиво.

— Город у нас маленький, — отговорился Хохлов. — Мы тут все между собой знакомые!

— Это точно, — охотно согласилась домуправша. — Я, бывало, иду с завода, и мне уж сто раз скажут, что Светочка, дочку мою так звать, со школы пришла и на каток побежала!..

— Спасибо вам, Валентина Петровна, — сказал Хохлов проникновенно. — Я еще тут посмотрю, а вы, если что увидите подозрительное, сразу в милицию звоните! По ноль-два.

— Да уж знаю, знаю! Сто раз говорено!

Она еще постояла на тротуаре, потом выразительно

вздохнула, глядя на черное пятно на снегу, и медленно пошла вдоль дома. Хохлов проводил ее взглядом, потом вынырнул из-за ленточек и обежал сугробы.

Сломанные ветки торчали из примятого сугроба. Хохлов присел и вгляделся внимательно и даже фонарем посветил. Если драка была у подъезда — та самая, которую видела соседка со своей таксой, — почему кусты сломаны со стороны асфальтовой дорожки?

Он еще посветил, а потом поднялся и посмотрел вдоль дома. Отсюда уже была видна стоянка — не вся, а несколько машин, ночевавших ближе к металлической решетке забора. Асфальт был расчищен до самой стоянки, и с левой стороны снег лежал идеально ровным сугробиком. Видно, снегоочистительная машина дворника Хакима бросала снег именно на левую сторону. Хохлов немного прошел в сторону стоянки. Снега было много, гораздо выше, чем по колено, но до самой стоянки в нем не было никаких следов — ни детских, ни собачьих. Хохлов еще посветил и посмотрел. Нет следов!

Тогда почему кусты сломаны?..

Он поспешно вернулся к полосатым ленточкам, трепетавшим на ветру. Так и есть. Здесь сугробик был примят и кусты поломаны. Кто-то зачем-то лез через них на асфальтовую дорожку, хотя с другой стороны, у подъезда, было расчищено и освещено.

Если бы здесь лазили ребятишки, бдительная Валентина Петровна давно заметила бы поломанные кусты, а она заметила их только сегодня утром. Из этого следует, что кто-то лез через сугроб именно вчерашней ночью, когда убили Кузю.

Кто?.. Зачем?..

Хохлов задрал голову и посмотрел вверх, на торцевую стену дома. Капюшон упал, и уши от мороза моментально съежились, будто в трубочку свернулись. Он вернул капюшон на место.

Нужно научиться думать, абстрагируясь от эмоций и накопленных прежде знаний, говаривал Виктор Ильич Авербах. Только тогда у вас есть шанс понять, способны ли вы думать самостоятельно, или все, что вы принимаете за свои мысли, — суть чужие идеи, которые вам хочется выдать за свои.

Хохлов попытался абстрагироваться.

Он снова присел на корточки и снова зажег свой фонарик, но на асфальтовой дорожке не было никаких следов, по которым можно было бы заключить, что в ночь убийства здесь проходил кассир Сидоров, женатый вторым браком, имеющий старшую девочку и младшего мальчика, страдающий хроническим ревматизмом и вазомоторным ринитом, страстный рыболов, читающий газету «Труд» и выращивающий на даче особый сорт баклажанов!..

Ну, никак невозможно было заключить ничего подобного!

Хохлов еще порылся в снегу, чувствуя, как замерзают пальцы, и вдруг в луче фонаря что-то блеснуло. Он потянулся и вытащил зажигалку. Самую обыкновенную пластмассовую зажигалку с колесиком и надписью черными буковками. Хохлов поднес фонарик, чтобы ее прочитать. «Городское такси» — вот что там было написано. В прозрачном пластмассовом тельце болтался газ, довольно много. Вряд ли зажигалку кто-то выбросил, скорее всего, просто уронил.

Уронил как раз в том месте, где кусты были сломаны и снег примят.

Хохлов сунул зажигалку в карман, намереваясь еще поискать «улики и вещественные доказательства», но истошный крик вдруг разорвал морозную тишину засыпающего двора. Крик был настолько душераздирающий, что Хохлов вскочил, позабыв, что именно должен был искать, фонарик у него погас, он побежал за угол, поскользнулся, чуть не упал, выскочил к подъезду и...

— ...и дальше что? — спросила Ира в трубке скользким голосом, но Лавровский уже давно знал все оттенки ее голоса и понимал — она ломается.

— И Хохлов нас всех отпустил!.. У меня теперь до вечера время есть. Давай встретимся, а?

Ира надолго замолчала.

Лавровский, держа трубку плечом и сунув руки в карманы, перепрыгивал с ноги на ногу, сильно мерз. Машины у него не было, за рулем его «укачивало», так он объяснял друзьям, и передвигался он так, как и предназначено людям самой природой — на своих двоих и еще на электричках, маршрутках и автобусах.

— Н-ну... не знаю, — протянула Ира. — Мы с девчонками собирались пойти в кафе... Не знаю!

Это означало, что он должен немедленно пригласить ее в кафе, а ему не хотелось, ах, как не хотелось. Город маленький, все на виду, еще ляпнет кто-нибудь Светке, что он среди бела дня с дамой в кафе столовался, выйдет история!

— Ир, ну зачем нам в кафе, а? — забормотал он, ненавидя себя за то, что как будто навязывается, канючит. — Ну, поедем к тебе! Ты ж понимаешь, что я не могу!

— Не можешь и не надо! — весело сказала Ира. — Езжай себе домой, к детишкам, к супруге, а я с девчонками! У нас такое кафе открыли! Все, кто был, говорят — прямо по высшему разряду! Называется «Ритц».

Лавровский засмеялся.

— А чего смешного? — вскинулась Ира. — Ну, «Ритц», и что? Красивое название такое!

— Да ничего, — сказал Лавровский и перестал перепрыгивать с ноги на ногу. — «Ритц» — самый дорогой отель города Лондона. В городе Лондоне в этот отель на пятичасовой чай можно попасть только по предварительной записи и только в соответствующем костюме. В твой «Ритц» тоже нужно сначала записываться?

Ледяное молчание было ему ответом, и с тоской и

ужасом в который раз он подумал, что попался. Наконец-то он попался так, как не попадался никогда, и это ему наказание за все грехи.

Как видно, их было немало, потому что наказание воспоследовало суровое.

...Почему у него не получилось?! Почему у него ничего не вышло-то?! Из-за того, что так и не смог заработать денег? Но ведь Ольга Пилюгина много лет любила Димона... просто так. Просто так, без всяких денег! Она уже начала свое «мелкое и среднее предпринимательство», а Пилюгин все еще сидел в НИИ и заколачивал восемьдесят долларов в месяц и наотрез отказывался уходить, потому что считал, что смыслит только в науке! Она моталась в Москву, на швейной машинке шила первые заказы, а он все сидел и сидел в НИИ, а когда ушел, было уже поздно. Все теплые места давно были разобраны «своими», потому что к тому времени уже появились новые «свои», и Димон в бизнесе зарабатывал тоже мало, как все клерки средней руки, а Ольга все равно его любила!

Почему же он, Лавровский, не смог жить так просто и ясно, как живет Димон Пилюгин? С такой бесстрашной и искренней верой в то, что все будет хорошо?!

Нет, даже не так!.. С таким бесстрашным и искренним убеждением, что все хорошо!

Именно здесь и сейчас — все хорошо! Димон никогда не ждал превращения России в Аркадию, прихода «эпохи процветания» и воцарения рая. У него был свой рай — крохотная квартирка, Ольга, сын и какая-то работа, которая позволяла ему кормиться, и только. И словно в насмешку над Лавровским, который вечно был в поиске, вечно блуждал в потемках, ждал перемен и наступления счастья, которое должно было грянуть, но не сейчас, а через неопределенное время, Пилюгин получил все!

Все, все!..

Ольга со своей крошечной мастерской не разорилась, а, наоборот, окрепла и встала на ноги и в прошлом году даже оформляла показ какого-то модного русского дизайнера в Париже. Димон вернулся в НИИ, слегка ошалев от мира бизнеса, но быстро пришел в себя, огляделся, получил должность и стал зарабатывать именно тем, что умел, — скромными научными проектами и проектиками, и это доставляло ему удовольствие. Степка вырос, родился Растрепка, из двух тесных комнаток семья переехала в новые просторы «свободной планировки», а счастье все продолжалось, все никуда не девалось — тогда было и сейчас осталось!

Однажды в подпитии Пилюгин проникновенно объяснял Лавровскому, что счастье — или несчастье — не бывает в квартире, или на Рублевке, или в «Мерседесе».

Счастье, излагал пьяный Пилюгин, бывает в голове. Собственно, только там оно и бывает!..

Глупо думать, что вот сейчас ты сделаешь ремонт, или получишь новую работу, или купишь компьютер, и настанет у тебя... счастье. Не настанет, если до ремонта, работы или компьютера его не было!.. Нет никакой точки отсчета, за которой начинается счастье! Оно такое, елки-палки, это самое счастье... требовательное. Оно работы требует, постоянной, ежедневной, истовой. Как и радость жизни. Очень просто, разорялся Пилюгин, сказать себе, что все плохо — на службе неинтересно, в квартирке тесно, дети не удались и жена дура. И тогда все оправдано: собственное бездействие, лень и нежелание меняться. А ты попробуй-ка порадуйся тому, что тебе дано, ведь это не так уж мало! Ты здоровый, образованный, сильный мужик, ты жену любил когда-то и разлюбил только от лености и серой скуки. А может, и не разлюбил еще, только внушаешь себе, что разлюбил, чтобы было чем оправдать существование Иры, Лены, Маши и Даши!.. Не хочется тебе заниматься собственной жизнью, тебе проще быть несчастным, и сам перед собой ты прикидываешься падшим ангелом, который не способен существовать в земной грязи, а мы не ангелы, мы люди, и задуманы были как люди и воплощены так же!..

Примерно так излагал Пилюгин, а Лавровский слушал, жалел себя и завидовал ему.

И вот теперь — наказание, без которого не бывает преступления! Наказание у него в трубке, молчит и выжидает, когда он сдастся, и вдруг он очень отчетливо понял, что произошло нечто ужасное.

Непоправимое. Непреодолимое.

— Ира? — дрогнувшим голосом сказал Лавровский. — Ну его, твой «Ритц», к такой-то матери, нам нужно встретиться и поговорить. Сейчас же.

Он никогда не разговаривал с ней таким тоном и, должно быть, напугал ее, потому что она моментально согласилась и велела ему ждать у подъезда, и Лавровский пошел к ее дому.

Идти было недалеко, у них все рядом, и ему казалось, что городок с насмешкой наблюдает за ним, таким никчемным, неумелым, таким замерзшим, и ему стало очень жалко себя!..

Сколько же он здесь живет?

Он поступил в Институт общей и прикладной физики, жил в общежитии, потом некоторое время перебивался в Москве и опять вернулся сюда, как будто петля захлестнулась на шее!.. Петля бедных улиц, на которых не убирается снег, «сталинских» домов для ученых с облупившейся краской жестяных подоконников, привычного быта, когда наперечет известны все магазины — в одном мясо получше, в другом курица посвежее, а в третьем приличный фарш!.. Петля серой воскресной скуки, когда некуда пойти, ибо в городе всего три ресторана, два из которых закрываются в десять вечера, а третий облюбовали для своих дел местные бандиты и провожали подозрительными взглядами чугунных глаз каждого, кто приходил съесть стейк-гриль с картошкой фри. Они никому не мешали, но в их обществе Лавровский чувствовал себя неуютно.

Петля захлестнулась и давит, и, наверное, скоро удавит его совсем.

Даже его роман сложился так, как хотел именно этот город, а вовсе не Дмитрий Лавровский. Дурацкий, глупый, ненужный роман, когда из одной унылой квартиры он чуть не на цыпочках перебегает в другую, такую же унылую!.. В тесной прихожей навалены зимние вещи, которые никто не носит, утюг на серванте, потому что лень его убирать, завтра опять понадобится, в ванной протянута веревка, и на ней сушатся лифчики и колготки, под зеркалом щетка с отвратительным пуком волос, в кухне разномастные кружки, среди которых вдруг попадутся две чашки из сервиза Ломоносовского завода, постель пахнет чужой женщиной, которая так и не становится своей, и наволочки все время сбиваются, и видно засаленный головами желтый наперник!..

Зачем, зачем?..

Если Ира опоздает, придется прятаться за углом, чтобы соседи не заметили, мало ли что, вдруг Светке доложат! Лавровский шел и все высматривал Ирину машину, подъехала или еще нет, и зашагал увереннней, когда увидел, что подъехала.

Единым духом он взбежал на третий этаж и позвонил условным звонком — два длинных и короткий. Когда роман только начинался, ему казалось, что в этих условных звонках есть романтика, шик, прелесть влюбленности! У него особенный звонок, и его она никогда не перепутает ни с чьим другим, и в ее памяти он останется навсегда именно таким, романтичным и стремительным, как ласковый весенний ветер.

Сейчас от «романтики» и от отвращения к себе у него сводило зубы.

Ира открыла и кинулась к нему на шею, так что Лавровскому, чтобы держать ее, пришлось отступить на шаг назад. Сверху на площадке открылась дверь и старушечий голос позвал:

— Кысь-кысь-кысь!

Лавровский попытался затолкать Иру обратно в квартиру, но она слишком хорошо знала, что делает, и затолкать себя не позволила.

— Поцелуй меня! — шепнули нежные губы у самого его уха. — Я так соскучилась!..

И объятия, и нежные губы, и страстный шепот — все это было вранье, ужасное, глупое вранье, в духе его «особого» звонка, который она должна была помнить всю жизнь, особенно стыдное после того, что случилось с ними в последние дни.

Лавровский торопливо поцеловал ее, сухо, будто взял под козырек, но она этим не удовлетворилась и впилась в его губы надолго, а он, чувствуя ее рот, все прислушивался к шагам на лестнице и к причитаниям верхней бабульки:

— Кысь-кысь-кысь! Иди, иди сюда, моя милая!..

Бабулька уже шагнула на лестницу, и только тут Ира оторвалась от него, кинулась в квартиру, повлекла его за собой, захлопнула дверь и прижалась к ней спиной — этакая проказница, озорница этакая!..

Они смотрели друг на друга, и в этот момент Лавровский ее ненавидел.

— Я соскучилась, — сказала она низким контральто и облизнула губы, якобы пересохшие от страсти. — Тебя так давно не было!..

Лавровский снял пальто — никто не носил пальто, а ему Света купила, заявив, что в нем он выглядит представительнее, — и пошел было в комнату, но Ира опять остановила его.

— Кавалер! — позвала она, поменяв контральто на

специальный «кукольный» голос. — Помогите даме снять шубку, кавалер!

И он снял эту шубку, и потом пристраивал ее на вешалку, и еще расстегивал Ире сапоги, а она сказала, что у нее замерзли ноги, и он грел ей ноги руками, будь оно все проклято!..

— Ира, — сказал он, когда все церемонии встречи двух влюбленных были закончены, — Ира, я хотел тебе сообщить, что...

— Да, милый? — Она прошла мимо него в спальню, крохотную угловую комнату, где всегда было темно из-за старого тополя, который рос под самым окном, и где стояли кровать и гардероб, который Ира называла «шифоньером».

Она прошла мимо него, на ходу снимая кофточку, под которой забелело ее округлое молочное плечо, и еще задела его этим плечом.

И кофточка, и плечо, и «милый» были частью игры, и Лавровский это понимал.

— Ира, я хотел с тобой поговорить, а в кафе это неудобно!

Она была уже за дверью и что-то там делала, он слышал шорох ткани.

— О чем поговорить, милый? Мы так редко видимся! Я не хочу говорить с тобой, я хочу быть с тобой!..

— Ира, я сейчас не могу! Нам нужно поговорить!

— Димочка, миленький, принеси мне из ванной такую коробку красненькую, знаешь, на зеркале стоит.

— Ира!

— Димочка, мне очень нужно!

Лавровский покорился. Он взял коробочку, понес ее, как пудель, в спальню, и оказалось, что из одежды на Ире остались только чулки с кружевной резинкой, как показывают в фильмах, и, выхватив у него коробочку, она картинным движением закинула ее за плечо — что-то зазвенело и покатилось, — Ира обняла его и прижалась всем телом, и чулками тоже.

— Ну, ты же хочешь меня! — прошептала она. — Ты же пришел, чтобы взять меня!

Это тоже было из фильмов, и какая-то нечистоплотность сцены тоже была оттуда, из кино.

Лавровский не мог сопротивляться. За это он себя ненавидел, но не мог. Что там Пилюгин трепался про постоянную работу над собственным счастьем? Пойди поработай, когда все тебе предлагается немедленно и даром, и удовлетворение собственной похоти кажется сейчас самым важным делом в жизни, и невозможно остановиться, остаться целомудренным и правильным!..

Ведь невозможно?!

Или все-таки возможно?

Или это опять поиск оправданий и желание самому себе казаться чистенькой, но заблудшей овечкой, попавшей в лапы злой волчицы?

— Я пришел поговорить, — сказал Лавровский сквозь зубы, когда все закончилось. — Ты что, не понимаешь, что нам нужно все обсудить?

— Что обсудить, Димочка, миленький мой?

— Не говори мне «миленький»!

— Да? — Она повернулась от трельяжного зеркала и шаловливо кинула в него пуховкой из пудреницы. — А раньше тебе нравилось!

Ему на самом деле нравилось, но сейчас он не мог в это поверить.

— Ира, я хотел тебе сказать, что... что...

Она подошла, присела на край кровати и приложила оттопыренный пальчик с ярко-алым ногтем к его губам.

— Тише, милый! Ничего ужасного ты не хотел мне сказать, ведь правда? Ты хотел признаться, что по-прежнему меня любишь, и у нас все теперь будет прекрасно! Да?

Лавровский схватил ее за руку:

— Нет, черт побери, Ира! Я сегодня утром виделся с Хохловым, когда пришел на работу! И это ужасно, ужасно! Кузя погиб!

— Димочка, сейчас вообще очень страшно жить.

— Замолчи! — крикнул Лавровский. — Замолчи немедленно! Я... я не могу! Я должен все рассказать Хохлову, понимаешь, должен!

Кричала в отчаянии бедная овечка, которую злая волчица заманила в свои тенета, и Лавровский конфузливо наблюдал за собой — то есть за овечкой — со стороны и в какой-то момент натянул на себя одеяло. Очень глупо кричать страшным голосом ужасные вещи, хвататься за голову и при этом сидеть на кровати без штанов!

— Дима, — сказала Ира совершенно спокойно. — Ты не в себе. Ты перенервничал из-за этого, как его... Боба?

— Кузи, черт побери!

— Значит, из-за Кузи. Возьми себя в руки. Хочешь, я налью тебе валерьянки?

— Не нужна мне валерьянка!

Ему и вправду не нужна была никакая валерьянка. Он хотел, чтобы его утешали, и утешили так, чтобы бедная овечка опять поверила в то, что она ни в чем не виновата!

— Дима, что сделано, то сделано, и этого Кузю не вернешь, — продолжала Ира. — Хочешь, побудь у меня, успокойся, полежи, я тебе оставлю ключи.

— Я должен поговорить с Хохловым!

Она улыбнулась и присела на край кровати, рядом с Лавровским.

— О чем? — Она потрепала его по волосам и нежно взяла за ухо. — О том, что плохой мальчик Дима украл у своего лучшего институтского друга мешочек денежек? Ты думаешь, он тебя простит?

Лавровский отшатнулся от нее, словно она сунула ему в лицо змею.

— Ира... — начал он, и губы у него затряслись. — Как ты можешь?..

— Я? — Она пожала плечами, вытянула ногу и снизу вверх подтянула на длинной ноге чулок. — А что такое? Я, милый, теперь все что угодно могу тебе сказать! Мы же с тобой теперь навсегда вместе!

— Я ничего не крал! — крикнул Лавровский, именно он крикнул, а никакая не бедная овечка. — Я ничего не крал! Я не вор!

— Да что ты говоришь? — протянула она и усмехнулась. Она надевала пиджак и посматривала на себя в зеркало. — Кстати, мне не нравится твое настроение. Это неправильное настроение, Димочка, и оно меня пугает! Сделай так, чтобы оно меня больше не пугало, хорошо?

— Ира!!!

— Ну что ты шумишь? — Она собрала волосы в хвост и поморщилась, когда зацепила ими за пуговицу. — Ты хочешь, чтобы все соседи были в курсе нашей большой любви? Мне пора на работу. Я и так убежала всего на часок и начальнику ничего не сказала, девчонки обещали меня прикрыть. Хочешь, оставайся! Посмотри телевизор, кофейку попей. Ты знаешь, где у нас кофе?

Лавровский с ужасом смотрел на нее.

— И привыкай, привыкай, милый! Теперь это твой дом. — И она повела рукой вокруг.

— Это не мой дом, — выдавил Лавровский. — Как же ты не понимаешь, что я не могу!.. Не могу!..

— Ты все можешь, — отрезала она и в зеркале посмотрела на него. Ее взгляд через зеркало показался ему убийственным, словно она прикидывала, как станет избавляться от его трупа. — Ты просто устал, Димочка, милый! У нас все хорошо. У нас все замечательно, а потом будет еще лучше. Мы с тобой молодцы, ну! Мы же победили!

— Я погиб, — прошептал Лавровский, взял себя руками за виски, как в театре, и зашатался из стороны в сторону. — Я погиб.

И больше всего на свете ему вдруг захотелось, чтобы ничего этого не было, чтобы все стало как прежде — когда он еще любил Светку, а Светка любила его, когда она носила свитера с высоким горлом и пела про солнышко лесное. Ему захотелось домой, на родной, привычный, уютный диван, и чтобы Светка подумала, что он заболел, и приносила бы ему питье в привычной кружке с желтым цветком на боку, чтобы жалела его, а он бы все-все ей рассказал, и вдвоем они бы уж придумали, как им жить дальше!..

Впрочем, все это глупости.

Нельзя вернуть то, чего нет, а стать Пилюгиным он не может!.. И сейчас у него есть только это — холодная чужая женщина с ярко накрашенным ртом и взглядом несостоявшегося убийцы, крохотная чужая квартирка, заваленная барахлом, темная комнатка с голым замерзшим тополем за давно не мытым стеклом и сознание того, что он совершил непоправимое, страшное. И все родное и хорошее, что было когда-то, теперь... не его!

— Димочка, ты мне надоел, — заявила Ира. — Прекрати истерику. Если не хочешь оставаться, надевай штаны, и я тебя отвезу к твоей дуре-женушке. Только учти, что долго я этого не потерплю, хватит с меня. Побаловались, надо и по-человечески пожить!

— Что значит по-человечески? — зачем-то спросил Лавровский.

— А то и значит. — Она швырнула в него брюками так, что они попали прямо ему в физиономию. — Мне уже двадцать восемь, и я только один раз замуж сходила! В девках куковать до старости неохота, а теперь я невеста с приданым, да, Димочка? Так что ты или женись, или, милый мой, выметайся из моей жизни навсегда. Понял, солнышко? Или еще раз объяснить?

— Ира! Я... не могу. Я должен с Хохловым...

— Вот с Хохловым ты как раз ничего и не должен, — сказала она и опять посмотрела на него так, что ему захотелось, как маленькому, втянуть голову в плечи. — Муженек, светлая ему память, мне не только машину оставил и барахло всякое! — И она пнула ногой розовый пуфик, который покатился и бесшумно стукнулся о кровать. — Он же в бандитах ходил, Витюся мой! У меня, солнышко, связи есть всякие разные, хорошие! Так что ты учти это на будущее, когда к своему другу каяться пойдешь! Сто раз подумай, Димочка, а потом иди. А то, неровен час, случиться что-нибудь может, не с тобой, так с детьми.

Лавровский заплакал:

— Ира!!

— Ты едешь или не едешь? И подумай, подумай, Димочка! Я же тебя не заставляю на мне жениться! Но тогда придется отступные платить! Ты мне заплатишь, Димочка?

И она снова присела рядом с ним, прижалась щекой к голому холодному плечу и слегка пощекотала под ребрами.

Да. Не повезло. Не мужик, а так, ерунда какая-то, тряпка и тюфяк. Хотя все равно, свою роль он сыграл и все, что нужно, проделал как миленький. Теперь следует подумать, что с ним дальше делать, не держать же на самом деле при себе! А то он вон в какой истерике, еще дел натворит!.. Не-ет, надо избавиться от него, и побыстрее, и поаккуратней, желательно так, чтобы он сам под электричку прыгнул, и...

...и тут он услышал, как в кармане у него зазвонил мобильный, но отвечать ему было некогда. Он несся на вопли, которые все продолжались, как будто из-под земли.

Под стеной дома копошилась какая-то тень, и подвальная дверца была открыта, а больше ничего не видно.

— Пошла!! — закричали истошно. — Пошла отсюда! Ну!! Ну!!

Хохлов затормозил на асфальте, опять чуть не упал, перепрыгнул низкий заборчик и побежал к подвалу. В это время открылась подъездная дверь и показалась Ольга в белой шубе.

— Стой там! — крикнул Хохлов. — Не подходи!

— Вон!!! — визжали из подвала. — Вон пошла!! Пошла!!

Тут он сообразил, что никто никого не убивает. Кричит громко, но не убивает.

Ему стало жарко на почти тридцатиградусном морозе, и он откинул капюшон. Глубоко вздохнул, зажег фонарь и посветил:

— Что случилось?

— Кто там?!

В луч фонаря попался пуховой платок и шапка пирожком, и он понял, что истошным голосом кричала в подвале его недавняя знакомая, домоуправша Валентина Петровна.

— Что случилось? — повторил Хохлов. — Вы что? Упали? Вам помочь?

— Сынок, — плачущим голосом сказала домоуправша, — вот хотела дверь проверить, а она отперта! Хакимка-подлец недосмотрел! Я вошла, а тут пакость эта! Беги, сынок, за Хакимкой, он у охранника в будке телевизор глядит!

Хохлов ничего не понял.

— Какая пакость? Вы живы? Или вам «Скорую» вызвать?!

— Митя, что там случилось? — издалека тревожным голосом спросила Ольга. — Тебе помочь?

— Да забралась она сюда и родила, видать! Давай,

сынок, беги за Хакимкой, чтоб он ее удавил! Я сама не сумею!..

— Кто родил?! — заорал Хохлов. — Кого удавил?!

Он шагнул в подвал, опять споткнулся — ну что за день сегодня такой, все он спотыкается! — и налетел на Валентину Петровну.

— Ты гляди, куда прешь, сынок! Или... может, ты сам? У тебя табельное оружие есть?

— Чего-о?

И тут наконец он понял, в чем дело.

Под трубой на полу лежала собака, показавшаяся в свете фонаря огромной и очень лохматой. Почему-то она не рычала и не скулила, а, подняв громадную башку, следила за Валентиной Петровной и Хохловым. У нее под животом копошилось и попискивало мелкое и круглое.

— Голыми руками ее не возьмешь, — скороговоркой объясняла Валентина Петровна. — Не дастся! Хакимка-подлец дверь не запер! А она тута и родила, сука проклятая! Ты бы пристрелил ее, сынок, только дай я выберусь, а то уши полопаются. Есть у тебя вооружение-то? А сосунков вон в снег покидать. К утру замерзнут, и вся недолга!

Хохлов повернулся и посветил ей в лицо, как светят спецагенты в кино во время своих спецопераций. Она поправляла платок и шапочку пирожком. Варежку она сняла, и у нее была узловатая рука человека, который всю жизнь много и тяжело работал.

Самая обыкновенная — вот в чем штука. Самая обыкновенная пожилая тетушка, которая ревностно относится к своей работе и любит внуков.

— А если нет вооружения, за Хакимкой надо сходить, чтоб он удавил. Он промашку допустил, пусть он и ликвидирует! Да ты не жалей, сынок! — вдруг сказала она добрым голосом. — Этих собак развелось видимо-невидимо, скоро людям места не останется! И все заводят их, заводят, дармоедов! А хочешь, постереги, я сама сбегаю до каптерки! Только не уходи, а то, неровен час, она их куда в другое место перетащит, ищи потом по всему двору!

Хохлов кивнул.

— Ты чего молчишь-то, сынок?

— Я говорю, идите за вашим Хакимом! Я... постерегу.

— Может, попробуешь сосунков вытащить? Или не даст она, зараза? А то бы вытащил пока, да вон в сугроб!..

— Идите уже, — сказал Хохлов таким голосом, каким разговаривал только на работе, когда ему сообщали, что завод задерживает выполнение заказа на трубы примерно месяца на три, а там видно будет! — Ну?!

Валентина Петровна, хороший и бдительный домоуправ, нацепила свою варежку, перевалила порог и засеменила по расчищенной асфальтовой дорожке.

— Значит, так, — быстро проговорил Хохлов и присел на корточки рядом с собакой, которая все молчала и только мелко дрожала от напряжения. — Ты сейчас встанешь и пойдешь за мной, поняла? Твоих детей мы заберем с собой. Сколько их там, а?

И он посветил на собачий живот и сунул руку в густое шерстяное тепло. Собака грозно и утробно зарычала, но Хохлову некогда было ее бояться.

— Ты чего? — спросил он, шаря в шерстяном и теплом. Там возилось, недовольно попискивало, но он не понимал, сколько их. — Дура совсем? Не слышала, что тебя надо удавить, а детей твоих поморозить?

Собака перестала рычать.

— Вот именно, — сказал Хохлов.

Двух он нашарил, но, кажется, были еще. Этих двух он осторожно вытащил из-под материнского брюха и рассовал за пазуху, на две стороны. Выглянул из подвала и крикнул:

— Ольга! Давай быстрей!

Собака опять зарычала и вдруг вскочила на ноги, оказавшись, таким образом, Хохлову примерно по пояс.

— Ну, ты здорова! — заметил ей Хохлов. На полу остался еще один щенок, увесистый и мохнатый. Он недовольно запищал, лишившись тепла и защиты, и стал тыкаться в разные стороны.

— Мить, ты чего? И куда наша Валя понеслась?

— Ольга, там еще один. Бери его, и пошли отсюда.

— Кто?!

— Свиной пыхто, — сказал Хохлов и сунул щенка ей в руки.

Ольга сделала то, что сделали бы все женщины на свете — кроме одной, по имени Валентина Петровна. Она прижала к себе собачьего ребенка и запричитала, какой он хорошенький и маленький.

— Собирайтесь, мамаша, — велел Хохлов собаке, которая рычала, вздыбив шерсть, но никак им не мешала. — Давай, давай, шевелись! Ольга, выходи отсюда!

Телефон у него в кармане опять зазвонил, но Хохлову было не до него.

Ольга, сунув за отворот шубы шерстяной недовольный оковалок, выскочила из подвала, и Хохлов полез за ней, а собака все не шла.

— Ну и сиди здесь, — сказал Хохлов. — Жди, когда тебя Хаким удавит!

Он стал выбираться за дверь, и тут собака легонько цапнула его за джинсы.

— Пошли! — заорал Хохлов. — Ну!..

И она поняла, отпустила и двинулась за ним. Вдоль дома, под самой стеной, как совершающие побег из тюрьмы — первая Ольга, замыкающая огромная собака, — они добрались до подъезда. Ольга полезла в карман за ключами, когда на асфальт упали две неестественно длинные островерхие тени и послышались голоса.

— Быстрее! — прошипел Хохлов. Щенки возились и пищали. Собака ждала и тихонько рычала.

Ольга выхватила ключи, уронила в снег, нагнулась и стала искать.

— Как ты мог, турецкая твоя морда, подвал не запереть? — слышалось совсем рядом. — Она там и пристроилась, пакость эта! Да еще с сосунками! И у этого, из милиции, никакого вооружения нету, чтобы пристрелить! Значит, удавишь и к ящикам оттащишь, слышишь, Хакимка? А сосунков утром подберешь.

— Да вэдь они нэ мэшают! — жалобно отвечал второй голос. — Нэ могу я собак давыть! И дэти у нее малые!

— Ничего не знаю! Сам допустил, сам и дави теперь!

Ольга нашла ключи, отперла, толкнула дверь, и они все как-то моментально протолкались внутрь.

Дверь закрывалась очень медленно, и все вместе они ринулись к лифту, словно на самом деле боялись Валентину Петровну, словно она на самом деле могла их остановить и силой отобрать у них щенков и убить собаку!

— Может, ты мне объяснишь, что случилось? — спросила Ольга, когда они наконец ввалились в квартиру. Спросила, но дожидаться ответа не стала.

Она бережно вытащила из-за пазухи щенка, сунула Хохлову в руки и велела подержать. Собака, на свету оказавшаяся еще более лохматой, свалявшейся и светло-коричневой масти, волновалась и рычала, и Ольга сказала, чтобы Хохлов дал ей понюхать щенка, пока найдется какое-нибудь старое одеяло. За пазухой его куртки происходило движение, возня и слышался писк.

— Видала? — спросил Хохлов и сунул собаке под нос щенка. — А ты идти не хотела. Оль! — крикнул он в глубину квартиры. — Ты особенно не суетись, я их к себе заберу!

Ольга показалась в коридоре с одеялом в руках

— Всех?! — ужаснулась она и расстелила одеяло. —

Иди, собака! Иди, ложись! Мить, как ты думаешь, она хочет есть? У меня есть щи. С мясом.

— Конечно, хочет, — Хохлов присел и вывалил из-за пазухи оставшихся щенков. Они были здоровенные, в мать, лобастые и похожие на медвежат. — Она же кормящая! Все кормящие постоянно хотят есть.

— Откуда ты знаешь? Или ты тоже был кормящей матерью?

Собака подошла, посмотрела на своих детей, которые копошились и попискивали на одеяле, а потом на Хохлова.

У нее была замученная морда, а выражение глаз точь-в-точь как у Ольги, когда она рассказывала о том, что Димона арестовали.

— Навязались все на мою шею, — сказал Хохлов в сердцах. — А у меня, между прочим, друга убили и денег украли целый мешок. Давай ложись, мамаша! Куда я вас всех теперь дену?

— Да, — согласилась Ольга у него за плечом. — Куда ты их всех денешь?..

Она постелила на пол газету, а на нее поставила миску, очень большую миску молока, наверное, целый литр.

Собака посмотрела на молоко и опять перевела взгляд на Хохлова.

— Ты ее смущаешь, — сказала Ольга. — Она стесняется есть при посторонних.

— Ешь, — велел Хохлов. — Ешь, не ломайся.

Собака подошла к миске, понюхала и еще постояла в нерешительности. Щенки возились на одеяле и пищали, уже сердито, вовсю. Собака в последний раз оглянулась на людей и стала лакать. Она была очень здоровая, и ей приходилось низко нагибать голову и сильно расставлять лапы, чтобы достать до миски.

Ольга за руку потянула Хохлова, он сделал шаг назад, чтобы не мешать, и издали они наблюдали, как ест большое и сильное животное, которое голодало *всегда*. Застарелый голод, который никогда не утолялся, держал собаку за горло, заставлял всхлипывать и стонать при каждом глотке, спина у нее мелко тряслась, как в ознобе, лопатки ходили ходуном под свалявшейся шерстью.

Иногда она поднимала голову, отдувалась, оглядывалась по сторонам и продолжала лакать.

— Пойду щи погрею, — тихонько сказала Ольга. — Не могу я на нее смотреть.

— Мяса положи, не забудь.

Собака вылизала миску, загнав ее в самый угол, потом зашла на одеяло, осторожно легла и в изнеможении прикрыла глаза.

Хохлов вытащил из угла миску, присел на корточки и погладил псину по голове.

— Как тебя звать-то, красавица?

Красавица не отвечала. Она вдруг шумно повалилась на бок, щенки засуетились и полезли ей под живот, и Хохлов понял, что она спит. Она спит, как смертельно уставший, замерзший и изголодавшийся человек, который приготовился умирать, но добрался до сторожки, где жарко натоплена печь и сколько угодно тушенки, хлеба и чая.

Хохлов пошел на кухню и объявил, что щей пока не надо.

— Куда ты их денешь, Митя? Галя этого не переживет!

— Галя уже не пережила, — объявил Хохлов. — То есть я не пережил Галю.

— Как?! Вы расстались навсегда?

— Ну тебя к шутам. — Хохлов сел и выложил на стол сигареты. — Ладно, пристроимся как-нибудь. Найму няньку.

— Для щенков?!

— И для их мамаши. Оль, как ты думаешь, как ее зовут?

— Шарик?

— Сама ты Шарик! Она же девочка!

— Тогда, значит, Тяпа.

— Тяпа?

Хохлов задумался. Тяпа — хорошее имя для собаки, которую нашли в подвале с детьми и чуть не удавили на месте. Только уж больно она... огромная. Тяпа должна быть мелкой, вертлявой, хвост бубликом!

А какой хвост у этой собаки? Хохлов не обратил внимания.

— Ну, одного мы заберем, — сказала Ольга, как будто это было нечто само собой разумеющееся. — Только пусть чуть-чуть подрастет. Интересно, там есть хоть один мальчик? А остальные? Хотя что теперь думать, раздадим всех, да, Мить?

Хохлов выбрался из-за стола, промаршировал к плите и с чувством поцеловал ее в щеку.

— Ты что, Митя? — Кажется, она удивилась. Или в самом деле не понимала?..

— Я нашел зажигалку, — сообщил Хохлов. — Она у меня в куртке. И сломанные кусты, словно кто-то лез через сугроб. Эта милейшая женщина, ваша домоуправ, сказала, что вчера кусты не были сломаны. Значит, кто-то лез через них именно ночью, когда убили Кузю. Я не знаю, имеет это отношение к делу или нет, но это странно.

— А зажигалку ты где нашел?

— Как раз с той стороны, где сломаны кусты. На ней написано «Городское такси». Ольга, на вашу территорию такси пропускают?

— Ну да. Нужно только позвонить охраннику, и он пропускает.

— Значит, мне нужно поговорить с охранником, — решительно сказал Хохлов, — а потом с таксистами, которые вчера вечером заезжали на территорию вашего дома. Может быть, кто-то что-то видел. И еще с этой, из восемнадцатой квартиры, которая гуляла с собакой и видела, как Димон стукнул Кузю.

Хохлов вернулся за стол и закурил. Ольга стояла, прислонившись к плите, и внимательно слушала.

— И пепельница! — добавил Хохлов, глядя на свою сигарету. — Как она могла попасть на место преступления?

Глаза у Ольги вдруг налились слезами.

— Все дело в этой проклятой пепельнице! Они Димона арестовали только из-за нее! Ну, не мог он, не мог стукнуть Кузю пепельницей в висок!..

— Он вообще не мог его стукнуть в висок и убить, вот в чем штука, — сказал Хохлов задумчиво. — Если бы на Кузе была шапка, его невозможно было бы убить, стукнув в висок. Ну, если только отбойным молотком! А на нем не было шапки.

— Как — не было? — спросила Ольга и быстро отерла глаза. — На нем совершенно точно была ушанка! Да он первого сентября ее надевает и говорит, что так положено, потому что пришла осень! У него серый, здоровый кроличий треух. И он совершенно точно был в нем!

— А Валентина Петровна, душевная женщина, говорит, что не было на нем шапки! Он лежал головой в снегу, а ушанки не было! И менты искали этот треух и не нашли. Вот тебе вопрос номер два: куда девалась его ушанка? Или убийца унес ее с собой?

— Стоп, — сказала Ольга — Мить, я забыла. У него еще портфель был. Синенький такой портфельчик, фирменный, им всем на конференции такие раздали. Димон свой отцу подарил, а Кузя носил. И вчера он совершенно точно был с ним! С портфелем и в шапке!

Хохлов помолчал.

— И нет ни портфеля, ни шапки, — произнес он задумчиво.

И тут вдруг одна мысль пришла ему в голову. Она была настолько простой и понятной и настолько укладывалась в формулу «дважды два — четыре», что ему стало стыдно. Так стыдно, что загорелись щеки, и он украдкой глянул на Ольгу: не видит ли, что он покраснел, как пион.

И как они работают, эти сыщики из кино и детективов?! Почему им в голову сразу приходят умные, правильные, логичные мысли?! Вот ему, Хохлову, никакие такие мысли в голову не приходят, не годится он в сыщики, черт побери! Может, он и был хорошим физиком, и предприниматель из него тоже ничего получился, но не орел, ох, не орел!..

— Ольга, — сказал Хохлов придушенным от стыда голосом. — Меня менты ночью вызвали в офис, и я поехал. Было два тридцать, я точно помню.

— Ну?

— И когда я выходил из подъезда, то не видел никакого трупа! Потому что его там не было! А я об этом даже не подумал!

Ольга уставилась на него.

— Господи, Митя!.. Я же знала, что ты ночью выходил, но мне даже в голову не пришло!.. Мы просто идиоты. Нужно срочно звонить в милицию.

— Да подожди ты! Выходит, Димон вышел Кузю проводить, они опять подрались, и это видела соседка. С ней тоже нужно поговорить и узнать, видела ли она у Кузи на голове шапку, а в руках портфель? Что было потом? Кузя ушел домой, а после двух тридцати вернулся к вам во двор?! Чтобы его убили именно здесь?!

— Митя, это все замечательно, но первое, что нужно сделать, — это позвонить в милицию и сказать им, что в полтретьего ночи не было трупа! И Димона сразу отпустят.

— Размечталась, — буркнул Хохлов. — Скорее меня

тоже посадят. За соучастие в убийстве и дачу ложных показаний.

— Почему?

— Да потому что у них сейчас все складно и ладно, — пояснил Хохлов в раздражении. — Ну, подумаешь, шапка потерялась! Наплевать на нее. Скажут, что бродячая собака утащила, вместе с портфелем. Вон, наша!.. А все остальное вполне логично — и драка, и пепельница, и дом охраняемый! Бомжи и отморозки на его территории не проживают!

Он поискал, куда бы ему деть окурок, и потушил его о блюдце. Наклонился вперед и потер лицо.

— Если Димон его не убивал...

— Митя, не смей!..

— Если Димон его не убивал, — упрямо продолжал Хохлов, — а он, скорее всего, Кузю не убивал, значит, его убили после того, как они подрались, после того, как Димон вернулся домой, и после того, как я уехал в офис, а это было в два тридцать. Во сколько Кузя отсюда ушел?

— В двенадцатом часу, кажется. Точно я не помню.

— Хорошо. Пусть в двенадцатом. Что он делал в вашем доме с начала двенадцатого до двух тридцати, как минимум? У кого он был? Убили его возле вашего подъезда, значит, он вышел именно из этого подъезда! С кем из ваших соседей он мог быть знаком? Откуда взялась зажигалка с надписью «Городское такси»? Почему сломаны кусты? Куда делась его шапка? И портфель? О каких деньгах он толковал и вам, и Лавровским? Как связаны его убийство и пропажа моих денег?! Откуда на месте преступления взялась пепельница с чертовой русалкой?!

Ольга слушала и, кажется, даже не моргала.

— Я поговорю с соседкой, которая видела, как Димон дал Кузе в ухо. И еще с охранником, который пропускает на территорию машины. Сколько такси приезжало в ту ночь? Вряд ли двадцать! Скорее всего, две или три машины, а может, вообще одна! Может, таксист что-то видел!

— А я?

— А ты поедешь в общежитие. Если сможешь, прямо завтра с утра. Я не знаю, были там менты или нет. Может, на наше счастье, еще не успели.

— А что я там буду делать, в общежитии?..

— Будешь изображать русскую разведчицу! Ты что, кино не смотришь?! — в сердцах рявкнул Хохлов. — Войдешь в доверие к коменданту и соседям. Скажешь, что Кузя был мужчиной твоей жизни. Выспросишь, кто к нему приходил, долго ли сидел, был ли пьян!.. Если тебе удастся попасть в его комнату, поищешь там хоть что-нибудь, что навело бы нас на эти самые деньги, о которых он все толковал!

— Мить, как я попаду в его комнату?!

— Я не знаю.

Ольга немного подумала, а потом сама себе кивнула:

— Ладно, я попробую. Хотя, конечно, было бы лучше, если бы я знала, что именно мне нужно искать и о чем спрашивать.

— Оль, ну, например, не ссорился ли он с кем-нибудь в последнее время! Может, какие-нибудь люди приходили, которых раньше никогда не было! Может, кто-то из соседей что-то слышал! Ты завтра с утра сможешь? Или тебе на работу надо и к детям?

Ольга печально на него посмотрела.

— Мне нужно вытащить Димона из тюрьмы, — твердо сказала она. — Больше мне пока ничего не нужно.

— Декабристка, — пробормотал Хохлов. — Ну, прямо княгиня Трубецкая «во глубине сибирских руд»!

Он словно до конца не верил, что Ольга готова на все для того, чтобы выручить мужа. Все ему казалось, что он мелодраму читает, и она читает и старается убедить себя и его в том, что это правда!..

В кармане его куртки, которую он бросил в коридоре, отдаленно зазвонил телефон, и Хохлов пошел на звонок, а Ольга ему вдогонку спросила, не хочет ли он щей, которые как раз подогрелись.

Хохлов знаками объяснил, что, конечно, хочет, достал из кармана телефон и заглянул за угол, чтобы проведать собачью семью на одеяле.

То есть не то чтобы собачью, а свою собственную. У него теперь такая семья — большая лохматая собака коричневой масти и три лобастых щенка.

Вся семья спала крепким сном. Хохлов улыбнулся, нажал кнопку на телефоне, который продолжал звонить, и приглушенно, чтобы не разбудить песиков, сказал:

— Але!..

В трубке молчали, слышались какие-то шорохи и странные хлюпающие звуки.

— Але! — повторил Хохлов, прикидывая, удастся ли ему затолкать Тяпу в ванну, чтобы помыть. В коридоре крепко воняло псиной.

— Митя, — прохрипел в трубке совершенно незнакомый голос. — Приезжай.

— Але, — в изумлении сказал Хохлов. — Вы кто? Вам кого нужно?

Ответили не сразу, и великий и проницательный сыщик Хохлов успел взглянуть на номер, определившийся в окошке его телефона.

Если мобильник не врал, чего за ним никогда не водилось, звонила подруга Родионовна.

— Арина?!

— Да, — прохрипели в трубке. — Приезжай. У меня беда.

— Ты где?!

— Дома, — выдавила она и больше не сказала ни слова, и Хохлов, проницательный и очень умный, понял, что в самом деле стряслось что-то скверное, напялил куртку и крикнул Ольге, что должен срочно уехать, и помчался к двери, и...

— ...и что ты сделала?

— Я взяла телефон и позвонила тебе. Я раза три звонила, но ты не отвечал.

Хохлов подумал, что мобильник и вправду звонил, но у него были важные дела. Он искал «вещественные доказательства» и спасал от домоуправши собаку Тяпу и ее детей.

— Как ты могла мне звонить, если у тебя руки были связаны?!

Он был в бешенстве, и ему казалось, что злится он именно на Арину, а не на того, кто все это с ней сделал. Он злился так, что у него даже дрожал голос, когда он задавал самые простые вопросы.

Арина посмотрела на свои руки. Выглядели они странно и непривычно, очень красные и, по крайней мере, вдвое больше, чем были всегда.

— А почему у меня такие толстые пальцы?

— Отек, — объяснил Хохлов. — Сойдет. Ну?..

— Он меня ударил так, что стул упал. И я упала. Он еще меня... попинал немного в бок, и все... Я больше его не видела и не слышала. Он ушел, наверное. Я полежала, полежала, потом поднялась на колени...

— Ну?!

— Ну и подползла к сумке. Телефон валялся на полу, потому что он искал в сумке и все оттуда выкинул. Я его взяла...

— Чем?!

— Зубами, — сказала Арина Родина. — Перенесла на диван и стала звонить тебе.

— Как?!

— Носом, — объяснила она. — Оказывается, носом тоже можно нажимать кнопки, хотя трудно, все время не попадаешь.

— Носом, — повторил Хохлов и посмотрел по сторонам.

От злости он плохо соображал.

Как ни странно, комнаты не были разгромлены так сильно, словно по ним проскакал Мамай, только ящики буфета выдвинуты, и скатерти, салфетки, какие-то бумаги, коробки и коробочки валялись на полу. Письменный стол тоже оказался выпотрошенным, и старая черно-белая фотография, где все они сфотографированы в лесу у костра, выскочила из разбитой рамки и была разорвана до половины. Зачем?.. Стул, на котором Арина сидела, был сломан, от него отвалилась ножка и лежала в отдалении. Ковер сбит, и в кухне тоже распахнуты дверцы всех шкафов и выдвинуты все ящики.

— Он сразу сказал про деньги?

— Митя, я не помню, сразу или нет. Кажется... да, сразу. Он меня ударил, — Арина осторожно скосила глаза и потрогала нижнюю губу, распухшую и посиневшую. — А я все никак не могла сообразить, чего он от меня хочет! Он спросил про деньги, и я ему сказала, что они в шкафу в коробке с ложками. И он, кажется, их забрал.

Хохлов встал и, осторожно переступая через разбросанные вокруг вещи и вещички, добрался до коробки, вокруг которой валялись ложки, присел и взял ее в руки. Конечно, она была пуста и, кроме того, сильно покорежена, как будто ее с силой швырнули об пол.

— Сколько здесь было?.. — громко спросил Хохлов.

— Полторы тысячи долларов, — отозвалась Арина. — Я хотела летом машину купить, чтобы ездить, как Ольга.

— Он тебя ударил, спросил про деньги, и ты сказала, что они в шкафу. Так?

— Так, кажется...

— А потом?

— А потом он покопался и заявил, что это совсем не та сумма! Что у моего любовника было много денег, и он хочет знать, где они!

— Так, — сказал Хохлов. — Подожди.

Все это было чертовски странно. Так странно, что

даже такой профессиональный и опытный сыщик, как Дмитрий Хохлов, сразу заподозрил неладное!..

Кузю убивают ночью, а вечером следующего дня приходят к Арине, чтобы найти некие мифические деньги. В ночь убийства у него самого из офиса пропадает куча долларов, абсолютно реальных и нисколько не мифических. Выходит, человек, убивший Кузю, считал, что именно он, Кузя, украл у Хохлова деньги?! Украл и спрятал у своей любовницы Арины Родиной?!

Офис ограбили после двенадцати ночи, а в два тридцать Хохлова уже вызвали менты. Когда он выходил из дома Пилюгиных, Кузя еще был жив, Хохлов не видел трупа! Даже если предположить, что в офисе побывал именно Кузя, все равно получается ерунда и нелепица!

Во-первых, женщина. Охранник пустил позвонить какую-то женщину, по его словам, красивую и в шубе. Невозможно себе представить, что Кузя, решив стать жуликом, стал одновременно королем камуфляжа и так ловко представился женщиной, что охранник, который пил с ним водку, этого не заметил. Значит, была сообщница. Кто она?..

Во-вторых, порядок действий. Украв деньги из офиса Хохлова, преступник должен был где-то их спрятать и — как это говорится? — залечь на дно, чтобы его не нашли. Вместо того чтобы залечь на это самое дно, он глубокой ночью, в лютый мороз почему-то возвращается во двор Пилюгиных, где его и убивает некто третий. Или это уже четвертый?!

В-третьих, странная информированность того, кто нынче напал на Арину. Откуда он знал о том, что Кузя Аринин... любовник? О том, что предполагается свадьба, даже самые близкие друзья узнали лишь накануне! Выходит, этот третий или четвертый — один из самых близких и доверенных Кузиных приятелей?!

Тут усталый от происшествий и потрясений хохловский разум зацепился за слово «любовник», промелькнувшее в сознании, и стал так и сяк вертеть его, прокручивать туда и обратно, и уже невозможно было съехать с заезженной пластинки.

Кузя — любовник?!

Да ну, бред, бред!

Или не бред?..

Если она — тут Хохлов покосился на Родионовну, которая вяло трогала толстыми красными пальцами разбитую губу, — собиралась замуж за Кузю, наверняка они вместе спали! По-другому и быть не может. Значит, человек, пришедший к ней за деньгами, об этом знал. Кто ему мог сказать?..

— Ариш, — спросил Хохлов, стараясь быть мягким и нежным. — А ты кому-нибудь говорила о том, что Кузя твой любовник?

Она перестала трогать губу и вяло пожала плечами:

— Да нет.

— Точно никому не говорила?

Она помотала головой.

— Значит, Кузя кому-то ляпнул, — подытожил Хохлов. — И нужно искать кому.

— Зачем?

— Чтобы найти человека, который на тебя напал.

— А-а. Ну, вряд ли Кузя с кем-то обсуждал свои любовные похождения. У него и похождений никаких не было!

— Постой, а ты?.. То есть вы с ним?.. Разве вы с ним... не были?..

Арина смотрела на Хохлова, ожидая продолжения, а он все никак не мог выговорить, что именно «она с ним» и как именно «она с ним»!

В конце концов Родионовна сообразила. Могла бы и быстрей сообразить!..

— Мить, я тебя не поняла, — сказала она совершенно спокойно. — Нет, мы с Кузей не были любовниками. Он мне на днях предложение сделал, и все. Как будто... экзамен сдал. Сдал и забыл. Он вовсе не собирался со мной спать. Мы посидели, как обычно, кофе выпили, и он ушел. Вот и все предложение.

— И ты с ним не спала? — уточнил Хохлов, решивший было, что от сильного стресса и переживаний она городит какую-то чушь.

— Да нет, Мить, — ответила она устало. — Мы вообще об этом не думали! Я думала: вот выйду за него, будет у меня ребенок, а больше ничего мне не надо. Я решила: раз у него сын есть, значит, с Кузей все в порядке, ну, в этом плане. Правильно?

Хохлов тоже пожал плечами и от души выдал то, что думал уже давно:

— Бред!

Он походил по комнате, переступая через вывороченные из ящиков вещи. При этом он фыркал себе под нос и пожимал плечами.

— Ну, если ты с ним не спала, — грубо сказал он, — с чего этот тип, который на тебя напал, решил, что ты его любовница?!

— Я не знаю.

— Нет, ну рассуди логически! Если ты с ним не спала, значит, он не был твоим любовником, тогда почему какой-то бандит решил?..

— Митя, не знаю я!

До этой секунды она не плакала, а тут вдруг залилась крупными, горькими девчачьими слезами, и Хохлов моментально почувствовала себя хамом и недоумком.

Он оттого чувствовал себя хамом и недоумком, что ему очень жалко было Родионовну, и он ругал себя за то, что она попала в такую передрягу!

Они все попали в передрягу, и было совершенно непонятно, как им теперь из нее выбираться.

Когда он вбежал в распахнутую настежь дверь ее квартиры и увидел ее на полу, привалившуюся к дивану, со связанными руками и ногами и разбитой нижней губой, ему стало дурно.

Как в кино.

Все поплыло у него перед глазами, в голове разлилась темнота, и ему пришлось присесть рядом со связанной Родионовной, чтобы не упасть в обморок. Хохлов раньше не знал, как люди падают в обморок, а теперь узнал. Потом он быстро сбегал на кухню за ножом и перерезал ленту.

Он ругал себя за дамское малодушие, за то, что так долго не отвечал на звонки — а она звонила ему носом! — за то, что Арина оказалась вовлеченной во всю эту мерзкую историю!

Ты ни в чем не виноват, повторял он себе, угомонись! Ты тут ни при чем, ты найдешь ублюдка, который сделал это с нами, и своими руками порвешь его на мелкие части. Сейчас ты должен думать, просто думать!..

Ваша задача — думать, говорил своим аспирантам Виктор Ильич Авербах.

Ты виноват, возражал Хохлов сам себе. Именно ты, потому что больше некого назначить виноватым! Ты пил виски, искал «вещественные доказательства», размышлял в духе Шерлока Холмса, а нужно было бежать и спасать Родионовну, которую в это время бил какой-то ублюдочный подонок! Он бил ее, связав леской — обрывки этой лески болтались в ванной! Он бил ее по лицу и в бок, и ей никто не помог!

«Митя, — говорила Хохлову Аринина бабушка Любовь Ильинична, — у меня на вас вся надежда. У моей внучки только и есть я и вы. На мою дочь и ее супруга надежды нет никакой!»

— Слышь, Родионовна, — сказал Хохлов грубо, подошел, присел и вытер ей слезы своим рукавом. — Ты не реви! Найду я его, гада этого! Приведу сюда и заставлю у тебя на глазах удавиться на этой самой леске. Ты ее на всякий случай пока не выбрасывай!

— Ты говоришь, как человек-паук, я вчера в кино видела, — провсхлипывала Родионовна.

— Я? Я точно человек-паук, к гадалке не ходи! — согласился Хохлов. — Давай вставай потихоньку, и поедем.

— Куда... поедем?

— Ко мне. А можно к Ольге. На твое усмотрение, Родионовна. У тебя богатый выбор ночлежек на сегодняшний вечер.

— Зачем... к тебе?

— Ты хочешь остаться здесь? — спросил Хохлов, раздражаясь. Она его нынче ужасно раздражала и злила — все от жалости и горячей ненависти к себе самому. — Валяй, оставайся. Только перед сном потренируйся еще носом звонить, неровен час наш приятель опять нагрянет и привяжет тебя к батарее шнуром от утюга!..

Родионовна, которая шмыгала носом и была похожа на удрученную сову, еще больше округлила глаза и уставилась на него:

— А ты думаешь, он может... вернуться?!

— А черт его знает! — заорал Хохлов. — Он меня в свои планы не посвящал! Давай, мать твою, поднимайся, и поедем, а?! Давай, давай! Где у тебя шуба или что там?..

— На вешалке, в прихожей.

Грозными шагами, от которых в серванте задрожала посуда, Хохлов прошел в прихожую, снял с вешалки то, что больше всего было похоже на шубу. И оказалось, снял не то.

— В этом я на помойку хожу, — сказала Родионовна и тяжело поднялась с дивана. В боку у нее сильно болело, и дышалось с трудом. Как она в таком виде завтра поедет на работу?! А ей перевод сдавать про фиалковые глаза! — Мить, — держась за стену, она стала медленно продвигаться к двери. — Ты когда-нибудь видел женщину с фиалковыми глазами?

— Фиалковые — это какие? — осведомился Хохлов.

Родионовна точно не знала, и тогда он посоветовал не лезть к нему со всякой ерундой.

Охая, она просунула руки в рукава какой-то другой шубы и стала искать ключи. Они оказались в двери с наружной стороны.

— Он меня втолкнул, — сказала она, — когда я замок отпирала. Только мне казалось, что ключи я уже вынула, когда он... налетел.

— Выходит, не вынула, — сквозь зубы отвечал Хохлов. Так ему жалко было ее, охающую, побитую, покорно собирающуюся в чужой дом, что он чуть не плакал.

Виктор Ильич Авербах говорил аспирантам, что сильного мужчину слабым делает женщина, которая ему небезразлична. Верность науке, говорил Виктор Ильич, исключает верность женщине!

Хохлов, который никогда особенно не интересовался вопросами любви, силы и слабости, нынче так ослаб как раз по причине женщины, которая была ему небезразлична, что решительно не знал, что делать!..

Поехать по городу, что ли, погонять! Налететь на гаишников и с ними оторваться по полной программе?..

Арина все вздыхала, возилась, а Хохлов смотрел по сторонам, только чтобы не смотреть на нее, и вдруг увидел на полу в комнате, в развале вывороченных вещей, серую кроличью шапку с ушами.

Тут он взял Родионовну за руку, да так крепко, что она спросила, что случилось.

— Ариш. — Он глаз не сводил с этой шапки, как сапер с мины. — Это твое?

И он кивнул на ушанку.

Она посмотрела и отвела глаза.

— Нет, — сказала она и шмыгнула носом. — Это... его. Он был в серой шапке, я... сверху видела.

Хохлов пропустил мимо ушей слово «сверху» и услышал только, что она видела этот треух на том, кто на нее напал!

— Ариш, это Кузина шапка!

Она опять посмотрела и опять отвела глаза:

— Да. Похожа.

Хохлов выпустил ее руку, вернулся в комнату, помедлил и взял ушанку в руки.

Ну да. Громадный кроличий облезлый треух с коричневыми ботиночными завязками на ушах.

Выходит, здесь был... Кузя?! Выходит, убили кого-то совсем другого?! Значит, это он втолкнул Родионовну в дверь, и связал леской, и рвал ее за волосы, и...

— ...и не забудь, что у меня в пятницу выступление! — напоследок сказал Степка серьезно. — А папа к тому времени... успеет?

— Что значит успеет, Степ? — спросила Ольга и переложила мобильник в другую руку. Возле общежития, где жил Кузя, снег, ясное дело, никто не чистил, и сейчас придется осуществлять аттракцион неслыханной парковки.

— Мам, ты что, думаешь, я дурак? — тоже очень серьезно спросил Степка. — У него же неприятности из-за Кузи, да? И не уезжал он в командировку! Он в милиции, да?

Дети Пилюгиных всех друзей и родственников всегда называли только по именам, «дяди» и «тети» исключались. Грубый Хохлов, когда его называли «дядей Митей», всегда говорил: «Какой я тебе дядя? Тамбовский волк тебе дядя!»

Ольга перестала осуществлять аттракцион парковки, остановилась посреди улицы и помолчала, изо всех сил прижимая трубку к уху.

Сын спросил ее, и ей придется отвечать.

— Да, Степ. Только, учти, это все полная ерунда! Папа ни в чем не виноват и не может быть виноват! В милиции обязательно разберутся, и мы делаем все, что нужно. Ты не волнуйся.

— Мам, но там, наверное, ужасно. — И голос у сына дрогнул.

— Где?

— В тюрьме. Он же в тюрьме, да?

Ольга Пилюгина старалась не думать о том, что ее муж «в тюрьме». Так старалась, что не могла ни спать, ни есть, но Степка не должен об этом знать.

— Что ты, сынок! В тюрьму сажают после суда, а папу никто не осудил и не осудит! Он... просто в милиции.

— Ну да, — фыркнул Степка. — Просто в милиции!..

— Степ, ты не волнуйся.

Ольга очень старалась не расплакаться, она не разрешила себе плакать в тот момент, когда Димона засунули в милицейский «газик» и повезли по двору их дома, а все соседи стояли и смотрели. Она сказала себе, что плакать ни за что не станет. И у нее получалось... ну, почти получалось.

— Я не знаю, успеет ли он на твое выступление, но очень надеюсь, что успеет.

Степка протяжно вздохнул в трубке и вдруг выпалил:

— Мам, а если это он? Ну, ведь Кузя к нему все время приставал, и папа говорил, что он его с балкона выбросит.

— Степа, твой папа не способен убить человека, — очень твердо сказала Ольга. — И выкинь это из головы!..

— Мой папа, — заявил Степка с необыкновенной гордостью, — способен на все!

И она вдруг поняла, что в его тринадцатилетней голове отец как был, так и остался героем, лучшим из мужчин!.. У сына не было в том никаких сомнений. Даже если отец совершил нечто ужасное, он сделал это именно потому, что герой! Ну, как Рэмбо в старом-престаром кино! Он там тоже всех убивает, и поделом им, потому что убивает он только «плохих», а «хорошим» помогает, спасает их! И сейчас отец — это Рэмбо, которого все ловят, осуждают и хотят погубить, но он-то, Степка, знает, как все обстоит на самом деле!..

— Папа никого не убивал, — повторила Ольга. — Никого! Наш папа самый лучший человек на свете, и он не убивает своих друзей.

— Мам, давай я домой вернусь, а? Забери меня от бабушки, ну пожалуйста! Я буду тебе помогать, ухаживать за тобой буду! Я тебе чай стану греть! Забери меня домой, мама!

— Пока не могу, — твердо сказала Ольга.

— Почему?!

— Потому что не могу. — Невозможно было признаться сыну, что в любой момент милиция может устроить у них в доме обыск! Она точно не знала, но ей казалось, что такое вполне может произойти.

— Мама! — крикнул Степка.

— А когда вы приедете, у нас дома вас будет ждать сюрприз, — торопливо добавила Ольга, чтобы хоть чем-нибудь его отвлечь. — Очень приятный.

Степка вздохнул, совершенно как взрослый.

— Эх, мама, мама!.. — с горечью пробормотал он. — Ты меня утешаешь, будто я Растрепка! А я взрослый человек.

— Я знаю.

Сзади засигналили, взметнулся снег, и какая-то здоровенная машина проползла мимо. Водитель в окно грозил ей кулаком и неслышно ругался. Ольга от него отвернулась.

— И я еще хотел тебе сказать, мам... — Сын опять совершенно по-взрослому вздохнул, собираясь с мыслями. — Я хотел сказать, что, если папу посадят в тюрьму, я тогда тоже пойду и сяду в тюрьму!

— Степан!

— Нет, ты не волнуйся, мам. Я в Интернете прочитал, что бывают такие колонии, где можно жить с детьми. Если его посадят в такую колонию...

— Степа, прекрати! — Она все-таки не выдержала, голос сорвался. — Прекрати сейчас же! Никто никого никуда не сажает! Не нужно тебе ни в какую колонию! Папа ни в чем не виноват, и скоро его выпустят.

— То-очно?

— Да. Точно.

И она осторожно выключила телефон.

«Господи, помоги мне! Отец в тюрьме, ребенок собирается на поселение, а мать, как пить дать, готовится в разведшколу!»

Глядя в зеркало заднего вида, Ольга кое-как приткнула машину к сугробу. Надо бы еще подвинуть, но ничего не видно, и даже окно не открыть! В мороз стеклоподъемники не работают, а зеркала замерзают, вот она какая, русская зима!

Что она станет говорить комендантше, о чем ее спрашивать?! Ольга вышла из машины, перелезла через сугроб и пошла к невысокому крылечку, справа от которого помещалось забитое фанерой окно, а слева — лохматая от оторвавшихся бумажек доска объявлений. Бумажки трепетали на ветру, и казалось, что доска шевелится, сбрасывает кожу, как змея.

Ольге стало противно.

Она была здесь несколько раз, когда Кузе взбредала в голову фантазия отпраздновать свой день рождения «дома» и на уговоры поехать на природу, или к ним, или к Арине, или к Хохлову он не поддавался.

Она помнила смертную тоску длинных и темных коридоров, тесноту «холлов» — так почему-то назывались лестничные клетушки, окна, которые не мылись *никогда*, детские коляски в углах, запах пережаренного лука и постного масла — глухой, убогий, будто военный быт, вызывающий в своем крайнем нищенстве, выставленном напоказ.

Ведь, черт побери, окна можно помыть, вместо фанеры вставить стекло, — чай, не при Иване Грозном живем, стекло не на вес золота! — «холл» замкнуть на ключ, чтобы не лезли посторонние, с плиты сгрести многолетний жир, старые обои, отстававшие длинными языками, поотрывать и наклеить новые, в веселенький цветочек, все не так погано!..

Но нет.

Люди жили здесь годами, а некоторые и умирали тут же, в нищете и грязи, и все в ожидании «лучшей доли», которая вот-вот должна на них откуда-то свалиться, да никак не валится!

Эта общага появилась как раз тогда, когда строили коммунизм, соревновались в социалистическом соревновании, дискутировали в диспутах физиков и лириков, «работали на оборонку» и кричали: «Космос наш!!», когда полетел Гагарин. Здесь же влюблялись, женились, рожали детей. Вставали в очередь на квартиру, ожидали ее, наконец, получали «жилплощадь» в новом доме — в точно такой же хрущевской пятиэтажке, только через дорогу. Поколения менялись, одни переселялись через дорогу, другие вселялись в общагу, энтузиазм поутих, и уже не так важно стало, чей именно космос, потому что хотелось своего собственного, мещанского, презираемого, сытого счастьица, а как же иначе, люди ведь!

Пришло время кабачковой икры, плавленых сырков «Лето» под чекушку, рыбы ледяной, наваленной смерзшимися пластами в магазинных витринах и холодильниках, и поговорки «Самая лучшая рыба — это колбаса». В общаге горячую воду стали давать по графику и украли деревянную входную дверь, которую пришлось заменить фанерной. Подразболтался народец, подрасшатался, перестал верить в светлое завтра, зато накрепко поверил, что, если летом на своих трех сотках картошку не вырастишь, зимой будешь лапу сосать, потому что картошки этой днем с огнем не сыщешь. А круговорот все продолжался, только замедлился малость. В «новый дом» через дорогу стали переезжать реже, зато на кладбище чаще, а общага — стык двух миров или трех, а может, и четырех — оставалась незыблемой и неизменной.

Когда в девяносто первом Ольгин муж и его друзья окончили институт, рассчитывать уже было не на что. В общагу вселяли «навсегда». Но даже приехав туда «навсегда» и отчетливо это понимая, люди все продолжали верить в то, что рано или поздно на голову обязательно свалится это самое «светлое будущее», и в ожидании его глупо мыть плиту и стеклить окна! Все временное, все чужое, все казенное — а нам-то что, мы «светлого будущего» ждем, и пусть тут всё крысы обгадят, и пусть темень, паутина и мрак, где-то там есть «настоящая жизнь», вот дождемся ее и тогда заживем, раззудись, плечо, размахнись, рука!..

Сейчас Ольга Пилюгина, благополучная, устроенная, никогда не живавшая в общагах, думала, будто точно знает, что нужно делать для того, чтобы жизнь стала простой и прекрасной. С этим чувством знания и некоторого превосходства над теми, кто позволяет себе так скверно жить (опускаться), она потянула на себя фанерную дверь, под которую лезли с улицы длинные белые языки снега, и вошла.

Ей показалось, что в «холле» очень темно, и она некоторое время постояла, щурясь и соображая, куда ей идти. Окон не было, горела только одна лампочка под потолком, и нельзя было понять, в какой цвет выкрашены стены. Затоптанный плиточный пол и с левой стороны, перед выходом на лестницу, одна-единственная распахнутая дверь.

Наверное, ей нужно туда. В эту распахнутую дверь.

Цокая каблуками по плитке, Ольга подошла к распахнутой двери и постучала костяшкой согнутого пальца.

— Ау? — не слишком уверенно позвала она. — Ау, есть тут кто?

— Не в лесу, — строго ответили ей. — Чего аукаешь?

И на свет — вовсе не божий, а от слабосильной электрической лампочки — выполз раритетный экспонат той самой эпохи, когда дискутировали в диспутах и соревновались в соревновании. Экспонат был в платке крест-накрест, в валенках с галошами и мятой сатиновой юбке. По платку и юбке было понятно, что экспонат этот — дама.

Дама щурилась, как крот, по ошибке вынырнувший из норы на самом солнцепеке, и что-то жевала. Проглотив, она крепко вытерла рот и уставилась на Ольгу вопросительно.

Ольга улыбнулась.

— Здравствуйте, — сказала она сердечно.

— И тебе не хворать, — отозвалась экспонатная дама. — Чего нужно? Ты хто?

На этот простой вопрос не было внятного ответа, и Ольга поначалу растерялась, но ее мужа обвиняли в убийстве, а ее сын готовился следовать за отцом практически в арестантские роты и даже нашел информацию об этом в Интернете!.. Она не могла позволить себе спасовать.

— А я... из банка, — сказала она, решив, что «банк» звучит достаточно солидно, — мне нужен Дмитрий Кузмин. Как мне его найти?

— Ищи-свищи! — ответила дама. — Вторую ночь не ночует! До этого ничего был жилец, тихой, спокойной, не то что остальные, алкаши пропащие! А тута как взбесилси! Не ночует, и не ищи его, гражданочка! Иди к нему в работу, он в научной институте работает, если не выгнали ишшо!

— А... как вас зовут? — спросила Ольга и улыбнулась еще ласковей.

— Баба Вера звать меня, сроду по-другому никто не звал!

— А по отчеству?

— Да на что тебе отчество мое? Баба Вера я, баба Вера! А если тебе чего передать ему надо, так я за Кузминым не ответственная и передавать не буду! Бумага до него третьего дня пришла, так он и не забрал ее, ферт такой! Думает, раз ынтелехент, так ему можно бумагу не забирать! Я ему кричу-шумлю: стой, гражданин Кузмин, стой, забери послание! А он даже на мене и не посмотрел, и пошел, и пошел!..

— Бумага? Письмо, что ли? — переспросила Ольга. — А откуда оно?

— А нам, гражданочка, до чужих бумагов делов нету! Откуда, куды — не наше дело! Нам велено было передать, а раз не берет, так мы за ней не ответственные! В штемпелях евонная бумага, видать, из Москвы!

— А... когда она пришла?

— Да говорю ж тебе, позавчера, гражданочка! А он ввечеру явился не запылился, и пошел, и пошел! Я ему — забери бумагу! А он ко мне, пожилому человеку, задом оборотился и гоголем, гоголем!.. — И она изобразила, как именно он пошел «гоголем». — А то, что я без сменщика третий день, так это всем без разницы! Грып у его, вишь ты, у сменщика! У его грып, а я сиди тута одна!

Ольга пристально посмотрела на бабу Веру. Она не была похожа на запойную или сумасшедшую, обыкновенная общежитская бабка.

Позавчера — это значит в день убийства. Позавчера — это значит после того, как Димон подрался с Кузей возле подъезда. Выходит, тем вечером Кузя явился домой, и баба Вера видела его и говорила с ним?!

Как это понимать?!

— Бабушка, — скороговоркой сказала Ольга, — а вы не помните, когда это было?

— Чегой-то?

— Ну, когда Кузмин позавчера в общежитие явился?

— Да отчего ж мне не помнить, когда в радиоточке гимн передавали? А гимн завсегда в полночь передают! Только это уж стали передавать, когда я спать наладилась, а ферт наверьх ушел, и чегой-то там у их громыхало!.. Видать, Серега Почкин Маринку за волосы валдочил, у их это обычное дело.

Баба Вера пристально посмотрела на Ольгу, прищурилась и вдруг выдала:

— А вот сдается мне, что ты не из банку! Чего ты расспрашиваешь мене? У мене свои дела, у вас свои, и я за жильцами не ответственная! Постой, да ты не подруга ли бывшей его?.. А? Бывшая-то тоже позавчера являлась, налаживалась к нему, я, говорит, подожду его, впустите, баб Вер! А куды ж я ее впущу, когда хозяина нету?! Говори прямо, подруга или не подруга?

Ольга Пилюгина соображала очень быстро. Она сделала покаянное лицо, изобразила смущенную улыбку, полезла в сумку и достала две аппетитные сторублевки, ровненькие, не помятые, будто сейчас с монетного двора!

— Бабушка, — заговорщицким полушепотом сказала она и сунула сторублевки в заскорузлую руку, — вы прям рентген в поликлинике! Насквозь видите!

— А чего я тебе не реген? — польщенно сказала бабка, и бумажки исчезли как по волшебству. — Я на службе, считай, полсотни годков! Ну, говори, чего надо-то в самделе!

— Алиментов он не платит, — все тем же заговорщицким голосом пояснила Ольга. — И взыскать по суду не можем, потому что дома его никогда нет!

— И-и, милая! Какие с него алименты! Как с кота драного! И бывшая его, твоя подруга, побогаче будет, у мене глаз-то наметанный! У ней шуба, вон, как у тебе, и агрегат длинный, на котором ездиет она! Дался он вам, на алименты подавать! Только если уж так, для порядку...

— Для порядка, — согласилась Ольга, — конечно, для порядка.

— Оно верно. Порядок во всем должно соблюдать. Вся держава под откос пошла из-за того, что порядок не соблюли! Да чего надо-то тебе? Чего она тебя прислала, подруга-то? Небось проверить, дома он или нету! Так нету его, вот тебе как на духу! И позавчера не было, как она приходила, и сейчас нету, видать, на работу увалил!

— А она точно позавчера приходила? В тот самый день, когда бумагу принесли и Кузмин в полночь явился?

— У мене маразма нету, — объявила баба Вера. — Я хоть и сижу без сменщика, а за всеми все вижу!

— И вы ему говорили, чтобы он бумагу забрал, а он забирать не стал и просто ушел наверх, да?

— Так про что я тебе и толкую! До энтого вежливым прикидывался, с подоконника мене снег сбрасывал, когда завалило, а тут — ни в какую не пошел за бумагой! И не остановился даже, раз ынтелехент, так можно ему!

— Баб Вер, а это точно он был?

— Тю-ю! — Бабка даже плюнула с досады. — Ты, видать, не в себе, гражданочка! Я их тута всех как облупленных знаю! И шапка у его приметная такая, не шапка, а вроде гнездо воронье, одно ухо выше другого! И штаны на заднице залоснились, все потому, что за столом кантуется, головой, вишь, работает! С кем я его перепутаю? С Почкиным, что ли?! Точно он был, больше некому! И баб Верой меня кликал, и...

И бабка возмущенно махнула рукой:

— Не он! Скажет тоже! Не он!.. Шпиен, что ль, какой вместо его явимши!

— Баба Вера, — Ольга сделала просительное лицо, — я ему записку напишу, а то Катя, его бывшая жена, волнуется из-за алиментов, напишу и в дверь суну! Можно?

— Да отчего ж нет! Я ему тую бумагу, что надысь пришла, тоже в дверь сунула, потому как я за ней не ответственная, и ему в этом полный отчет был даден! Так и сказала — не ответственная я, мол, и забирай бумагу свою, и... Только наверьх сама пойдешь, стара я за вами бумаги носить!

— Конечно, конечно, пойду, — Ольга несколько раз кивнула и стала продвигаться к лестнице. — Я ему суну в дверь, да и все!

— А номер комнаты знаешь? — Бабка прищурилась. — Хотя бывшая-то небось все тебе доложила!

— Доложила, бабушка, доложила!

— Ну и ступай.

Ольга опрометью взлетела по темной лестнице.

Значит, Кузя приехал в двенадцать, разговаривал с комендантшей, называл ее по имени, но стоял все время на лестнице, за бумагой не спустился, а сразу ушел наверх.

В тот же день пришла загадочная бумага и приезжала Катька-зараза, которая просилась к нему в комнату, чтобы его дождаться, но бдительная баба Вера, «за всем ответственная», в Кузину комнату ее, естественно, не пустила.

...и что все это может значить?!

Ольга постояла на лестнице, прислушиваясь к шорохам и шагам. Было тихо, должно быть, жильцы разошлись на работу, только внизу орало радио. Передавали песню про неврастеников, в которой были такие слова: «Вот и ночь наступает, не могу спать, все пугает».

Ольга немного послушала песню.

Почему-то ей тоже было страшно, как неврастенику из песни.

Слезища скатилась по щеке, капнула на шубу и утонула в белом мехе.

Ольга сердито вытерла щеку.

Она тряхнула головой, решительным шагом пересекла площадку, вошла в коридор и двинулась вперед, считая двери.

Вот она, та, которая ей нужна, из нее как раз торчит белый плотный конверт. Оглянувшись по сторонам, Ольга Пилюгина аккуратно вытащила конверт из щели и поднесла к глазам. Видно было плохо, буквы сливались, но она разобрала, что письмо из банка. В левом верхнем левом углу был синий логотип, состоящий из латинских букв.

Вот так совпадение! А она-то бабе Вере заливала, что сама из банка! Кругом одни банки!

Ольга сунула конверт в сумочку, еще раз оглянулась по сторонам, нажала на ручку и толкнула дверь.

Дверь открылась. Это было так неожиданно, что Ольга чуть не упала, и пришлось сделать шаг вперед, чтобы удержаться на ногах.

Она оказалась в Кузиной комнате, знакомой и совершенно чужой.

Комната была разгромлена и разграблена, как если бы в ней похозяйничала целая шайка мародеров. На полу громоздились кучи вещей, книг и бумаг, шкаф был открыт, и дверца сорвана с петель. Стол зиял пустыми гнездами, словно выбитыми зубами, а ящики письменного стола, белея оголенными фанерными днищами, валялись на полу и на диване.

— Боже мой, — пробормотала Ольга. — Боже мой!..

Она даже не могла войти и закрыть за собой дверь. Для того чтобы закрыть, нужно было сделать еще один шаг, хотя бы маленький шажочек, а для этого пришлось бы наступить на Кузины вещи и бумаги. Голое, без штор, окно, выходящее на соседний дом, царило над хаосом, словно серый, скованный морозом город тоже был здесь, прямо в комнате.

— Батюшки-светы! — раздалось за ее спиной. — Чегой-то ты тута натворила?!

Ольга отшатнулась, спиной налетела на бдительную вахтершу, которую все-таки принесло «наверьх» проверять, что там делает гражданочка в шубе!

— Стой, стой! Разбойница! Куды! Стой, тебе говорят! Милиция! Милиция! Убиваю-у-у-ут! Грабю-у-у-ут! Пожа-а-а-ар! Люди добрые, держите ее! Держите!

Но Ольга уже скатилась с лестницы, пинком распахнула фанерную дверь, выскочила на улицу, на ходу вытаскивая ключи, бросилась в свою машину, несколько раз не попав, все-таки вставила ключ в зажигание, запустила двигатель и стала выбираться из сугроба.

Колеса вращались, и снег летел в разные стороны. В зеркало заднего вида она все время взглядывала на общежитскую дверь.

Если бабка ее остановит и вызовет милицию, ее тут же посадят вместе с Димоном, и дети останутся одни. Дети не могут остаться одни!..

Ольга вырулила из сугроба, когда на низком крылечке показалась баба Вера, а за ней какой-то небритый мужик в тельняшке. Баба Вера кричала и тыкала пальцем в ее машину, пар валил у нее изо рта, и в шуме двигателя было не разобрать, что она кричит, и, оскальзываясь на ступеньках, мужик побежал к машине, а Ольга нажала на газ, и...

...и, сверяясь с записной книжкой, Хохлов стал набирать номер.

— Вальмира Алексанна! — крикнул он, когда набрал последнюю цифру. — Закройте ко мне дверь, и пусть никто пока сюда не заходит!

У Хохлова не было секретарши, а помощницу Наташу все время посылали «по делу», когда остальным работникам было лень ехать или идти, и безотказная Наташа ходила и ездила, а дверь некому закрыть!

Дверь неслышно закрылась, словно сама по себе. Хохлов сидел в кресле и считал гудки. Черт побери, может, телефон давно поменялся! На что он надеется?..

— Але!

Хохлов, совсем было настроившийся на то, что никто не ответит, как-то даже растерялся и сказал невнятно:

— Здравствуйте.

— Привет, — поздоровалась трубка. — Митяй, ты, что ли?

Непостижимая и удивительная память этого человека на голоса, лица, даты, события всегда приводила Хохлова в восторг.

— Я, — сказал он. — А как ты меня узнал?

— А ты чего? Пол поменял и теперича... девушка?

— Я не девушка.

— Вот и ладненько, — заключил в трубке милицейский подполковник Никоненко Игорь Владимирович, — вот и славненько! Вот и распрекрасненько!

Была у него такая причуда. Время от времени подполковник изображал из себя эдакого деревенского простака, участкового уполномоченного Анискина, тогда и выражался соответственно, по-анискински.

— Как твоя жизнь, Игорь Владимирович?

— Моя? — удивился подполковник. — Моя жизнь тебя интересует?

Хохлов, который точно не знал, кто с ним сейчас разговаривает, московский милицейский начальник или деревенский участковый уполномоченный, несколько растерянно подтвердил, что да, его жизнь — подполковника Никоненко.

— Ну-у, я тебе сейчас расскажу, — пообещал тот и завел: — Алина, жена моя, как родила Маню, так засела дома, а теперь говорит, что ей на работу пора, потому что без нее весь бизнес развалится. Бизнес-то, понятное дело, не развалится, только дома скучно ей, и я ее понимаю. Хотели дом покупать, но куда нам из Сафонова двигать, и решили не покупать, а этот перестроить. У меня теперь на участке сплошные граждане Азербайджана и Туркмении, а я у них по утрам регистрацию проверяю и вывожу на построение, потому как служитель закона. Тетя Валя приехала погостить. Алинку довела до истерики, а у нас ребенок! Так я тетю родителям сплавил. Федька в десятом классе, и Потапов говорит, что в юристы намылился, а «Деловые ведомости», Потапов говорит, уже написали, что сын министра готовится стать законником и обличителем, а сам в армии не служил, по великому блату откосил. Ну, что еще? Ну, вот машину я поменял, уж года два как. У меня теперь джип, для Сафонова лучше нету! Витася третий ресторан открывает и разжирел, как боров. Я ему говорю, пойдем, Витася, на теннис в субботу, а ему некогда все! Дальше рассказывать?

— Нет, — отказался Хохлов и захохотал. — Достаточно!

— А достаточно, так признавайся, зачем звонишь, не отвлекай занятых людей от работы! Пока мы с тобой про жизнь балакаем, в Москве, может, уровень преступности возрос! Враг-то не дремлет, Митяй!

— Помнишь Кузю? Ну, мы пару раз с ним вместе на шашлыках были!

— Нет, не помню. А что? Он тоже от армии откосить хочет?

— Убили его, Игорь. Позавчера, прямо у дома Димки Пилюгина. Ну, Пилюгина-то хоть помнишь?

— Да никого я не помню, — сказал подполковник с раздражением, — ну, убили, ну, и чего? Если у вас убили, так этим областные занимаются, епархия все равно не наша.

— Игорь, мне и не нужно, чтобы ты занимался! Мне

нужно, чтобы ты мне совет дал. Я ни черта в этом не разбираюсь! Пилюгин убить Кузю не мог, и по времени ничего не совпадает, и шапка его пропала, а потом нашлась!.. Да еще портфель! А у меня из офиса деньги украли, сто штук зеленых в пакете, и тоже позавчера, а я...

— Ты притормози, — сказал подполковник серьезно. — Ничего я не понял. Какая шапка? Какой портфель? В каком дворе? Какие деньги?

— Прямо... по телефону объяснить? Или подъехать?

— Ты чего, детективов, что ль, насмотрелся? Враг подслушивает, по телефону только закодированными словами можно? Валяй, говори сейчас!

И Хохлов рассказал ему все, что знал. Рассказывал долго и, когда закончил, понял, что очень устал, даже голова заболела. Так бы вот сейчас положил голову на стол и заснул с трубкой возле уха!

— Ну, значит, первое, — после некоторой паузы сказал Никоненко. — Если память мне не изменяет, твой офис находится на первом этаже НИИ, то есть предприятия оборонного и строго секретного?

— Не изменяет тебе память, Игорь Владимирович. Институт под офисы первый этаж сдал, когда голодные времена наступили.

— Ну и отличненько! Значит, наружное наблюдение за объектом осталось от лучших времен. Это твое здание фасадом прямо на улицу выходит?

— Ну... да.

— А кто институт охраняет? Наемные частники или внутренние войска?

— Солдаты охраняют. Ну, то есть точно я не знаю, но в проходных солдаты стоят.

— А в самом здании проходная есть?

— Конечно.

— Тогда вали в проходную и проси, чтобы они видеозапись посмотрели той ночи, когда у тебя деньги тиснули.

— Откуда у них видеозапись?! И что на ней смотреть?

— Значит, видеозапись у них есть точно. Фасад, если здание прямо на улицу выходит и забором не обнесено, наверняка камерой простреливается. Фасад и шоссе. Смотреть на ней надо машину, которая на дороге останавливалась. Если в твоей офисной камере, которая на крыльцо работала, никакой машины не видно, значит, она перед институтом стояла! Да там больше и стоять негде, насколько мне помнится! Ни дворов, ни подворотен. Так или не так?

— Так, Игорь Владимирович.

— Эта твоя клофелинщица... или что она ему с водкой наливала?.. Снотворное?.. Ну, неважно! Наверняка она на машине приехала и вряд ли с пакетом, в котором сто тысяч, вдоль шоссе пошла! Значит, села в машину и уехала. Если даже номеров не разглядишь, марку-то уж точно рассмотришь и станешь методично, аккуратненько искать, у кого из твоих друзей-приятелей машина такой марки. А потом по-дружески разберешься. Не привлекая, так сказать, правоохранительные органы.

— Почему... у друзей-приятелей?

— Ах ты, господи помилуй! Экий непонятливый ты, Митяй! Вот, помню, в девяносто восьмом было у меня дело, так по нему один банкир проходил. Ну, там мокруха, огнестрел, все такое. Это я еще в Сафоновском райотделе служил.

— Игорь Владимирович!..

— У банкира из сейфа на даче камушки поперли, несметной цены! Одно ожерелье немецкой работы тысяч на триста зеленых тянуло. Банкир, ума палата, в домашнем сейфе его держал, поближе, так сказать, к сердцу.

— Игорь Владимирович...

Но подполковника уже нельзя было остановить, и

Хохлов вдруг вспомнил эту его особенность. Пришлось покориться и слушать.

— А возле сердца, помимо камушков, обреталась у него еще дамочка одна шустрая, неземной красоты, мисс Вселенная, что ли! Ну, и друзья-приятели заезжали. Банька там, шашлычок, уток пострелять, все такое. И, заметь, поперли камушки точь-в-точь тем же способом, как у тебя! Охранников, правда, всех положили насмерть, а сейф-то ключиками открыли! Банкир не своим голосом ревет, что никто про камушки знать не знал, только он один. Ну, так же не бывает, Митяй, что у тебя дома камушки лежат, а твоя мисс Вселенная про это ничего не знает! Оно, конечно, для банкира так думать спокойнее, но это все для книжек придумано! Может, он словами и не говорил, но ящик этот при ней сто раз открывал, а она же не дура, хоть и Вселенная! Она ключики у него скопировала, тогда еще сейфы не так чтобы очень сложные были, и тут, Митяй, конечно же, любовь вмешалась! Потому что любовь, Митяй, — это страшная сила! Ты за мыслью моей следишь?

— Слежу, — проскрипел Хохлов. Ему казалось, что Никоненко над ним издевается.

— Друг этого банкира, ясен пень, был во Вселенную влюблен. Но тайно, конечно! Вот она его и того... уболтала, чтобы он охранников положил, а затем они камушки из сейфа достали-и, в машинку се-ели, пое-ехали, ну а потом я банкиру картину мира и обрисовал в красках.

— И что? — спросил невольно заинтересовавшийся Хохлов.

— Да ничего. Доказательств для суда у меня не было никаких — ни отпечатков, ни оружия, ничего. Ну, я и сказал ему, чтобы дальше он сам разбирался. На Вселенную мне наплевать было, а на банкирского друга верного нет, не наплевать! Друг охранников положил, этого мы простить ему не могли!

— И что? — повторил Хохлов.

— Да ничего, — сказал подполковник равнодушно. — Банкир нашел и друга, и Вселенную, и камушки. Ну, и наказал виновных. А мы на это глаза закрыли.

— И как наказал?

— Друга... серьезно наказал, а Вселенная в Сердобск вернулась, мед на базаре продает.

— Ты мне тоже предлагаешь своими силами разбираться?..

— Да чего разбираться, Митяй! Мы с тобой, с божьей помощью, разобрались почти! Значит, ищи друга, который в офисе у тебя как дома. Машину ищи, которая ночью возле здания стояла. И симпатию свою спроси, с кем она там амуры крутила, а может, и не крутила, а просто языком чесала, какой у нее мужик крутой, это ж надо — ка-а-кими деньжищами на работе ворочает!

Хохлов молчал. Думать о том, что во всю эту историю может быть замешана... Галя, было дико.

— С убийством сложнее. Вникать нужно. Если областные не разберутся, ну, подключусь я тогда!

— Игорь, я не умею думать, как думают профессионалы! Вот ты сразу про камеру в проходной сказал, а я про нее вообще не знал!

— Ты думай последовательно, — посоветовал Никоненко серьезно. — Не торопись. Если на месте, где был найден труп Кузмина, нет портфеля и шапки, значит, или кто-то их забрал, или убили его не там! Кто мог забрать? Или убийца, или бомжик какой себе гардероб обновлял. Бомжика исключаем, двор охраняемый и с забором, получается, убийца забрал. Шапку ты нашел у избиенной Родиной, так? Значит, убийца про Родину знал. Знал, где живет, знал, что одна живет, знал, что Кузмин с ней дружбу водил и любовь крутил. Давай ищи человечка, который все это мог знать. Таких тоже немного, это я тебе точно говорю. Начни опять же с друзей-приятелей. Зачем убийце шапка с трупа —

тоже хороший вопрос, и тоже надо бы ответ поискать! Если он в ней к избиенной Родиной явился, значит, дело не в том, что она с трупа свалилась, а преступник этого не заметил. Значит, он ее с намерением прихватил, а намерение у него может быть только одно — чтобы в этой шапке его все принимали за Кузмина. И развивай, развивай линию последовательно! Зачем ему это понадобилось?.. Как труп у дома оказался? И тут уж надо с охранником по душам потолковать! И толкуй жестко, так, чтобы он сразу понял: ты точно знаешь, что он кого-то среди ночи во двор впустил!

— А он впустил? — спросил Хохлов.

— Ну, Митяй, итить твою налево! Ну, труп же не с неба упал! И не сам нарисовался! Чему нас учит диалектический материализм?

— Чему?

— Тому, что труп просто так, сам по себе, ниоткуда взяться не может! Где портфель? Что у него там было ценного? О каких деньгах речь идет? Может, и вправду о твоих, и сообщницей у него избиенная Родина!

— Как?!

— Ну, она твоему сторожу в водку снотворного плеснула, а денежки забрала. А третий, который за рулем сидел, Кузмина замочил и к Родиной за своей долей пришел!

— Да он ее бил, Игорь! По зубам! Он ее связал!

— Ты чего, своими глазами это видел? Может, это у них инсценировка такая! Чтобы от себя подозрения отвести! Ты с избиенной приятельствуешь, так?

— Так, — мрачно подтвердил Хохлов.

— Небось в гости захаживаешь? Ну, там, выпить, посидеть? Тортик приносишь, винца сладенького? Так?

— Так.

— Да ты проводи аналогии-то, проводи, с банкиром, у которого камушки тиснули! Родиной ничего не стоило у тебя ключики из кармана взять и сообщнику на лестницу вынести. Пока он дубликаты делает, ты у нее культурно отдыхаешь, и она тебя всячески привечает, подливает, подкладывает, угощает! А когда он их сделал — раз, и условный звоночек в дверь, как будто соседка за солью пришла. Ключики тебе в карман возвращаются, а у ребят радужная перспектива открывается! Подходит в качестве рабочей гипотезы, как говаривал старик Шерлок наш Холмс?

— Нет, — сказал Хохлов злобно.

Злобно именно потому, что все гладко выходило. И очень похоже на правду.

На правду, которая была решительно, абсолютно невозможна!

— Почему? — удивился бездушный профессионал Никоненко.

— А зачем они Кузю убили?

— Чтобы не делиться.

— А зачем во дворе у Пилюгиных?

— Чтобы подозрения от себя отвести! Пилюгин с Кузминым все время ссорился, так? Так. Все об этом знали, так? Так. Вечером, когда ты у них гостил, пепельница, впоследствии обнаруженная на месте преступления, имела место быть, или ты не запомнил?

— Была, я в нее пепел тряс, — подтвердил Хохлов.

Больше всего на свете ему хотелось, чтобы подполковник заткнулся и не сказал больше ни слова. Хорошо бы немота поразила его навечно.

— Значит, Кузмин вполне мог ее прихватить с собой.

— Зачем?! Чтобы оставить на месте собственного убийства?

— Родина могла его убедить, что просто необходимо избавиться от третьего, а пепельница нужна все затем же — чтобы подкинуть ее на место преступления и невинного человека подставить, Пилюгина твоего! Але, Митяй! Ты чего молчишь? Але!!

— Игорь Владимирович, — сказал Хохлов очень твердо. — Этого быть не может. Ну, просто потому, что не может быть, и все.

Никоненко не стал восклицать, что Хохлов говорит так от слабодушия и недостаточной подкованности в вопросах криминологии.

Он какое-то время помолчал, а потом посоветовал серьезно:

— Бросай ты это дело, Митяй. Оставь все как есть. Даже если твоего Пилюгина до суда доведут, адвокат обвинение в клочки порвет. Деньги... ну, жалко, конечно, но ты еще заработаешь!

— Игорь, я не могу бросить!

— Тогда надо наплевать на все и думать не так, как тебе хочется, а так, как тебе подсказывают факты и логика. Факты, логика и интуиция. Понял, Митяй?..

Хохлов молчал.

— Чего молчишь-то? Спроси меня еще о чем-нибудь, я тебе отвечу!

Хохлов помолчал, а потом спросил:

— Тебе, Игорь Владимирович, щенок не нужен?

— Какой... щенок?

— У меня большой выбор, — продолжал Хохлов, — из трех штук.

— Ну, ты даешь, Митяй! — фыркнул большой милицейский начальник. — А порода какая?

— А никакая. Подзаборная. Но очень здоровые, как лошади.

Милицейский начальник еще немного пофыркал.

— Ну, оставь мне одного, что ли, — сказал он задумчиво. — Мне Витася обещал, но у него элитные, высшее общество, и когда будут, неизвестно, а я бы взял. Участок-то мы прикупили, так Буран один не справляется!

Бураном звали подполковничью собаку, и была она необыкновенного ума и повышенной лохматости. Никоненко был уверен, что его Буран — нечто среднее между академиком и профессором и на порядок выше доктора наук. В молодости Буран научился пить кофе — вылизывал его из чашки вместе с гущей — и открывать двери: ставил лапу, наваливался тушей и входил в любую дверь. Подполковник мечтал научить его курить сигары, чтобы коротать с ним перед камином зимние вечера.

— Так мы приедем с Алинкой за щенком! И вот еще что мне скажи, какое отделение дело ведет?

— Наше городское ОВД, или как оно называется?..

— Так и называется. Я сейчас туда позвоню, Митяй! Попрошу, чтобы другана твоего долго не мариновали и не прессовали особенно. Хотя мне в это дело лезть тоже не с руки, ты пойми! Мы московские, а то областные!.. И ты в самодеятельность не ударяйся! Я понимаю, тебя за живое задело, но... не сможешь ты.

— Я смогу, — сказал Хохлов, нажал кнопку отбоя и хотел было бросить телефон в стену, чтобы больше не попадался на глаза, но пожалел и аккуратно положил его в пепельницу.

Зря он позвонил Никоненко! Надеялся, что тот, как герой мультфильма, тотчас же явится на помощь, закричит: «Спасатели, вперед!» — и возьмет на себя все сложности нынешней хохловской жизни. Он даже представлял себе, как спасенный, благодарный и немного растерянный Димон приезжает к нему, Хохлову, домой вместе с Ольгой, и они сидят у него на диване, целуются, а Хохлов рассказывает, как непросто ему было разобраться во всей этой чертовщине, но он все-таки разобрался. Димон совершенно оглушен его благородством, лезет со словоизлияниями, а величественный Хохлов говорит что-то вроде «на моем месте так поступил бы каждый» или «на то и друзья, чтобы выручать их из беды»!

Ничего не выйдет. Спасатели не торопятся, а если и прибудут, вряд ли им удастся восстановить мир в том самом виде, в каком он существовал до катастрофы. Да они и не станут восстанавливать! Они лишь разгребут завалы и вытащат из-под них живых и мертвых.

Интересно, каким к тому времени окажется сам Хохлов, живым или мертвым?

Живым — ему ничего не угрожает и вряд ли станет угрожать, если только он не вступит в рукопашную с тем самым «третьим», который украл его деньги и убил Кузю. О котором говорил Никоненко.

Мертвым — если его задавят обломки рухнувшего на голову мироздания, а из-под таких руин уж точно не выберешься никогда, и никакие спасатели не разгребут завалы.

Они дружили двадцать лет — полжизни! Не так уж и мало. Если подполковник прав, и в ограбление замешана старая подруга Родионовна, и Кузя тоже принимал участие, и вдвоем они подставили Димона, а потом Кузя был убит, и в его убийстве Арина тоже виновата, значит, эти полжизни пошли псу под хвост.

И точка.

Хохлов закинул руки за голову, отъехал вместе с креслом и положил ноги в грязных ботинках на стол, прямо на бумаги, чего никогда не делал. И стал качаться.

Тик-так, тик-так — тикали часы в углу.

Не в такт — не в такт — не в такт билось сердце.

Бросить все, уехать в Касимов на рыбалку? Забрать своих собак, всех четырех, и жить с ними в Касимове в двухэтажном домике, похожем на лабаз, с железной перекладиной на воротах, с беленым низом и деревянным верхом! Топить печку и лежать у нее под боком, в дремотном покое, ни о чем не думать и не вспоминать. Ходить к колодцу за водой по обледенелой узкой дорожке, протоптанной в сугробах, откидывать скрипучую крышку, крутить ворот, смотреть, как опускается в черную бездну промерзшая цепь с наростами тонких сосулек.

Дмитрий Хохлов никогда не думал о том, сколько

места в его жизни занимают близкие ему люди. Они существовали, и все, и в этом была такая же определенность, как в том, что утром он идет на работу, а вечером домой, и на смену дню приходит ночь, и никогда не наоборот!

В его новом положении день и ночь поменялись местами, и небо с землей поменялись, и он оказался висящим в воздухе вверх тормашками, и кровь прилила к голове, и дышать стало трудно.

Они все не могут так с ним поступить! Он любил их двадцать лет, он и сейчас продолжает их любить, а они... Они не те, за кого себя выдают! Может, как в фантастическом романе, его близких заменили инопланетяне? Холодный, расчетливый, чудовищно изворотливый разум, который не поддается человеческому анализу?

Им, инопланетянам, все равно, любил их Хохлов двадцать лет или не любил! Им все равно, что с ним станется после того, как откроется страшная правда. Им вообще на все плевать, потому что они — инопланетяне.

Хохлов все качался взад-вперед. Когда он откидывался назад, голова касалась стены, а когда вперед, стол странно приближался и расплывался, как будто в глазах у него стояли слезы.

Он на всякий случай проверил — никаких слез нет, еще не хватает!

Родионовна и Кузя договорились украсть у него деньги. И украли. Родионовна не хотела делиться с Кузей и подговорила какого-то третьего Кузмина убить. Кузе она сказала, что нужно избавиться от третьего и свалить все на Димона, и для этого попросила Кузмина прихватить из дома Пилюгиных пепельницу. Кузя ее прихватил, его убили, и пепельницу подбросили на место преступления.

Так или примерно так видел события Игорь Никоненко, милицейский профессионал.

И что теперь делать ему, Хохлову?!

От того, что невыносимо жгло глаза и в голове горело, ему хотелось на мороз, головой в сугроб, и поглубже, так, чтобы не видеть, не слышать и только остывать.

В Родионовну он был влюблен когда-то.

Так у них ничего и не сложилось, и сейчас, когда ему скоро стукнет сорок, он с трудом мог вспомнить, почему у него с ней не сложилось тогда. Вернее, совсем не мог.

Что-то тогда их остановило, хотя по Красной площади они гуляли и на майские праздники ездили смотреть салют — то есть проделывали все, что полагается проделывать влюбленным. У нее была смешная майка с божьими коровками и два хвоста. Ей было лет девятнадцать, и у них было свидание, самое настоящее, не просто дружеские посиделки во время изучения теории функции комплексного переменного! Почему-то в середине свидания она стала нервничать, и нервничала чем дальше, тем больше, и уже салют ее не интересовал, и светлые майские сумерки не занимали! Она все время оглядывалась по сторонам, и взгляд у нее стал безумный. А потом Хохлов предложил посидеть в кафе, в котором почему-то оказались свободные места. Он был «богатый жених», хоть и аспирант. Зарабатывал он двумя способами. Первый был благородный — он писал статьи в научные журналы и получал гонорары за них. Второй был «криминальный» — он слегка подфарцовывал джинсами в родном институте. И как только они зашли в кафе, Родионовна ринулась в туалет и не вылезала оттуда, наверное, с полчаса.

Хохлов сидел один, пил шампанское, заказанное «для шику», смотрел на улицу, по которой шатались толпы принаряженных и слегка поддатых людей, и смешно ему было, и жалко Родионовну, которая полдня не смела признаться, что ей нужно... пописать.

Еще была бабушка Любовь Ильинична, про которую Хохлов всегда говорил, что тотчас бы женился на ней, если бы она только согласилась. Бабушка была необыкновенная, с необыкновенной фамилией Либензон.

— Митя, — говорила бабушка Либензон, — самое главное в жизни — это найти нечто, для чего вы предназначены. Если вам нравится быть переплетчиком, или поваром, или врачом, или инженером, вы должны быть переплетчиком, поваром, врачом или инженером! Может, вы преуспеете, если станете торговать в палатке, но жизнь пройдет, а вы так никогда и не узнаете, что это упоительная штука! Вы будете скучать в своей палатке, растолстеете и наживете кучу старческих болезней, да так и не поймете — зачем вам все это?! Зачем вам жизнь!

И она говорила это в начале девяностых, когда все ринулись на биржи и в банки, когда лихорадочно учились торговать воздухом и из воздуха же создавать миллионные состояния!

Еще она говорила, что у каждого человека за правым плечом стоит ангел-хранитель, и нужно только время от времени оглядываться через это самое правое плечо, и тогда ангел будет знать, что ты помнишь о его присутствии. Он будет знать и не пустит тебя туда, куда ходить не следует. И спрашивать нужно почаще, правильно идешь или нет, и он покажет тебе дорогу.

Еще были рассыпчатые лепешки, кофе из красной пачки. Были длинные разговоры, многозначительные взгляды, дальше которых, впрочем, дело не пошло.

У Хохлова стало много работы, и Родионовна както отступила, потерялась. Любовь Ильинична умерла, и Хохлову трудно было приезжать к Арине — слишком много воспоминаний, слишком грустно, слишком странно. Ему казалось, что бабушка будет всегда, а она взяла и ушла!..

И после всего этого, что сегодня показалось важнейшим и главнейшим, Родионовна так поступила с ним? Так наказала его?!.

Хохлов, чувствуя, что голова сейчас лопнет, как перегревшийся котел в машинном отделении тонущего дредноута, выхватил из пепельницы телефон, быстро пролистал меню и нажал кнопку.

— Мам, — выговорил он, когда ответили, — мамочка, скажи мне что-нибудь!

— Все будет хорошо, — тут же откликнулась мать, как будто понимала. — А что такое, Митя?

— Ничего, — проскрипел Хохлов. — Все нормально!

— У тебя голос странный. Ты что? Простыл? Если простыл, нужно потереть редьку, смешать с медом и по ложке принимать сок. Слышишь, Митя?

Хохлов подтвердил, что слышит. Редьку с медом, по ложке.

— Ты на работе?

Он сказал, что на работе.

— А папа пошел в гараж менять подфарники, и что-то его нет давно, я даже беспокоиться стала.

— Мама!! — заревел Хохлов. — Я же сказал, чтоб он машину на сервис отвел! На улице тридцать градусов, а он в гараже подфарники меняет! Обалдели совсем! Я же просил!.. Я говорил!..

— Митенька...

— Вот свалится с воспалением легких, узнаешь тогда! Куда его понесло, какие подфарники!..

— Митя, что ты так разошелся?

— Я не расходился! Только это идиотизм высшей марки — переться в гараж и менять там подфарники! Да он же не видит ничего, а в этом, блин, гараже все лампочки перегорели, одна осталась!

— Митя, папа не хотел тебя беспокоить, да и денег ему всегда жалко.

— Каких денег?! Моих?! Так не надо их жалеть, я сам разберусь! Мам, давай звони ему на мобильный, пусть немедленно едет домой! Или нет, пусть ждет, я его сам заберу!

— Митенька, — сконфуженно сказала мать, — у него деньги на мобильном еще неделю назад кончились. Вот пенсию принесут...

— Ма-а́-а-а-ама! — заорал Хохлов, нагнулся и несколько раз стукнулся головой о стол.

Ничего невозможно поделать. Ничего. Они его не слушаются.

— Мам, у вас денег нет?! Так я сейчас привезу! При чем тут пенсия?!

— Митя, у нас полно денег, ты же нам давал на прошлой неделе, много! Только папа не хочет тратить твои деньги на наши телефоны, он говорит, что у тебя и без нас полно трат и расходов.

— Мам, хватит, — оборвал ее Хохлов. — Ты сиди себе, жди отца с подфарником, а я пойду и повешусь. Все, пока.

Он опять опустил телефон в пепельницу.

Ему уже было стыдно за то, что он так орал, и, кроме того, он вдруг вспомнил, зачем звонил.

Он снова вынул мобильник из пепельницы и нажал кнопку.

— Мама, — быстро спросил он, — ты меня любишь?

— Люблю, — ответила мать. — Я тебя, Митенька, очень сильно люблю.

— А ты меня не разлюбишь?

— Нет, — спокойно сказала мать. — Никогда.

— Я... тоже тебя люблю, мам, — надтреснутым голосом произнес Хохлов. — Пока. Отцу привет передай.

Все в порядке. Они есть, хоть и не слушаются, и они его любят. *Хоть это не изменится никогда*!

В дверь постучали, и просунулось скорбное лицо Вальмиры Александровны.

— Дмитрий, — сказала она. — К вам молодой человек.

— Какой молодой человек?

— Зовут Максим Кузмин. Говорит, что вы его знаете.

Кузин брат пришел поговорить о похоронах. Не хочу, подумал Хохлов.

— Дмитрий, вы говорили, что сегодня должны позвонить в милицию. По поводу кражи. Вы позвонили?

— Да, Вальмира Алексанна.

— Они уже их нашли?

— Ну что вы! Вряд ли кто-то их найдет, если мы с вами не найдем!

— Дмитрий...

— Вальмира Алексанна, голубушка. — Хохлов приложил руку к сердцу. — Я поговорю с молодым человеком, а потом уж... мы с вами про милицию. Ладно?

Скорбное лицо поджало губы и пропало. Через секунду распахнулась дверь, и вошел Кузин брат.

— Привет, Мить.

— Привет, Максим.

— Вот как оно вышло.

— Вышло.

— И чего теперь?

Хохлов пожал плечами:

— Не знаю. Менты ищут, а там посмотрим.

— Да кого они ищут-то! Говорят же, арестовали сволочь эту.

Хохлов посмотрел на Кузиного брата. Тот был бледен и зол, и Хохлов понимал его.

— Да пока ничего не известно, Макс. Арестовать-то арестовали, но это еще бабушка надвое сказала, он убил или нет!

— Да чего там надвое, когда Димка у его дома лежал с проломленной черепушкой!

Хохлов даже не сразу понял, кто такой Димка. Ах да, Димка — это Кузя. Вот ведь странность какая, никто и никогда не называл Кузю по имени!

Они помолчали.

— Хочешь, кури, — предложил Хохлов.

Максим Кузмин вытащил из кармана мятую пачку, прикурил и поискал глазами пепельницу. В ней лежал телефон. Хохлов вытащил его, вытер о джинсы и подвинул пепельницу Максиму.

— Ну, чего? Мне сегодня звонили, сказали, что из морга можно будет тело послезавтра забрать. Я уже начал, того... место готовить, и все такое.

Тик-так, тик-так — тикали часы.

Не так, не так билось сердце.

Надо готовить место на кладбище для Кузи. Надо забирать из морга его тело. Нужны гроб, машина, справки, документы, и все. Больше ничего не нужно. А Кузе и этого всего не нужно.

Хохлов ходил по тесной комнате туда-сюда. Сюда-туда.

— Тебе денег дать? — вдруг спохватился он.

Максим пожал плечами:

— Да.

— Я дам, — пообещал Хохлов и опять стал ходить.

— Найти бы ту сволочь, которая брату череп проломила, своими руками бы удушил, — сказал Максим. — Вот ей-богу!

— Макс, Кузя в последнее время говорил, что у него появились деньги. Ты не знаешь, что за деньги, откуда?..

— Нет, — настороженно сказал Кузмин-младший. — Понятия не имею.

— Но он тебе говорил?

— Нет. Да откуда у него деньги, Мить?!

— Вот и я думаю — откуда?

Хохлов не мог остановиться, все ходил и ходил.

— Вспомни, Макс! Может, он тебе говорил, что с кем-то подружился, кто ему денег предложил? Может, он говорил, что собирается большое дело сделать и на нем заработать?

Максим махнул сигаретой, вид у него стал еще более озлобленный.

— Да ни с кем он не дружил, кроме вас! И вот... додружился! Пришили его друзья-приятели! И дел никаких он не делал, все сидел штаны протирал в этом институте вашем! — И он показал рукой вокруг, чтобы Хохлов уж точно понял, в каком именно институте он сидел.

В дверь заглянул Лавровский, и Хохлов кивнул ему, чтобы заходил.

— Здорово, Макс, — сказал Лавровский. — Вот как с Кузей-то вышло.

— Да я и говорю, — злобно подтвердил Максим, — все из-за вашей карусели, блин! Все он к вам таскался! А третий ваш его и...

— Да еще не известно ничего, — жалобно вякнул Лавровский. — Может, еще и не он!

— Да кому еще быть, когда прямо у его дома пришили!..

— Заткнись! — приказал Хохлов. — Димон Пилюгин Кузю не убивал.

— Откуда ты знаешь?

— У меня есть неопровержимые доказательства, — соврал Хохлов от злости.

Максим посмотрел на него, и Лавровский тоже посмотрел.

— Что, правда? — спросил Лавровский.

— Ну-ну, — неопределенно сказал Максим.

Они еще покурили молча. Лавровский махал рукой, отгонял дым.

— Светка не любит, — объяснил он извиняющимся тоном, когда Хохлов свирепо посмотрел на него. — Говорит, когда ты домой приходишь, от тебя дымом несет, как будто ты в коптильне работаешь!

— В общем, господа хорошие, — Максим поднялся и затушил в пепельнице сигарету, — довели братана до могилы, а теперь в благородных играетесь! Давай денег, Хохлов, и поеду я. У меня еще дел куча. Это у вас никаких нету, а мне брата хоронить!

Хохлов молчал. Возразить ему было нечего. Молча он достал из портфеля пачечку купюр и отдал Максиму. Тот спрятал ее в нагрудный карман и шагнул было к двери, но остановился и посмотрел на Хохлова.

— Ты ж там был! Ты же знал, что они друг на друга, как псы, кидаются! Чего ж не остановил, когда они вдвоем пошли?!

— Да откуда я знал! — взъярился Хохлов.

— Пошел ты!.. — устало ответил Максим, вышел и сильно хлопнул дверью.

Лавровский жалобно смотрел на Хохлова.

— Чего тебе? — спросил тот. — Ты чего приперся? У тебя дел, что ли, нет? Работа вся остановилась к свиньям собачьим, что я заказчику скажу?! Ты сидишь с лицом скорбящей Божьей Матери, а этот хрен меня во всем обвиняет!.. Как будто я знал, что...

Тут вдруг в гудящей и горящей его голове наступило временное затишье, словно перестал работать отбойный молоток. Словно там, в голове, невесть откуда взялся участковый уполномоченный Анискин и погрозил ему кривоватым деревенским пальцем.

Думай последовательно, сказал Анискин. И учитывай, учитывай!..

— Я же не знал, — повторил Хохлов, ухватившись за просвет в голове и опасаясь, что он вновь закроется тучами, — я не знал... А он откуда знает?..

— Что? — спросил Лавровский.

— Ничего, — ответил Хохлов.

В его новой реальности он никому и ничего не мог рассказать. Ничего и никому.

Нужно было думать изо всех сил, не разрешать тучам вновь закрыть просвет.

— Мить, мне бы с тобой... поговорить.

— Не сейчас, ладно? Сейчас я не могу, мне... подумать надо.

— Мить, ну мне очень нужно!..

Хохлов отмахнулся.

— Ну Митька!

Хохлов подошел вплотную, нагнулся, взял Лавровского за плечо и сказал сквозь зубы:

— Так. Я тебя слушаю. Можешь говорить.

Совсем близко он видел карие несчастные глаза, повисший нос, но ему было некогда разбираться в Лавровском и его эмоциях.

— Что? Ну? Что?

— Ничего, — ответил тот и сбросил с плеча хохловскую руку. — Я лучше потом, Мить.

— Пошел ты, — как давеча Максим, сказал Хохлов, — только мешаешь!

— Мить, а можно мне уехать? Ну, мне правда очень нужно!

— Да езжай! — заорал Хохлов. Просвет в голове медленно, но неуклонно затягивался тучами. — Езжай, мать твою! Все уезжайте! Только оставьте меня в покое!

Лавровский встал и пошел к двери, и Хохлов следом за ним выскочил в общую комнату.

Помощница Наташа пила чай. Компьютерщик Боря и его напарник в наушниках лупили по клавиатурам — то ли стреляли, то ли в шахматы на время играли. Орлица Вальмира Александровна рассматривала фотографии, помешивая в большой кружке чай.

— Уволю всех к чертовой матери! — проорал Хохлов. — Завтра же! Без выходного пособия! Убирайтесь все отсюда!

Сотрудники моментально осознали серьезность положения и глубину начальничьего гнева, заметались по комнате, так что шелест прошел по разложенным на столах бумагам.

Орлица продолжала спокойно смотреть фотографии, вытаскивая их по одной из цветного бумажного пакета.

— Зачем я столы покупал, если все равно никто не работает?! Для кого?! Для вас, дармоедов, я бы лучше диваны купил, чтобы вы все на них дрыхли! Боря, что у нас с заказчиком?! Где технические параметры? Ты графики сделал, твою мать?! Наташ, ты чего сидишь?! Я тебя к нотариусу когда просил съездить?! Вальмира Алексанна!!!

Лавровский натянул пальто, продвигался к двери.

— А это моя племянница, — хвастливо сказала орлица. — Ну, красавица, да? Вы посмотрите, посмотрите, Дмитрий Петрович!

Она точно знала, что ей ничего не угрожает, и была абсолютно права.

Разгневанный Хохлов подошел и посмотрел на фотографию. Племянница и впрямь была красоткой.

— Бедная девочка, — всхлипнула Вальмира Александровна, любуясь на фотографию. — Мужа потеряла и вот только-только оправилась. Такая умница!

Тут она подняла глаза и чистым взором посмотрела на Хохлова.

— Вы что-то хотели мне сказать, Дмитрий Петрович?

— Н-нет.

— А мне показалось, хотели?

— Я хотел вам сказать, что вы лучший бухгалтер современности, — выпалил Хохлов, понимая, какую ужасную ошибку совершил, когда стал кричать на подчиненных и по чистой случайности — чистая, чистая случайность! — причислил к ним орлицу и коршуницу Вальмиру Александровну.

— Это всем известно, — согласилась орлица. — Вы собираетесь отъехать?

— Я уж практически отъехал, — пробормотал Хохлов. — В психбольницу Белые Столбы.

— Ну-ну! Не переживайте, все обойдется!

— Вальмира Александровна, если придут из милиции, скажите им...

— Скажу.

— И еще покажите...

— Покажу.

— И еще...

— Хорошо, — согласилась Вальмира Александровна и поднялась. — А вы надолго?

— Я еще не знаю, — окончательно раскаялся грешник Хохлов. — Я вам позвоню.

Она величественно кивнула, и он выскочил за дверь, на ходу напяливая курточку «суперагента».

Значит, так.

Ему нужно в институтскую проходную и как-то задобрить коменданта, чтобы ему дали посмотреть видеозапись с камеры наблюдения. Как задобрить его, понятно. И тут Хохлов, проверяя, похлопал себя по нагрудному карману, где лежало лучшее средство для задабривания кого бы то ни было, под названием «денежные знаки».

Ему нужно во двор Пилюгиных, переговорить с охранником, который открывает и закрывает ворота.

И еще. Ему необходимо узнать, откуда Максим Кузмин узнал о ссоре Пилюгина и Кузи вечером перед убийством. Кто мог ему рассказать?! И откуда знал, что он, Хохлов, там был?

Хохлов выскочил из здания, накинул капюшон и побежал к своей машине. В некотором отдалении, за поворотом аллеи, Лавровский разговаривал с какой-то кралей, показавшейся Хохлову странно знакомой. Он что-то говорил, а краля слушала.

Ты допрыгаешься, подумал Хохлов про Лавровского, Светка мимо в магазин пойдет, и будет тебе турецкий марш с барабаном!

Впрочем, ему некогда было думать про Лавровского. Он подбежал к машине, чувствуя как все, что ниже ремня, стремительно деревенеет на ледяном ветру, плюхнулся на промерзшее сиденье, попробовал завести — машина сипела и не заводилась, — и тут позвонила Ольга и прокричала, что она была в общежитии у Кузи, где все разгромлено, и ее там поймали с поличным, и если ее сейчас заберут в милицию, Хохлов должен позаботиться о ее детях, и...

...и, постучав по клавиатуре еще немного, она сняла очки и потерла уставшие глаза. Обычно Арина носила линзы, но они остались дома, а в сумке оказались только очки.

Она потерла глаза, откинулась на спинку хлипкого креслица и огляделась вокруг.

Ей нравилась квартира Дмитрия Хохлова именно потому, что она принадлежала Дмитрию Хохлову.

Столько лет прошло, неужели она все еще питает к нему романтические чувства?

Арина подумала и классифицировала их как слаборомантические. Она задумчиво покачалась в кресле из стороны в сторону.

Сколько лет она его знает? Ну, пятнадцать-то точно! Нет, больше! И с тех пор все ее тянет им восхищаться. Он казался ей очень умным: когда они учились в институте, он знал примерно в сто раз больше, чем она, и еще он умел этими знаниями пользоваться, а Арина не умела. Она могла только тупо подставлять в формулы какие-то другие формулы, и из этого, как правило, ничего не выходило. Хотя ведь все это он проходил с ней по второму разу.

Ты не понимаешь сути процесса, кричал Хохлов. Ты пойми сначала физику, а потом будешь подставлять. Но она не понимала, ей легче было просто подставлять.

Однажды он сделал за нее курсовую работу по предмету, который назывался «теория прочности». Предмет был немыслимый, и задание немыслимое, и самыми немыслимыми были коэффициенты, которые получались в конце сложных выкладок. Например, могло получиться тысяча триста восемьдесят девять целых и восемьсот тридцать две тысячных. Дотошный преподаватель сверял коэффициенты со своей записной книжечкой, а вычислений не проверял, да и как их можно проверить! И мечтой каждого студента было стянуть эту книжечку и списать из нее все коэффициенты.

Хохлов сделал за Арину курсовую, и не ошибся ни разу ни в одном проклятом коэффициенте, и слезно умолял ее не рассказывать сокурсникам, кто именно решал ее задание, чтобы его не сочли тупицей, который только и может скрупулезно вычислять циферку за циферкой!

Она потянулась в своем вращающемся кресле и чуть не упала.

Это были хорошие воспоминания, пожалуй, самые лучшие.

Да еще бабушка!..

Арина приводила всех своих кавалеров, кстати сказать, совсем немногочисленных, к Любови Ильиничне «на проверку». Прошел «проверку» и остался в доме только Хохлов.

Не то чтобы бабушка запрещала внучке встречаться с теми молодыми людьми, которые не вызывали у нее доверия, но у внучки после бабушкиных комментариев пропадала всякая охота их видеть.

— А ты заметила, — доверительно говорила Любовь Ильинична после ухода очередного «претендента», — как он аппетитно ковырял в зубах после курицы? Нет, должно быть, он достойнейший молодой человек, но у него явно что-то не в порядке с зубами. Видимо, кариес.

— Чудесный юноша, — говорила она про другого, — только он странно оглядывался по сторонам, будто что-то проверял. Как ты думаешь, может, он считал метраж? Я теперь беспокоюсь, вдруг ему не подойдет наша квартира!

Третий, на свою беду, представился Петром Ильичом, и бабушка весь вечер величала его то Ильей Петровичем, то Петром Мартыновичем, четвертый отвечал только «да» и «нет» и громко чавкал. Про него Любовь Ильинична сказала, что у него завидный аппетит.

Так и остался один Хохлов, с которым она в удовольствие чаевничала и к его приходу пекла лепешки.

Бабушка умерла, а у них так ничего и не сложилось.

Хохлов вдруг быстро влюбился в постороннюю красавицу, потом быстро разочаровался и автоматически перекочевал в разряд друзей, которые «понимают, поддерживают, подставляют плечо», и рассчитывать на большее было глупо. Некоторое время Арина еще рассчитывала, даже пыталась с ним флиртовать, в меру своих сил, конечно, но все это уже казалось бессмысленным. Игра в слова, как поединок на рапирах с кусочками пробки, насаженными на концы лезвий.

Не обжигает.

Арина встала и обошла комнату по периметру. В ней было мало мебели, и Арине это нравилось: комната казалась очень большой. Ковролин кое-где посерел, но это даже красиво, потому что посерел он странными неровными пятнами, похожими на инопланетные цветы. Если бы был просто белый, выглядело бы слишком похоже на салон красоты или дорогую больницу.

Вечером она поедет домой. Нужно все убрать и постараться привыкнуть к тому, что дом вдруг перестал быть крепостью, привыкнуть и наладить в нем свою новую жизнь. Старую разгромил тот самый человек, который, надев Кузину шапку, бил ее, Арину, и связывал леской руки.

Вспомнив, Арина потрогала губу. Она уже не была огромной, как у лося, но все еще болела, и невозможно было пить горячий чай. Вот чего ей так не хватает сегодня — именно горячего чаю!

В коридоре завозилось и запищало. Она пошла на писк, пошарила по стене рукой и зажгла свет. Огромная собака моментально вскочила на ноги, а ее дети запищали еще громче.

— Ты чего? — спросила у нее Арина Родина. — Ты чего нервничаешь?

Собака смотрела на нее.

Как же мне не нервничать, поняла Арина, когда у меня дети, а хозяин... какое упоительно слово, правда?.. хозяин ушел и оставил меня здесь, с тобой?

— Я не буду к тебе приставать, Тяпа! — уверила ее Арина. — Может, ты поесть еще хочешь? Смотри, ты какая большая, а бока все подвело!

Это была не совсем правда. С момента прибытия к Хохлову Тяпа ела примерно каждый час, и бока у нее раздулись полукружиями над ребрами. Арина опасалась, как бы ей не стало плохо, но вид у собаки был такой, будто ей очень хорошо.

— Ты лежи, — сказала ей Арина. — Отдыхай. У тебя теперь есть Хохлов, а это знаешь, что значит? Это значит, ты не пропадешь!

Собака еще посмотрела на нее, потом на щенков, которые возились у ее огромных лап, примерилась и с шумом повалилась на подстилку. Щенки ринулись к ней.

Дети, сказала собака и прикрыла глаза, это всегда такие проблемы! И это так утомительно. Но я все равно их люблю.

— Я знаю, — согласилась Арина. — Я тоже мечтала, чтобы у меня были дети. А на мне хотел жениться только один человек, но теперь и его убили, представляешь?

Представляю, сказала собака. Я видела, как убивают. Душат металлическим проводом, ловят сачком, кидают в машину. И больших, и детей, всех. Потом сдирают шкуры и продают. Это называется «санитарный подход».

— Ты об этом не думай. — Арина подошла, присела и погладила ее по голове. Голова была очень горячая и огромная, медвежья. Под шерстью чувствовались колтуны и струпья. — Может, нам помыться, Тяпа? Ты умеешь мыться в ванне?

Тяпа смотрела на нее и ничего не отвечала, а потом шумно вздохнула.

— От тебя псиной пахнет, — сказала Арина и еще погладила ее. — Мы бы быстренько, шампунем, а? У тебя небось и блох полно!

Вот что есть, то есть, ответила Тяпа, потянулась громадной лапой и почесала за ухом, раскидав своих детей. И в тепле кусают, спасу нет!

— Тогда нужно мыться! — решила Арина. — Только подожди, я еще попишу немного! Герой как раз только-только взял ее нежную ладонь в свою мужественную руку, а героиня прикрыла фиалковые глаза, чтобы он не прочитал в них тоски и вожделения! Или я неправильно перевела это слово?

Но ей не хотелось уходить от Тяпы и ее детей к тоске и вожделению, и она еще погладила собаку по спине и немного почесала ей живот. Тяпа слегка подвинулась, подставляя места, которые нужно почесать.

— А можно, я твоего ребенка подержу? — спросила Арина. — Одну минуточку? Можно, а?

Самый толстый, самый здоровый и самый похожий на мать щенок крепко спал, не обращая внимания на возню братьев. Вполне возможно, что это были сестры. Арина осторожно подсунула ладонь под сытенькое горячее пузцо и, придерживая второю круглый задик, поднесла песика к глазам. Самый толстый, самый здоровый и самый похожий на мать даже не проснулся.

Осторожно, тихонько прорычала Тяпа.

— Да я стараюсь, — тоже шепотом ответила Арина. — Ты мой славный. Ты мой хороший. Ты мой красавец.

У красавца были крохотные и совершенно поросячьи уши, торчавшие вперед, розовые лапы с коготками, то-оненький и позорно короткий хвостик. Сквозь шерсть просвечивало нежное младенческое тельце. И псиной совсем не пахло.

Пальцем Арина погладила его между ушей, и, не просыпаясь, он скорчил недовольную мину. Спать охота, а тут с нежностями лезут!

Арина вернула его на подстилку, привалила к материнскому боку и поднялась.

— Значит, так, — сказала она. — Сейчас я приналягу на фиалковые глаза, а вы тут все спите. Потом помоемся и опять будем есть. Договорились?

Некоторое время она прилежно переводила американскую ересь в русскую. Она умела работать упорно, не отрываясь, и за это ее ценили в их переводческой конторе. А поначалу даже брать не хотели, у нее ведь не было языкового образования, техническое не в счет, и прошло несколько лет, прежде чем начальство удостоверилось в том, что ее английской спецшкольной лексики вполне хватает для того, чтобы все правильно понимать в «фиалковых глазах» и «пурпурных закатах».

За окнами стало синеть, и очень захотелось есть, но Арина решила, что ни за что без спросу не полезет в холодильник. Чаю еще можно попить, но губа разбита, какой уж тут чай!..

Господи, как же это все вышло?!

И зима, и замерзший, серый город за окнами — все одно к одному.

Она задернула шторы и открыла в ванной воду. Конечно, у Хохлова нет собачьего шампуня, но вполне сойдет и «мужской от перхоти». Блохи от него, может, и не передохнут, но все-таки какое-то количество их смоется.

В ванной стояли две зубные щетки, и на стиральной машине лежали два лифчика — розовый и голубой.

В жизни Хохлова всегда присутствовали женщины, и Арина не должна его ревновать. Как она может его ревновать, если он ей никто?! И все-таки она ревновала.

На лифчики Арина мстительно положила большое полотенце, которое тихонько вытащила из гардероба. Ей же придется чем-то вытирать Тяпу! Интересно, а феном можно сушить собак или нет?..

Когда вода немного набралась, Арина сняла свитер и джинсы, оставшись в белье, и открыла дверь в коридор:

— Тяпа! — позвала она. — Давай сюда!

Собака встрепенулась, подняла голову, но с места не двинулась.

— Давай, мы же договорились!

Тяпа встала и посмотрела вопросительно.

— Давай-давай! Прыгай в ванну!

Собака подошла и осторожно понюхала край белой огромной чаши. Ванна ей нисколечко не понравилась.

— Тяпа, надо мыться, ну!

Та повернула башку и посмотрела на Арину.

Ты точно уверена, что надо? Или, может, как-нибудь... без этого белого, непонятного, да еще с водой, обойдемся?

— Никак! — развела руками Арина. — Ты воняешь, чешешься, с тебя блохи скачут на детей, а ты в приличном доме! Давай. Полезай.

И тут произошло движение, что-то неторопливо взметнулось, как будто слон встал на задние ноги, раздался плеск, и стена воды выплеснулась Арине на ноги. Тяпа стояла в ванне и смотрела вопросительно.

— Черт побери!!!

Залило пол, и маленький рубчатый коврик с рисунком лилии, и еще тапки какие-то стояли в углу, их залило тоже. Арина заметалась в поисках тряпки, нашла, кинула ее на пол, но тряпка не могла собрать всю воду, которую выплеснула могучая туша.

— Ну ты даешь, — говорила Арина, ползая по полу и поминутно выжимая тряпку в унитаз, — ты же большая девочка, что ж ты так сигаешь! Надо было осторожненько, медленно!

Собрав воду «начерно», она расстелила на полу выжатую тряпку и приступила к основной работе. Она полила из душа Тяпу и намылила ее «мужским от перхоти». Собака фыркала и мотала башкой.

— Терпи, терпи, — уговаривала ее Арина. — Что теперь делать? Зато вонять не будешь, и блох меньше станет.

Мыть в ванне такую собаку было все равно что мыть мамонта. Пена летела в разные стороны, вода тоже все время лилась не туда, куда нужно, Арина была мокрая с ног до головы. Вода, которая текла с собаки, была совершенно черной, словно та долго жила на скотном дворе в куче навоза. Воняло мокрой шерстью и улицей.

Ужасная работа. Просто конец света. Не иначе придется делать Хохлову ремонт за свой счет!

После третьего намыливания вода потекла почти прозрачная, и Арина решила, что с них обеих хватит.

Она выключила душ, взяла полотенце и стала быстро промокать собачью спину, чтобы Тяпа не успела отряхнуться как следует. Если успеет — тогда точно ремонт неизбежен. Но уже не только в ванной, а еще и в коридоре! Следом за полотенцем потянулся лифчик, но в пылу работы Арина этого не заметила и обнаружила лифчик плавающим в ванне, в хлопьях грязной мыльной пены и собачьей шерсти.

— Черт побери!

Она выудила бюстгальтер, кинула его в раковину и продолжала вытирать собаку, но полотенце намокло и уже ничего не впитывало.

— Постой, — тяжело дыша, попросила Арина Тяпу. — Я сейчас еще одно принесу!

Ей уже было стыдно, что она устроила такой разор и разгром из такого простого дела, и страшно, что скажет Хохлов.

Она выскочила из ванной, а когда вернулась с полотенцем, довольная и счастливая, Тяпа лежала на своей подстилке, а стены, зеркало, вешалка и, кажется, даже потолок были залиты водой. Все-таки она отряхнулась!

— Ты зачем из ванной ушла?! Кто тебе разрешил?!

Впрочем, спрашивать было бесполезно. Нужно ликвидировать последствия.

Некоторое время Арина судорожно протирала все мокрое, что было в коридоре. Потом метнулась в ванную, где масштаб разрушений оказался ужасен — шерсть, грязь, оседающие хлопья серой пены и вода, вода, вода!..

И тут позвонили в дверь. Арина даже услышала не сразу, потому что, забравшись в ванну, драила кафельные стены. Потом позвонили еще раз, и она замерла с тряпкой в руках.

У Хохлова были ключи. У Гали наверняка тоже есть ключи, хоть Митя и говорил вчера, что она прийти уж точно не может.

Залитые соседи? Знакомые?

В любом случае она, Арина, не станет открывать.

Собака на подстилке негромко зарычала.

И тогда в двери завозился ключ. Это могло значить только одно — пришедший проверял, есть ли кто-нибудь дома, и, убедившись, что нет, решил открыть своим ключом. Арина выскочила из ванной. Под рукой у нее не было ничего, кроме флакона с чистящим средством. Не бог весть что, но, если действовать быстро, можно брызнуть в лицо и на какое-то время ослепить противника!

Она была уверена, что тот человек, который убил

Кузю и не добил ее, явился сюда, чтобы завершить свое черное дело.

Загремел второй ключ, дверь стала открываться и...

...и он спросил громко:

— Есть тут кто?

— Нэту никаво, — отозвался зычный голос. — Вышла все!

Хохлов прошел внутрь, в жарко натопленное тесное помещеньице, где были стол, кровать, телевизор в углу и большой полированный шкаф. На столе громоздилось несколько мониторов, поставленных один на один. В мониторах шло беззвучное черно-белое кино.

В одном показывали кино про ворота, а в остальных про забор.

— Как — никого нету? А ты кто?

— Нэту никаво, — повторил голос. — Ждать нада!

— А ты сам-то где?!

Тут из-за желтого обшарпанного и захватанного многочисленными пальцами шкафа, который когда-то был полированным, выглянула круглая физиономия с раскосыми татарскими глазами и в тюбетейке. Выглянула и спряталась.

— Все обедать пошла. Если надо ворот открыть, я открою!

Хохлов заглянул за шкаф:

— Ты Хаким?

— Я Хаким.

— Ты дворник?

— Зачем говоришь, когда сама не знаешь? Я работник!

Хохлов переварил эту ценную информацию.

— Я тебя видел, — сказал Хохлов и присел на вытертый стул, из которого вылезал поролон. — Тебе Валентина Петровна велела собаку удавить. Помнишь, в подвале?

Из-за шкафа показалось смуглое лицо, на этот раз встревоженное.

— Я ему говорыла — зачэм давыть? Я ему говорыла — у него дети малыя! Я говорыла — не нада! А он мне — дави, Хакимка! Ты выноват, ты сабакам в подвал пустыл! А как мне не пустыт, когда он родыт должен?

Хохлов упер локти в стол и устроился поудобнее.

— Так это ты собаку в подвал привел? Ты сам?

Лицо спряталось за шкаф и не появлялось.

Хохлов молчал.

— У меня тоже дэти, — донеслось из-за шкафа. — Может, мне их удавыть? Они тоже кушять просят! Где я возьму им кушять, если меня работы лишат?

— Кто тебя лишит работы? — удивился Хохлов. В каптерке было жарко, он даже куртку расстегнул.

— Валентин Петров лишит! Ты ему скажешь, что сабакам я прыводила, а он меня работ лишит! Где я работ найду зимой?

Он снова выглянул и испытующе посмотрел на Хохлова.

— Ты Валентин Петров пришла говорыт, что я сабакам приводила?

— А ты удавил ее, собаку-то?

Смуглое узкоглазое лицо расплылось в улыбке:

— Ушел сабакам! Валентин Петров пришел, а сабакам нету! И дэти с собой забрал! Мы прышли, нэту сабакам, и дэтей нэту! — Тут Хаким вдруг погрустнел и сказал с расстановкой: — Только, я думай, замерзал она! Такой мороз! Куда такой мороз, когда дэти?

— Не замерзал, — сообщил Хохлов, невольно начиная говорить так же, как Хаким, который вовсе не был дворником, а был «работником». — Никто не замерзал, Хаким. Я собаку домой забрал, к себе. И щенков забрал. Они теперь все у меня.

За шкафом произошло движение, и большой человек выскочил на середину крохотной комнатки. Он сорвал с головы тюбетейку и хлопнул ею по коленке. Хохлов, не ожидавший такого проявления чувств, даже немного назад подался со своим поролоновым стулом.

— Ай, ай! — вскричал Хаким и еще раз хлопнул себя по коленке. — Ты сабакам забрала! И дэтей забрала! Ай маладец!

Он нагнулся к Хохлову, взял его за плечо и зашептал быстро, горячо:

— Я его кормыл! Я ему малако давал! Он пил. Он сабакам умный. Я малако давал, а потом кастрюль прятал, чтобы Валентин Петров не нашел! А он говорыт — удавы сабакам, а дэтей на снегу поморозь! Развэ я фашист, на снэгу дэтей морозить? А ты сабакам спасала, ай, маладец!

От него сильно пахло луком, немытым телом и каким-то старьем, но он так искренне радовался, так бил себя по коленке, так сиял глазами, что Хохлов, невольно поддавшись его радости, быстро рассказал, как кормил собаку молоком, потом щами, а потом опять молоком и как она все ела и ела.

Хаким слушал с упоением, а потом захохотал:

— Ай, сабакам! Ай, маладец! Весь семья объедал! Малако пил! Щей лакал! Дэтей кормил! Я одын щенок хотэл себе брать. Малчик. У дэвочка дэти будут, куда мне дэтей! Умный сабакам, я тоже брать хотэл, сам подвал живу, прогонят сабакам! Одын не прогонят, четыре, — и он показал на пальцах, сколько это будет, четыре, — прогонят!

— Я тебе щенка привезу, — пообещал Хохлов. — Куда мне их! Только вот подрастут немного, мамку сосать перестанут, и привезу.

— Ай, спасыбо! Ай, хароший чэловек, добрый чэловек! Сабакам жалела, Хакиму щенок обещала! Хаким сабакам грустыла, думала, замерзал сабакам!

Хохлов испытующе посмотрел на него. Тот даже

пританцовывать стал от таких радостных и приятных известий, большой и добрый человек в тюбетейке и ватных штанах.

— Слушай, Хаким, убитого ты нашел?

Тот сразу перестал пританцовывать и замер на месте. Глаза перестали лучиться и стали настороженными, как были, когда Хохлов только зашел в каптерку.

— Хаким нашел.

— Утром?

— Утром.

— А ночью ты ничего... подозрительного не видел и не слышал?

— Милиция говорил. Ничего не слышал. Мне милиция спросил. Я ответил.

Хохлов вздохнул:

— А ты где ночуешь?

Это вопрос почему-то вызвал у Хакима еще большее смятение, чем предыдущий, про труп. Он вдруг быстро ушел за шкаф, уселся там на стул и сложил на коленях огромные обветренные руки.

Хохлов ничего не понял:

— Ты чего, Хаким? Испугался?

— Гдэ я работ найду? — забубнили из-за шкафа. — Зимой работ нэту! А у меня дэти, кушять просят! Куда я пойду работ искат?

— Да что ты опять заладил! Ты что, думаешь, я тебя с работы выгоню?

— Она сказал, что выгонит, если кто узнаэт!

— О чем узнает?! Кто сказал?

— Она сказал. Сэргей Иванов сказала, выгонит работ, если кто узнаэт!

— Тьфу ты!.. — Хохлов вытер вспотевший лоб. — Кто такой Сергей Иванович?

— Охранныk.

— Так. Охранник Сергей Иванович сказал, что тебя прогонят с работы, если узнают... о чем?

— Она сказала, никому не говорыт!

— Послушай, Хаким. — Хохлов зашел к нему за шкаф и навис над ним. Дворник таращился на него темными испуганными глазами. — У тебя есть брат?

— Есть брат. Рахман зовут.

— Вот человек, которого обвинили в убийстве и в тюрьму посадили, мне как брат, понимаешь?! Или не понимаешь? Он никого не убивал, а какой-то подонок, который на самом деле убил, хочет всю вину на него списать, понимаешь?! Мне нужно знать, что случилось во дворе той ночью! Кто тут был, что делал? Помоги мне. Пожалуйста, Хаким! Ты же знаешь, да?

Дворник замотал головой:

— Как мнэ знать? Я не знай! Я не убивала!

— Да не ты! Мне нужно найти того, кто это сделал! Подонка этого найти и... наказать!

— Сэргей Иванов сказала — выгоню тебя с работ, если скажэшь!

Хохлов перевел дух. И что это печка в каптерке так кочегарит?

На одном из мониторов запищал сигнал, дворник — нет, нет, «работник»! — Хаким проворно выбрался из-за шкафа, посмотрел на экранчик и нажал кнопку на обшарпанном пульте. Мониторы были новенькие, а пульт обшарпанный — может, охранники пивные бутылки об него открывали? Замигали лампочки, ворота стали открываться, и какая-то большая машина медленно проползла внутрь.

Хакимка проводил машину глазами и опять нырнул за шкаф.

— Аллах тебе судья, — сказал Хохлов устало. — Не хочешь мне помогать, и не надо. Бывай здоров, Хаким! Береги себя. А я охранников на улице подожду, покурю спокойно.

Он вышел на мороз, вздохнул и достал из кармана сигареты.

Этот Хаким что-то знает. Что-то такое, чего не знает никто, и еще он никому не говорил об этом, потому что боится могущественного Сергея Ивановича.

Что он может знать? Или он... все видел?

Хохлов несколько раз чиркнул зажигалкой, прикрывая ее от ветра. Ветер налетал то и дело, морозный и плотный. Может, погода меняется? Может, потеплеет хоть чуточку?

Дверь каптерки приотворилась, высунулась рука и поманила Хохлова внутрь. Сто лет никто никуда не звал его таким способом.

Он пожал плечами, далеко в снег отшвырнул сигарету и стал подниматься по деревянным ступеням.

— Заходы, — заговорщицким шепотом сказал Хаким. — Брат ест брат, брат спасат нада!

— Надо, — согласился Хохлов.

— Тот ночь охран не была! — выговорил Хаким, когда Хохлов плотно прикрыл за собой дверь и вопросительно кивнул головой снизу вверх. — Тот ночь Хаким была!

Хохлов соображал быстро, хотя звон в голове так и не проходил.

— Так. Охранников не было. Они тебя здесь посадили и ушли, да?

— Часто так. Говорит, хочешь работ, сиды работай! На двор днем работай, тут ночь! Нэ хочешь работ, мы другой найдем! Таких много, у всэх дэти кушять хочет!

— Куда ушли охранники?

— Всегда один места. Всегда водка пить, афтомат играть. Соседний улица афтомат стоит.

— А ты что?

— Я тут сидела. Ворот открывала, ворот закрывала.

— Хорошо, — сказал Хохлов и приступил к главному. — Сколько машин за ночь приехало?

Хаким посмотрел виновато — он не считал.

— Хорошо, — повторил Хохлов. — Ты во сколько сюда пришел?

— Всегда один время. Смена Сэргей Иванов дэсять часов. Он меня звала, ходи сюда, Хакимка, работ для тебя есть! Я уж знаю, когда ее смена. Я сразу пошла!

— Ты пришел в дежурку в десять. Охранники ушли на всю ночь, а тебя оставили открывать и закрывать ворота. Да? Ты спать не ложился?

— Диван лежала, — объяснил Хаким. — За день устала.

— Откуда ты знаешь, что надо открывать, если на диване лежишь?

Хаким удивился.

— Пищит, — сказал он и показал на монитор.

Да, подумал Хохлов, и вправду пищит. Он же сам слышал, монитор запищал, когда подъехала машина, и ворота стали открываться!

— Сколько машин проехало, ты не помнишь, да?

Хаким потряс головой, подтверждая, что не помнит.

— А кто-нибудь входил или выходил?

— Не выходила, не входила.

— Точно?

— Точно.

Расследование удалось, подумал Хохлов. Подполковник Никоненко был бы в восторге от его умения последовательно вести допрос и делать логические выводы!

Никто не входил и не выходил. Сколько машин проехало, неизвестно. Охрана кушала водку и резалась в игры на автоматах.

— А камеры? — вслух подумал Хохлов. — Камеры пишущие?

Последняя надежда была на то, что камера не только показывает ворота, но и записывает информацию на кассеты, как та, что стояла в его офисе, или та, что снимала снаружи институтское здание, — прав, прав оказался подполковник Никоненко, утверждавший, что такая камера непременно должна быть!

Конечно, никаких записей не велось. Домоуправление и тут решило сэкономить! Хохлов, потыкав в кнопки мониторов и не найдя никаких признаков кассет или дисков, от досады длинно выматерился и заслужил тем самым неодобрение в рядах ударников труда.

— Нэ харашо, — сказал ударник осуждающе. — Плохой слова гаваришь!

— А какие мне слова говорить, если ничего у меня не получается?! — закричал Хохлов.

— Одын машин два раза приезжал, — вдруг сообщил Хаким. — Белый машин «жигуль».

И показал на пальцах — два раза.

— Дважды за ночь? — переспросил Хохлов, и дворник кивнул.

— В пэрвый раз полдвэнацать прыехал. Второй раз после тры прыехал. Одын и тот машин.

— Точно?

— Братом клянусь! Здоровьем его клянусь!

— А номера? Не помнишь?

— Такси-машин, — пояснил Хаким. — Крыша-шашечка. Первый раз пасажыр уехала. Второй раз без пасажыр уехала. Пустая.

— Откуда ты знаешь?

— А видно! — сказал Хаким и показал рукой в монитор. — Открывал ворот, видел, нет пасажыр в машин. Закрывал ворот, видел, нет пасажыр!

— Стой, стой! — опять закричал Хохлов, как будто Хаким был лошадью, которая понесла. — Значит, первый раз в полдвенадцатого машина приехала пустая и забрала пассажира, да?

Дворник кивнул.

— Во второй раз, около трех, машина приехала и уехала пустая, да?

Дворник опять кивнул.

— Машина-такси, белые «Жигули», да?

Дворник кивнул два раза подряд.

— Хаким, дорогой, а что на машине было написано? Ну, всегда что-то написано, название фирмы, реклама ресторана, доставка пиццы! Ну, что-нибудь! Вспомни!

— «Гарадской такси» — написана, — сказал дворник твердо. — Буква большой, желтый.

Городское такси, подумал Хохлов. Именно эти слова написаны на зажигалке, которую он нашел в снегу в том месте, где убили Кузю. Там еще кусты были сломаны.

— А вы такси просто так пропускаете? Они подъезжают, и вы открываете ворота, правильно?

— Правылно.

— А остальные? Ты же не можешь все номера знать!

— Список есть. — На столе лежала засаленная тетрадь, Хаким открыл ее, потыкал в разграфленные страницы смуглым пальцем с черным ушибленным ногтем. — Вот ты прыехала, вот твоя машин. Твой список называтся «Гость». С 717 СТ — твоя машин?

— Моя.

— Вот машин, а вот квартыр номер. Ты гость шеснацатый квартыр. Ты приехала, я тебя пустила. Когда гость едет, нам телефон говорыт номер и квартир, куда едет.

Хохлов еще немного подумал, а потом пошел было из каптерки, но остановился.

Хаким уже сидел на своей табуреточке за шкафом, неподвижно, как сфинкс. Руки сложены на коленях, ноги в валенках стоят по стойке «смирно».

...где взять среди зимы работу, если прогонят с этой? Кто станет кормить детей? Охранник разгневается и погонит, ему, охраннику, разве есть дело до какого-то там Хакима? Охранник местный, у него здесь дом, родня, и вообще он на своей земле! Чего ему иноземцев жалеть? Иноземец отработал день, отрабатывай ночь, пока у нас водочка да веселье удалое, дело молодое! А не хочешь, так мы тебя моментально отсюда наладим! У тебя регистрация-то небось липовая или вообще никакой нет?

— Спасибо тебе, — сказал Хохлов громко. — Ты мне помог.

— Сабакам забирала. Сам маладец.

— Я тебе щенка привезу, — пообещал Хохлов. — У меня в шестнадцатой квартире друзья.

— Брат выручай, — Хаким посмотрел на него и улыбнулся. — Брат тюрма сидит — нехарашо!

— Да что уж тут хорошего!

И Хохлов скатился с крыльца, до подбородка затянул «молнию» курточки и побежал к своей машине, достал телефон и...

— ...и я просто ее подожду. Я посижу тихонько и не доставлю вам никаких хлопот!

Мужик замолчал надолго. Похоже, зря она так его умоляет. Ему это кажется подозрительным.

— Нет, вы не подумайте, что я... возглавляю секту свидетелей Иеговы! Мы когда-то дружили с Катей, еще когда в институте учились.

— В институ-уте? — протянул мужик с таким удивлением, будто она сказала, что вместе с Катей летала на Луну и ее девичья фамилия Стаффорд или Армстронг.

— Ну да! То есть наши мужья вместе учились, а мы...

— Му-ужья?! — Это прозвучало угрожающе.

Он стал надвигаться на Ольгу так, что она попятилась и принуждена была схватиться за косяк, чтобы не свалиться с каблуков. Дернул ее черт надеть эти самые каблуки!.. Целый день мешают! Впрочем, она не думала, что ей придется спасаться бегством от разъяренных мужчин.

Этот был разъярен совершенно точно.

— Ну, вот что, голубушка, — начал мужик, и клыки у него по-волчьи ощерились. — Катин муж я. И точка. А вы проваливайте!..

— Па-па! — закричали из глубины квартиры басом. — Па-ап!

Волчьи клыки спрятались как по волшебству. Ощерившийся хищник превратился в добродушного здоровенного пса:

— Сынок, я сейчас!

— Пап, я хоккейные сумки собрал! Мы едем или нет?

— Сейчас, говорю!..

Ольга заглядывала хищнику за плечо, держалась одной рукой за косяк, а другой делала некие приветственные знаки, призванные свидетельствовать о том, что она не враг, а друг.

— Па-ап?!

Кузин сын оказался высоченным, угловатым и худосочным подростком в слишком широких штанах и алой майке с рекламой собачьего корма поперек живота. На животе был нарисован зверь, улыбающийся плотоядной улыбкой, а внизу надпись: «Рагу для собак, не оторваться никак!» Сын жевал морковку, с хрустом откусывал большие куски, двигал челюстями.

— Пап, мы опоздаем!

— До свидания, — сказал мужик Ольге и стал закрывать дверь, но она всунула ногу — вот тут и пригодились каблуки, чтобы упереться как следует, — и дверь закрыть не дала.

— Пап, у тебя чего тут? Свидание?

— Да какое свидание?!

Кузин сын посмотрел на Ольгу. Взгляд у него был нарочито равнодушный, как у всех подростков, которые очень интересуются взрослыми делами, но ни за что не подадут виду, что им хоть сколько-нибудь интересно, потом этот взгляд стал непонимающим, а затем прояснился.

— О! — сказал он. — Привет, теть Оль!

— Привет, — поздоровалась она.

— А вы чего... там стоите? Или вам мама нужна?

Мужик отпустил дверь, которую все пытался закрыть, и уставился на Ольгу.

— Пап, ты чего, не пускаешь ее, что ли?! Так это мамина подруга, тетя Оля!

— Я ее вижу первый раз в жизни, — мрачно сказал мужик.

— Да ладно тебе!..

Великовозрастный ребенок подошел и, оттеснив мужика плечом, сделал широкий приглашающий жест:

— Проходите, теть Оль!

— Спасибо.

— Только мамы все равно нет. Она так рано не приезжает.

Ровными сахарными зубами он отхватил еще один кусок морковки и стал громко хрупать.

Произошла короткая заминка. Мужик явно колебался. Мальчишка проглотил морковку, посмотрел на отца, потом искоса на Ольгу, хмыкнул и спросил:

— Пап, ты че? Не знаешь, что гостей нельзя держать в дверях?

— Мы не приглашали гостей. И мы едем на хоккей.

— Кстати, мы сейчас опоздаем, — сообщил ребенок. — Пап, я же сумки собрал!

— Ты уже говорил. Молодец.

— Можно мне Катю подождать? — умоляюще произнесла Ольга. — Я просто посижу, и все. Мне обязательно нужно с ней увидеться. И именно сегодня!

— А по телефону никак нельзя позвонить?

— Нет, — твердо сказала Ольга. — Никак. А вы... Как вас зовут?

— Илья меня зовут, ну и что?!

— А меня Ольга Пилюгина. Я жена Дмитрия Пилюгина, и мы когда-то все вместе дружили.

— Ну и что?!

— Пап, да это знакомая наша! Я ее знаю! Чего ты к ней пристал?!

— Женя, одевайся. Мы уходим. Извините нас.

— А... когда Катя приедет?

— Она не скоро! — Ребенок закинул в рот остатки моркови и стал натягивать здоровенные, как у великана, башмаки. Башмаки огромные, кулаки тоже огромные, а ручки тоненькие-тоненькие, и когда он присел, собачья майка задралась, и стало видно узкую белую детскую спинку. — Хотя, может, сегодня и пораньше придет. Она пораньше обещала!.. А вы проходите, тетя Оль!

— Женя, собирайся. Мы уезжаем, и... тетя тоже уходит.

— У меня нет Катиного телефона, — скороговоркой произнесла Ольга. — Я еле-еле нашла ваш адрес, через Катиных родителей!

— Как это Мария Семеновна дала вам адрес и не дала телефон?!

— Я ей сказала, что должна передать Кате... ну, бумаги из банка, — покаялась Ольга. — У меня разговор к ней. Очень серьезный. Можно, я останусь и подожду ее?! Ну, пожалуйста!

Мужик колебался. Он смотрел на Ольгу с таким сомнением, что она в конце концов заявила, что может раздеться, а он проверить ее карманы и осуществить личный досмотр.

— Па-ап, э-то те-тя О-ля! — по слогам выговорил Женя, которого рассмешило слово «досмотр». — Вот ты какой, северный олень! Недоверчивый наш!

И он совершенно неожиданно для Ольги взял мужика за свитер, притянул к себе и поцеловал в лоб, будто благословил.

— Женька, отстань, — велел мужик размякшим голосом и легонько подтолкнул ребенка к двери. От «легкого» подталкивания Женька чуть не вляпался носом в железную дверь.

В это время раздался мелодичный звон и осветилось окошечко домофона. В окошечке было видно пустую поселковую улицу, сугробы и бок какой-то машины. Мужик нажал кнопку.

— Илья Иванович, я на месте, — сообщил домофон.

— Мы выходим, — ответил мужик. — Женька, как ты, обутый, пойдешь за сумками? Вечно с тобой!..

— Да я разуюсь!

— Я сам принесу!

— Это наш водитель приехал, — сказал Женя с лихой небрежностью. — Папа не любит, когда его возят, а его служба безопасности говорит, что без водителя никак нельзя! Только папа чихать хотел на службу безопасности!.. Он летом всегда сам...

— Женя, бери сумки и выходи.

— До свидания, теть Оль!

— Пока, Жень!

Волоча две громадные сумки — куда там «челнокам» первых лет перестройки! — задевая за стены, ребенок с трудом протиснулся в дверь, а грозный мужик сунул ноги в башмаки.

— Прошу прощения, — сказал он Ольге и, пыхтя, стал завязывать шнурки. — Я не могу вас здесь оставить. Ну, никак!..

— Позвоните Кате, — устало попросила Ольга. — Передайте ей, что я ее жду.

— Некогда мне звонить!

— Послушайте!

Она вдруг вышла из себя — из-за огромного дома за кованым забором, из-за машины с водителем, которого «папа не любит, но служба безопасности не разрешает ездить одному», из-за невиданных просторов, которые открывались вокруг, — метры и, кажется, километры плитки и темного дерева! И еще из-за того, что она так устала, замучилась, из-за того, что ее собственный сын страдает и не знает, что теперь будет с отцом, из-за бабы Веры, которая устроила погоню, из-за того, что Кузя погиб нелепой смертью, а этот твердолобый пень слышать ничего не хочет!

— Мне нужно поговорить с Катей, и я с ней поговорю! — Она решительно прошла мимо изумившегося мужика и стала снимать шубу. — Дмитрий Кузмин убит. Мы ищем его убийцу. Судя по всему, ваша жена пыталась увидеться с ним накануне смерти! Вам ясно?

Мужик секунду смотрел на нее, а потом моргнул, как сова:

— А вы кто?.. Любительница частного сыска Даша Васильева?

— Я вам уже объясняла сто раз! — огрызнулась Ольга. — Меня зовут Ольга, я жена Дмитрия Пилюгина. Они с Кузей, то есть с Дмитрием Кузминым, учились на одном курсе!

— Подождите, — повелительно сказал хозяин дома, когда она стала снимать сапог, но Ольга ждать не стала. Она стянула сапог и принялась за второй.

Тогда он выхватил из кармана телефон и нажал кнопку.

— Если вы вызываете охрану, — начала Ольга, — то ради бога! Я все равно никуда не уйду, и вы меня не заставите, даже если вызовете сюда авиацию! Мне нужно знать, зачем Катя приходила к Кузе в общежитие накануне убийства. Мне нужно знать, зачем...

— Заткнитесь, — велел он, не взглянув на нее, и Ольга, сама от себя этого не ожидая, послушно захлопнула рот.

— Катюш, — сказал мужик в трубку. — Тут тебя спрашивает Ольга Пилюгина, говорит какие-то странные вещи! Будто Кузмин убит! Ты об этом... ничего не знаешь?..

Ольга молча слушала. Мужик тоже слушал. В трубке верещало.

— Хорошо, — произнес он наконец. — Договорились. Ладно.

Он нажал «отбой», и Ольга спросила:

— Что она сказала?..

Но мужик нажал следующую кнопку и, отвернувшись, заговорил совсем другим тоном.

— Женька, езжайте одни. У меня тут... дела нарисовались! Да все из-за твоей тети Оли! Да. Да. Нет. Нет, я сказал. — На этот раз трубка не верещала, а выла. — Мама сказала, что она уже близко. Дай мне Лешу.

Не слушая воя и прикрыв трубку ладонью, он кивком показал в глубину холла и буркнул Ольге:

— Проходите!

— Спасибо.

И она пошла по просторам бежевой плитки и темного дерева, спиной чувствуя его взгляд и одергивая сзади свитер, как школьница, вызванная к доске и не смеющая оборотиться к классу задом.

— Направо! — издалека негромко приказал мужик, она оглянулась на него — он снимал куртку — и свернула.

За углом — угол был вовсе не угол, то ли круглый, то ли овальный, — открылся небольшой уютный зал, который можно было бы показывать в фильмах «из жизни миллионеров» наряду с мобильными телефонами, инкрустированными бриллиантами, автомобильными салонами, инкрустированными розовым деревом, и хрустальными бокалами, инкрустированными золотом. Вокруг простиралась неописуемая красота, но лучше всего были окна — от пола до потолка, полукруглые, легкие, — и смотрели они в засыпанный снегом сад, синевший в холодных сумерках.

Ольга подошла поближе.

За окнами была небольшая каменная терраска со сдвинутыми к стене плетеными креслами и круглыми фонарями, а дальше лежали сугробы и, не шелохнувшись, стояли сосны, почему-то всегда напоминавшие Ольге гигантский церковный орган. На темных лапах лежали белые подушки снега, и казалось, что дом стоит в волшебном лесу.

За ее спиной раздался шорох, щелчок, и за окнами, по периметру каменной террасы, вспыхнули фонари, и сосны за границей очерченного светом круга провалились во мрак.

Ольга оглянулась. Хозяин дома стоял у двери и внимательно смотрел на нее.

— Зажечь камин? — спросил он после короткого молчания.

Ольга пожала плечами:

— Как хотите.

Он присел на корточки перед громадным белым камином. Стукнула решетка, чиркнула спичка, и чуть-чуть потянуло дымом.

— Кузмин на самом деле... помер?

— Он не помер! — возразила Ольга. — Его убили! Почти на пороге нашего дома.

— Кто его убил?

— Вот именно это мне нужно выяснить, — сказала она очень твердо. — Потому что в убийстве обвиняют моего мужа.

— А ваш муж его не убивал? — уточнил мужик.

— Нет!

Он пошевелил в камине поленья, отчего огонь заплясал живее, и сел на диван.

— Садитесь. В ногах правды нет.

Он еще помолчал, а потом сказал решительно:

— Я бы сам его убил давно. Поэтому ничего удивительного в том нет.

— Как?! — поразилась Ольга.

Мужик сделал неопределенный жест рукой:

— Ну, он был очень неприятный человек. Просто... гадкий.

Ольга оскорбилась. Это было довольно сложное чувство, но основная составляющая, пожалуй, такая — Кузя был частью *нашей* жизни. К *вашей* он не имел и не мог иметь никакого отношения! Что *вы-то* можете знать о том, каким он был, и что заставляло его быть таким?!

Поэтому она сказала язвительно:

— Вам-то что за дело, приятный он или неприятный! Он наш друг, то есть был нашим другом, и для нас важно, кто и за что его убил!

— Мне нет никакого дела до того, кто его убил, — согласился мужик. — Но он очень мешал мне жить.

— Кузя?! — переспросила Ольга. — Вы его, наверное, путаете с кем-нибудь! Как он мог вам мешать?! Кто вы и кто... он?

Мужик пристально и насмешливо смотрел на нее, покуривая сигарету.

— Он не давал мне усыновить Женьку. Он все время мне мешал. Каждый раз поездка на море или в горы у нас выливалась в многомесячную процедуру! А командировки!.. Мой адвокат караулил его у проходной, у общежития, у магазина!.. Чтобы подписать эту чертову бумагу, доверенность! А он только кобенился, мать его!..

Он вдруг вспылил так, что стукнул кулаком по деревянному столику, на котором в корзине лежали красные крепкие зимние яблоки. Одно лежало отдельно, оно покатилось и упало.

— Несколько раз мы оставляли Женьку у бабушек, потому что этот ваш Кузмин так и не подписал нам доверенность! А у меня еще работа такая, я месяцами живу за границей! И вот каждый раз, каждый чертов раз мы гадали, *разрешит* он нам взять с собой ребенка или не разрешит! Соизволит его величество или не соизволит! Когда не разрешал, Катя моталась туда-сюда, чтобы быть то с сыном, то со мной, а этот ваш... друг все только выламывался!.. Когда отменили доверенности, ей-богу, мы в церкви свечку поставили за здоровье того, кто это сделал!

Ольга слушала очень внимательно. Так внимательно, что от тишины, когда он замолчал, у нее даже в ушах тоненько, по-комариному зазвенело.

— И... что? — спросила она, чтобы прервать этот комариный звон.

— Да ничего, — сказал мужик, нагнулся и подобрал яблоко. — Гад он последний, этот ваш Кузмин! Женька ему не нужен, ну, совсем не нужен! Я с ним даже говорить пытался! Ты, говорю, сука, к ребенку не приехал ни разу, игрушку ему не купил, в каком он классе, не знаешь! Какой ты отец?! Я ему говорю, тебе, суке, только бы нам нервы помотать!

— А он?

— А он мне на это — тебе все в жизни задаром досталось! Это мне-то!.. Вот покрутись теперь, попрыгай вокруг меня! Ты вот весь такой из себя успешный, богатый, а я маленький ничтожный человечишка, и будет по-моему, а не по-твоему!

Ольга отошла от окна и присела к нему на диван.

— Не может такого быть, — сказала она, подумав. — Никак не может.

— Чего не может быть?

— Чтобы он так с вами разговаривал! Он всех боялся. Он даже на машине не ездил, потому что боялся гаишников! И еще, что «подставят». Мой муж ему сто раз говорил — кто тебя подставит, кому ты нужен! Подставить на дороге можно того, с кого есть что взять, а у тебя же на лбу написано, что взять с тебя нечего!

— Да он со мной так и не разговаривал, это уж я так!.. Сам додумал, — отмахнулся мужик. — Он со мной вообще не разговаривал! В тот раз я его прижал хорошенько, так он потом от меня прятаться стал.

— А что же тогда вы говорите, что он...

— Да это он Кате говорил, а она уже мне передавала! С Катей он был храбрый.

Ольга вздохнула.

— Да. Это на него похоже. Он и со мной был храбрый. И с Димоном стал, когда понял, что на самом деле может мешать ему работать!

— А мне он мешал жить, — заявил мужик и поднялся. — Катя приехала. Видите, фонари зажглись.

В глубине волшебного леса, который спал за высокими окнами, зажглась цепочка желтых, как в сказке, огней, сугробы озарились, заискрились, как будто повеселели. Там, за деревьями, плавно двигалось что-то большое, и Ольга не сразу поняла, что это машина.

Хозяин вышел, а Ольга задумчиво пошевелила в камине дрова, которые вдруг осыпались целым снопом искр.

Что это может значить?..

Все или ничего?

Мог ли этот человек убить Кузю, потому что, по его словам, тот мешал ему жить, да еще как! Не в том смысле, что он сам дал Кузе по голове, а нанял специально обученного человека, который все это ловко проделал?!

Да, но тогда как Кузя оказался возле их подъезда, как там же оказалась пепельница с каменной русалкой, куда подевалась его ушанка и кто украл деньги из офиса Дмитрия Хохлова?

Нет, не мог.

Ее телефон, который настраивал Степка, содрогнулся в кармане и сказал гнусным голосом:

— Возьми трубку, тебе звонят. Возьми трубку, тебе звонят!

Девочки у нее на работе всегда страшно пугались, когда звонил ее телефон, а Степка очень гордился собой и утверждал, что гнусный голос называется «реалтон», и сейчас это очень модная штука!

Звонил Хохлов.

— Оль, — спросил он почему-то задыхающимся голосом. — Ты была у Кузи в комнате?

— Я... туда только зашла. Я зашла, а там у него все разгромлено! То есть вообще все! И я ничего не успела посмотреть! Но баба Вера, комендантша, сказала, что в ту ночь он вернулся домой! — Ольга отошла к окну и прикрыла трубку рукой. — Он приехал около двенадцати, значит, он тогда еще был жив! А если он в двенадцать был жив, значит, Димона нужно немедленно выпускать!

— Точно около двенадцати?

— Ну да, — зашептала Ольга, оглядываясь. — Приехал, баба Вера хотела ему конверт отдать, а он не взял. Я забрала конверт, он у меня. Какой-то банковский, я еще не смотрела. В тот же день к нему приезжала Катька-зараза. Я сейчас у нее дома. — И она еще понизила голос.

— Молодец, — похвалил Хохлов. Кажется, он совсем не слушал. — Оль, скажи мне, у него на окнах есть шторы? Ну, в его комнате?

Такого вопроса Ольга не ожидала:

— Что у него есть в комнате?

— Шторы! — громко повторил Хохлов. — Што-ры! Такие тряпки на окнах, знаешь, вешают?! Есть или нет? Ты заметила?

Ольга секунду подумала, вспоминая.

Город смотрел прямо в беззащитные Кузины окна, это она хорошо запомнила.

— Нет у него штор.

— Отлично. Тогда все, пока. Созвонимся.

— Митя, Митя! — закричала Ольга.

— Я тебе позвоню. Или сама звони.

Он что-то узнал, подумала Ольга, сжимая в кулаке смолкшую трубку. Или хочет что-то проверить.

Это хорошо, конечно, но ей казалось, что самое главное уже сделано — ее муж не мог убить Кузмина, потому что в двенадцать тот был в общежитии, а Пилюгин в это время мирно спал в супружеской постели!..

— Ольга?

Она оглянулась.

Владелица загородного дома «из жизни миллионеров», хозяйка поместья, бывшая Катька-зараза стояла в дверях. Владелец и хозяин не показывался.

— Привет, — сказала Катька обыкновенным голосом. — Правда, что Кузю убили?

— Да.

— Правда, что Димон убил?

— Нет.

— Ты уверена?

— Да.

Катька-зараза пожала плечами:

— Ты всегда за него была готова в огонь и в воду, это всем известно. За Димона, конечно, а не за Кузю.

Ольга кивнула. Почему-то она была уверена, что они, как все нормальные люди, встретившись через много лет, будут громко спрашивать друг у друга, как дела, печалиться о Кузе и сообщать, что «Женьке уже шестнадцать, а моему младшему всего три», говорить «а помнишь?» и ужасаться тому, что время так летит!..

Ничего этого не происходило.

Бывшая Катька-зараза, элегантная и ухоженная, как журнальная картинка «из жизни миллионеров», уселась на белый стул и выпрямила спину. Ноги она сложила точь-в-точь как принцесса Уэльская на приеме — чуть вбок и одну за другую, а каждый, кто хоть раз пробовал так сидеть, знает, как это неудобно! Должно быть, только одной принцессе Уэльской и удобно, но ту с рождения учили!

Ольга Пилюгина, уверенная в себе, знающая себе цену, любимая мужем, детьми, родителями и друзьями, моментально растеряла всю свою уверенность, и от этого разозлилась.

— Я попросила, чтобы нам подали чай, — сказала Катька негромко. — Если у тебя есть вопросы, спрашивай, хотя я не уверена, что могу чем-то тебе помочь. Мне бы хотелось закончить до того, как приедет Женя. Он еще ребенок.

— Женя — здоровенный мужик, — проинформировала ее Ольга. — Я его только что видела.

Катька посмотрела на нее, и у нее даже бровь не шевельнулась.

— Я рада, что вы увиделись. Итак?..

— Как мило, — сказала Ольга как бы про себя. — Бывший муж убит, а у нас тут чудеса этикета и политеса!

Опять мимо!.. Ничего не произошло. Катька даже не двинулась на своем стуле. Сияющее молодостью и натуральной красотой лицо по-прежнему выражало прохладное внимание.

Нужно будет перед зеркалом потренироваться. Если Катька научилась придавать своем лицу такое выражение — Катька, которая мыла пол в «холле» общежития, которая жарила картошку на вонючем сале, занимала у них с Димоном деньги на яблоки, когда родился Женька! — значит, в принципе этому можно научиться!

— А можно вопрос? — Ольга злилась и очень старалась этого не показать. — Не по теме нашего брифинга.

— Конечно.

— Чем занимается твой нынешний муж?

— Гостиницами. У него несколько отелей в разных странах.

— Должно быть, это очень прибыльный бизнес. — И Ольга, чувствуя себя отчасти Кузей, отчасти скверной девчонкой, повела рукой, словно призывая в свидетели богатство и благолепие дома.

— Это очень хлопотный бизнес, — сказала Катька-зараза. — Ну, и прибыльный, конечно. А вот и наш чай.

Ольга была уверена, что чай принесет горничная в белом переднике и кружевной наколке, ну, или уж в крайнем случае ливрейный лакей, и очень удивилась, когда тележку вкатил этот самый муж-хлопотун, владелец отельного бизнеса.

Он вкатил тележку, аккуратно и красиво составил на круглый столик чашки, чайнички и сахарницу со щипчиками и еще блюдо с какими-то крохотными пирожками, от одного взгляда на которые Ольге немедленно захотелось есть. Оказывается, она с утра ничего не ела!

Ни за что не буду есть, тут же решила она. Пошли они к черту, эти миллионщики! В этот момент она очень хорошо понимала Кузю, который, бедолага, мечтал насолить им хоть как-нибудь!..

Крепкий чай полился в чашку, и сразу вкусно запахло вечером, отдыхом, уютными разговорами.

— Сахар, лимон?

Ольга кивнула.

Катька-зараза взяла в руки чашку с блюдцем, отпила крохотный глоток и неслышно поставила чашку обратно. Теперь она не только сидела, сложив ноги, как принцесса, она еще и чашку держала на весу так, что было, наверное, очень неудобно — и — да, да, да! — очень красиво. Гостиничный муж на диване устроился гораздо более привольно, чем его великосветская жена.

— Ольга, о чем ты хотела меня спросить?

— А ты уверена, что твой муж должен нас слушать?

Миллионщики переглянулись, и — Ольга голову могла дать на отсечение! — он Катьке подмигнул!

— А у нас какие-то интимные секреты?

— Ну-у, — протянула Ольга. — Я не знаю! Может, твоему мужу они покажутся интимными!

— Послушайте, — сказал муж. — Чего вы так утруждаетесь-то? Это не я пришел к вам в дом с вопросами! Это не я заставил вас отложить давно намеченное мероприятие с сыном. Это не мне нужны сведения, которые помогут изобличить виновного и освободить невинного. Да или нет?

— Да, — буркнула Ольга.

— Тогда что за канитель вы устраиваете?

Хороший вопрос, подумала Ольга. Просто отличный.

— Катя, я знаю, что позавчера вечером ты была у Кузи в общежитии, — выпалила Ольга.

— Была, — согласилась Катька-зараза.

Ольга, не ожидавшая такого скорого признания, даже растерялась немного.

— А зачем ты к нему приезжала?

Плечи под белым свитером чуть заметно дрогнули — жизнь миллионеров, знаете ли, еще и не такому самообладанию научит!

— Это имеет значение?

— Да! Имеет!

— Я приезжала, чтобы поговорить с ним.

— Поговорила?

— Нет, я его не видела. Я разговаривала со старушкой, видимо, смотрительницей, и она мне сообщила, что он никогда не возвращается так рано и ждать его бессмысленно.

— Кать, — сказала Ольга. — Ты же там жила, в этой общаге! Это не «старушка-смотрительница», а баба Вера! И она тебя узнала!

— Я и не скрывалась.

— Катя, зачем ты к нему приезжала?

— Ой, да ладно тебе политесничать! — вдруг сказал гостиничный муж со своего дивана. — Все уже, Кать! Нам больше никто не сможет помешать! Послушайте, как вас... я забыл, как вас... простите...

— Ольга.

— Да. Ольга, а Кузмин точно убит?

— Перестаньте говорить о нем в таком тоне! — закричала Ольга Пилюгина. — Вы оба перестаньте! Может, он и не нажил миллионов, может, он был плохой отец, может, он с вами как-то неправильно разговаривал, но он был человек! Человек! И его убили!

Воцарилось молчание, только дрова потрескивали в громадном белом камине. Катька-зараза посмотрела на мужа.

— Ольга, я прошу меня простить, — начала она, будто по его молчаливому знаку. — Кузя причинил нам много... горя и хлопот, и теперь мне трудно искренне переживать о нем. По крайней мере, так искренне, как ты.

— Мне все равно, переживаешь ты или нет, — сказала Ольга устало. — Димон в изоляторе временного содержания. Это так у них называется тюрьма. И я должна узнать, кто на самом деле убил Кузю.

Катька-зараза встала, задумчиво вернула чашку на столик и подошла к камину.

— Наверное, я ничем не смогу тебе помочь. Но зачем я приезжала, вполне могу рассказать. Кузя не позволял Илье усыновить Женю. Мы предложили ему денег, чтобы он подписал разрешение на усыновление.

— Он подписал?

— Он торговался, — сказала Катька-зараза и улыбнулась. От ее улыбки у Ольги стало холодно в спине. — Довольно долго и достаточно успешно. Он хотел дорого продать нам Женьку, и он это сделал.

— Он получил деньги?

— У нас был уговор — я открываю на его имя счет в банке и привожу ему кредитную карточку. Банк по почте присылает выписку со счета, где подтверждается, что сумма поступила. Для него это было очень важно: получить выписку. Он все боялся, что мы его надуем.

— И позавчера ты привезла ему карточку?

— Да.

— А курьер из банка привез выписку?

— Да.

— Ты приехала, а Кузи нет, и ты не стала его ждать.

— Какое-то время я подождала, — возразила Катька-зараза. — А потом уехала. Мне там тяжело, Ольга. Я не люблю... общежития.

Еще бы, подумала Ольга. Еще бы!..

Ты прожила там... сколько? Ну, лет восемь точно! Ты мыла «холлы», готовила, устраивала новогодние елки и украшала ватными шариками стены. Ватные шарики, собранные на ниточку, изображали снег. Ты таскала по лестнице коляску, кипятила в ведре пеленки, и когда подруга отдала тебе деревянный детский стульчик, из которого вырос ее ребенок, ты была так счастлива, что потащила его на себе через весь город. Маршрутки тогда не ходили, а в автобус со стульчиком было не влезть. Ты постоянно считала деньги, на лице у тебя всегда было озабоченное выражение, как у замученной старухи, а ведь ты была молоденькая, девчонка совсем!.. Хохлов, когда начал зарабатывать деньги, придумал, как тебе помочь. Он приезжал в гости и привозил мясо — огромный кусок мороженого мяса, похожий на полено. Он привозил, ты жарила четыре отбивные, и примерно три четверти полена еще оставалось, и Хохлов никогда его не забирал!.. Ты долго не сдавалась и все надеялась, что Кузя наконец-то тебя «оценит», «поймет», ведь ты гордилась им и очень старалась его любить, и мы все это видели!..

Он ничего не хотел понимать и не дал себе труда оценить твой подвиг, и ты рыдала в суде, когда вы разводились. Кузя опаздывал, Светка Лавровская караулила его у входа в суд, а сама Ольга — тогда вы были подругами — сидела рядом с тобой, держала тебя за руку, как умирающую, и тревожно заглядывала в глаза. Потом явился Кузя. На нем был шикарный джинсовый костюм, который ты подарила ему на день рождения, подкопив деньжат, голубые глаза сияли, а в руке он держал огромный желтый букет.

Черт его знает, то ли он до конца не верил в серьезность твоих намерений, то ли решил, что стоит принести букет, и все вернется на круги своя. Ты увидела букет, лицо у тебя стало землистого цвета, и, наверное, ты упала бы в обморок, если бы Ольга и Светка не подхватили, не поддержали тебя, и судья все увидела и поняла, и вас развели за пять минут.

— Пока! — сказал Кузя, когда вы все вышли из суда. — Зря ты все это сделала!

И пошел по пыльной сентябрьской улице, веселый и беспечный, уверенный в абсолютной своей правоте, а ты осталась хватать ртом воздух, как рыба.

Уже потом, позже, он придумал легенду, что ты «никогда его не понимала», что «высосала из него все соки», что «разбила его жизнь» и вообще оказалась «заразой», а нам некогда и неохота было разбираться. Мы продолжали дружить с Кузей, а с Катькой перестали, и как она жила до тех пор, пока не попался ей этот самый Илья, владелец заводов, газет, пароходов и отелей, никто из нас не знает.

Ольга Пилюгина рассеянно потерла лоб, избавляясь от наваждения.

— Карточка, — пробормотала она. — Но карточку в банке может получить только сам владелец, а ты говоришь, что ты ее привезла! Как это возможно?

Катька-зараза махнула рукой.

— Ольга, ну что ты говоришь! Кузя написал на меня доверенность, и мне все выдали. Нотариуса к нему в общагу тоже привозила я. Кузя наотрез отказывался идти в контору и говорил, что у него нет времени на стояние в очередях! Так что, если в следующий раз баба Вера тебе скажет, что со мной приезжал мужчина, знай, что это был нотариус. Ничего детективного.

— Сколько денег вы ему заплатили?

— Полтинник, — буркнул мужик. — А что такое?

— Пятьдесят тысяч... чего?

— Долларов, разумеется.

Бедная Ольгина голова пошла кругом. Пятьдесят тысяч — гигантская сумма!..

— А зачем вам вообще это усыновление?! Женьке шестнадцать. Через два года он станет совершеннолетним! Для чего такие сложности и такие деньги?!.

— Ну, вам-то какая разница?! — почти закричал мужик.

Этюд «из жизни миллионеров» стремительно превращался в картину «все люди одинаковы». Данный миллионер орал и возмущался, как самый обычный мужик, которому не нравится, что к его жене пристают со странными вопросами.

— Мне важно все понять, — как можно убедительнее сказала Ольга. — Мы должны узнать, кто убил Кузю. Если вы не убивали, я должна исключить вас из списка подозреваемых.

— Боже мой, — пробормотал мужик, будто враз обессилев. — Как я раньше не догадался?! Вы чокнутая, да?

— Илья.

— Нет, ну, она же чокнутая?!

— Ольга, — твердо сказала Катя, — вопрос с усыновлением не имеет никакого отношения к убийству. Мой муж гражданин Франции. Для того чтобы Женька по достижении совершеннолетия получил свою часть акций в семейном бизнесе, он должен быть сыном Ильи. Это записано в уставе корпорации, которой владеет его семья. Для нас и для Женьки очень важно, чтобы Илья его усыновил. Поверь мне, Кузя тут вовсе ни при чем!

Ну конечно, подумала Ольга быстро, ни при чем!.. Вам нужно устроить свои финансовые дела, а Кузя вам мешает. Этот Илья нанимает человека, который убивает Кузю и...

...и позвонил еще раз.

Тишина за глухой железной дверью, стилизованной под красное дерево. Посреди двери было латунное кольцо, и Хохлов, устав прислушиваться, еще поколотил в это кольцо.

И после того как он поколотил, стало понятно, что за дверью происходит какая-то жизнь. Тоненько и как будто очень далеко залаяла собака, что-то сильно стукнуло, и женский голос, усиленный динамиком, вдруг грянул посреди лестничной площадки.

— Вы к кому?

Хохлов заозирался, заоглядывался, но никаких динамиков не нашел и поэтому поднял голову и ответил в воздух:

— Мне нужна Наталья Павловна.

Собака залаяла на этот раз оглушительно, будто в микрофон.

— А вы кто? — перекрикивая собачий лай, спросил неведомый мощный голос.

— Моя фамилия Хохлов, я друг Димона, то есть Дмитрия Пилюгина из шестнадцатой квартиры. Мне нужно с вами поговорить.

— Я не стану с вами разговаривать.

— Наталья Павловна! — закричал Хохлов и опять стал озираться. — Я ничего плохого вам не сделаю. Мне просто нужно спросить!

— Меня уже спрашивали в милиции. Я все рассказала.

— Наталья Павловна, вы меня видите?! — И Хохлов повернулся вокруг своей оси, как балерина в финальной сцене балета «Жизель». — У меня нет оружия и вообще ничего нет! Я могу оставить на площадке куртку, чтобы вы не беспокоились! У меня всего два коротких вопроса, и я уйду!

— Я вам не открою.

На площадке было всего две двери. Возле одной из них плясал Хохлов, а вторая вдруг на секунду приоткрылась, из нее показалось любопытное лицо и тут же скрылось. Громыхнуло железо, щелкнули замки.

— Ну, хотите, давайте так поговорим, через домофон! — надрывался Хохлов. — Клянусь вам, я только спрошу и уйду! Клянусь!

— Черт с вами, — сказал динамик. — Сейчас.

То ли из-за мощного голоса, то ли из-за того, что пришлось потратить столько усилий, чтобы уговорить неведомую Наталью Павловну, Хохлов ожидал увидеть могучую и дородную даму средних лет в лосинах и длинной майке.

Когда дверь отворилась, он чуть в обморок не упал.

Наталья Павловна оказалась эфемерной красавицей в джинсах и короткой вязаной кофточке, приоткрывавшей смуглый живот. В пупке блестел бриллиант.

Хохлов открыл и закрыл рот.

— Если вы меня прикончите, — предупредила Наталья Павловна, — не будет вам ни прощения, ни оправдания!

— Я... не собираюсь, — уверил ее Хохлов, косясь на пупочек. — Вы мне только скажите, что вы видели той ночью, когда убили Кузмина.

— Проходите, — пригласила красавица. — Хотите, кофе сварю?

Хохлов истово закивал и сказал:

— Нет.

— Я не поняла.

В просторном холле пахло сухими цветами и кофе, и лежал японский соломенный коврик, и на деревянной лестничке валялась белая шуба.

— Але! — из-за его спины позвала Наталья Павловна. — Вы кофе будете или не будете?

Хохлов помотал головой, на этот раз отрицательно.

— Ну, как хотите.

Из распахнутых двойных дверей выбежала длинная и узкая такса и остановилась, задрав длинную и узкую морду.

— Это Милка, — представила Наталья Павловна.

Такса подошла к Хохлову и зарычала.

— Милка, если он станет меня убивать, тебе придется его порвать в клочки, — сообщила таксе хозяйка. — Понял, мальчик?

— Она же Милка, — глупо сказал Хохлов, но тут такса повернулась к нему задом и стало отчетливо видно, что это и впрямь мальчик.

— Ну и что? На самом деле его зовут Милон. Помните «Недоросля»?

Хохлов не помнил никакого недоросля, и Наталья Павловна пояснила, что комедию «Недоросль» написал Фонвизин, и там как раз есть персонаж, которого звали Милон.

Хохлов смотрел на нее во все глаза.

— Так о чем вы хотели меня спросить?

Она сгребла с лестницы белую шубу, поднялась на две ступеньки и зашвырнула ее наверх. Шуба тихонько сползла обратно. Девица не обратила на нее никакого внимания.

— Вы гуляли позавчера вечером с... Милоном и видели драку. Правильно я понял?

Она вздохнула и пятерней растрепала и без того растрепанные белые волосы. Растрепав, она, кажется, стала еще красивей.

— Ну, что-то такое примерно... Ну, то есть не драку, а как дядька из нашего дома дал второму дядьке в морду. То есть в лицо. То есть по физиономии.

— Что было дальше?

Она пожала плечами:

— Милка залаял, я побежала, и все. Больше ничего не было. Я это в милиции рассказала.

— А где вы были в тот момент?

Она удивилась:

— Во дворе.

Хохлов посмотрел на нее.

— У вас везде объявления, что во дворе с собаками

гулять нельзя, — быстро сказал он. — Что их нужно выводить за территорию. Вы... Милона выводили за территорию?

— Конечно.

Думать последовательно и логично, приказал себе Хохлов, вспомнив наказы подполковника Никоненко. Думать так, чтобы все укладывалось в схему.

— Но дом можно обойти только с одной стороны, — продолжал Хохов, — с той, где подъезд. Они дрались возле подъезда. Вы шли к воротам или возвращались от них?

— Возвращалась. Я с перепугу побежала обратно к воротам, вместо того чтобы к своему подъезду бежать. Мне тогда бы нужно было мимо них, а я... испугалась.

— Так. Вы испугались и побежали к воротам. Дальше что?

— Ничего. Я постояла, постояла и пошла обратно. У подъезда никого не было, я специально заглянула за угол, прежде чем дальше идти.

— Стоп, — сказал Хохлов. — И трупа не было?

— Ну, конечно, нет! Что за глупости вы говорите! Если бы там был труп, я бы от страха...

— Стоп! — закричал Хохлов. — Если трупа не было, тот самый, с кем дрался ваш сосед, должен был пройти мимо вас, если он шел к воротам! Он мимо вас прошел?

Девица подумала.

— Никто мимо меня не проходил.

— Но этого быть не может! Этого просто не может быть, и все!.. — Тут такса Милон, которой не нравились крики Хохлова, залаяла и стала припадать на передние лапы.

— Замолчи, — велел ей Хохлов. — Если он не проходил мимо вас, значит, он вернулся в подъезд! Больше ему идти было некуда.

— Ну, этого я не знаю, — бодро заявила девица. —

Может, он на такси уехал! Там машина-такси стояла, а потом уехала.

— Где стояла машина?

— Довольно далеко, у детской площадки.

— И она вам навстречу не проезжала?

— Нет. Когда мы с Милоном возвращались, она все еще там стояла, а дядек не было, ни одного, ни другого.

Хохлов думал, и ему казалось, что он думает очень последовательно и логично.

— А вы не видели, кто сидит в такси?

— Господи, ну конечно, нет! Водитель там сидел, потому что двигатель работал и фары светились. Но я же вам говорю, она далеко стояла!.. У детской площадки! Может, водитель ждал кого-то!

— Хорошо, — сказал Хохлов. — Хорошо. Спасибо вам большое. А вот когда они... дрались, вы не видели, на том, втором, была шапка или нет?

— Была, — уверенно подтвердила девица Наталья Павловна. — Я еще обратила внимание. Жуткая такая вещь, чудовище, а не шапка! Когда наш дядька ему врезал, треух упал, и тот, второй, ее поднял и на голову нахлобучил. А я убежала. Я думала, что они дальше драться станут, а я этого так не люблю!

— И все это вы рассказали в милиции, правильно?

— Ну да. Только они не спрашивали, кто куда пошел, а просто спросили, видела я драку или нет. Я сказала, что видела. И про шапку они не спрашивали!

— Хорошо, — повторил Хохлов. — Спасибо вам большое.

Он удивился, почему про шапку у домоуправши и Хакима спрашивали, а у нее нет.

— Пожалуйста, — весело сказала девица. — Приходите еще! Я думала, что вы бандит и решили меня убить, как ценного свидетеля, а вы очень даже милый.

— Спасибо, — буркнул Хохлов и опять покосился на пупок с бриллиантиком.

Девица потянулась, для чего закинула за голову руки и выгнула спину. Живот оголился еще больше, и Хохлов вздохнул.

— Кофе точно не будете?

Он кивнул и сказал, что не будет. Точно.

— Тогда до свидания, — попрощалась девица. — Милон, скажи дяде до свидания.

Хохлов кивнул и Милону тоже.

— И не ходите вдоль дома, — напутствовала его девица. — У нас вроде дом приличный, а тоже, знаете, всякое бывает!.. Мне папа, когда покупал эту квартиру, все говорил, что его дочь должна жить в безопасности и под охраной! А у нас тут и убийство, и из окон кидают всякое!.. В прошлый раз камнем метнули, представляете? Как раз когда та драка была! Я думаю — ну, вот тебе, приехали! И драка, и еще камнями кидают!..

Хохлов остановился, чуть не наступив на Милона. Тот зарычал грозно.

— Какими камнями?

— Да черт их не знает! — беспечно сказала девица Наталья Павловна. — Мы к своему подъезду бежали, и тут мимо нас — фьюи-ить! И в снег! И, главное, здоровое что-то! Тяжелое! Прямо в сугроб! Я думала, а вдруг бы мне этой штукой по голове попали?!

— Где?! — закричал Хохлов. — Где это было, вспомните точно?! Где именно?!

Он кричал так громко, что Наталья Павловна попятилась от него, а Милон стал припадать на лапы и бросаться, как настоящий боевой пес.

— Да все у первого подъезда и было... — пробормотала девица. — Как раз там, где они дрались... А что такое-то? Что случилось?

— Все нормально! — заверил последовательный и логичный Хохлов. — Вы просто умница! Нет, вы не просто умница, вы еще и красавица!

— Я знаю, — не моргнув глазом заявила девица. — Все так говорят, не только вы. Ну, и что с того?

Хохлов за передние лапы поднял с пола неистовую таксу, оказавшуюся неожиданно тяжелой, — такса вырывалась, брехала и норовила его укусить, — и с чувством поцеловал ее в морду.

Потом он бросил Милона и поцеловал девицу. Та покачнулась под напором его чувств.

— Шапка, такси, камень в сугробе, — подытожил он. — Все ясно.

Он выскочил за дверь, ринулся вниз по лестнице и только на середине пути вспомнил, что в доме существует лифт, зачем-то побежал обратно, вызвал его, не дождался, кинулся к лестнице, и в это время приехал лифт, и у Хохлова в кармане зазвонил телефон, и...

— ...и что ты делаешь в моем доме?! Да еще голая?!

— Галя, — Арина, попавшая в совершенно идиотское положение, как в комедии, мечтала только об одном: провалиться сквозь землю и выйти на поверхность где-нибудь в районе Антибов, и сразу в комплекте с шезлонгом, чтобы улечься на солнце и ни о чем не думать. — Галя, ты все неправильно понимаешь! Просто у меня дома разгром, и Митя привез меня сюда! Мне просто деваться некуда!

— Да какое мне дело до твоего разгрома! Что это еще за дела?! Я только за порог вышла, и он уже бабу притащил!

— Га-ля! — по слогам произнесла Арина Родина. — Ты что, не слышишь! Посмотри на меня! У меня губа разбита, и все волосы на голове выдраны! На меня напали в моей собственной квартире! Митя приехал и привез меня сюда, потому что мне негде было ночевать!

Маленькая женщина в высокой шапке стогом, которая до этой минуты безмолвно стояла в дверях, сделала шаг вперед, ткнула пальцем в собачью подстилку и спросила брезгливо:

— А это что за гадость?

Арина оглянулась. Она не поняла сразу, какую именно гадость та имеет в виду.

— А... это Митина собака. И ее щенки.

— Боже, что она говорит! — страдальчески произнесла женщина и приложила к вискам ладони с оттопыренными мизинцами. — Какая собака! В этом доме никогда не было никаких собак!

— Мама! — плачущим голосом сказала ей Галя. — Мама, ну что вы с ней разговариваете?! Разве вы не видите, что происходит?!

— Нет, я вижу, — угрожающе заявила женщина и отняла от висков руки. — Я вижу, что происходит! Это же надо набраться такой наглости, чтобы буквально на следующий день прыгать к мужику в постель, разгуливать в чужом доме голой да еще приволочь с собой всякую гадость!

— Мама, теперь вы видите, что мне приходится терпеть! — выкрикнула Галя и зарыдала. — И так все время, постоянно! Это же... это же... нет, это не жизнь, а сплошная цепь унижений! Унижений и оскорблений!

Арина Родина растерялась.

Все происходящее казалось ей неестественным, нереальным, как глупый сценарий все той же комедии, где сценаристу непременно нужно, чтобы героиню «застали» в неположенном месте в неположенное время, и он сочиняет ерунду, только чтобы как-нибудь свести концы с концами.

— Послушайте, — опять начала она. — Ну что такое вы говорите! Галя, ты же меня давно знаешь! Мы с Митей сто лет знакомы. На меня напали. Он привез меня сюда, а сам уехал на работу. Тяпа — его собака, он ее где-то подобрал! Я пыталась ее помыть, и поэтому мне пришлось раздеться.

— Вы сами-то понимаете, какую чушь несете? — ласково спросила маленькая женщина и поддернула свой стог на голове. Открылся влажный бледный лоб с прилипшими к нему волосами. — Вы узнали, что у молодых людей вышла маленькая семейная неприятность, и воспользовались случаем, чтобы занять еще не остывшую постель!

— У каких молодых людей? Какая неприятность?!

— У моей дочери и зятя! — выкрикнула женщина. — Вот у каких! То есть почти что зятя! И вы нагло втираетесь к нему в квартиру, разводите тут своих собак, ходите голая. Тут, где кругом вещи моей дочери и семейные реликвии!

— Реликвии? — переспросила Арина.

— Ах, мама! Да о чем вы с ней говорите?! А еще прикидывалась! И он... он!.. Он говорил мне, что у него с ней ничего нет, что они просто друзья!

— Так не бывает, — решительно отвергла такое предположение маленькая женщина и стала снимать шубу. — У мужчин на уме всегда только одно! Какие такие друзья?! Если он дружит с женщиной, это наверняка значит, что она его любовница! Сколько раз я тебе говорила, учила тебя, и вот когда все открылось!

— Ничего не открылось! — крикнула Арина. — Послушайте меня! Я сегодня же уеду домой!

— Ах, что это изменит! — прорыдала Галя из комнаты. — Цепь оскорблений и унижений, унижений и оскорблений!..

— Мужчина — это две руки, две ноги, а посередине сволочь, — изрекла маленькая женщина. Под шубой у нее оказался белый платок, концы засунуты в подмышки и почему-то завязаны на спине. Для тепла, наверное.

Арину вдруг страшно заинтересовало, как можно завязать на спине платок? На уровне лопаток? Или тетка не сама завязывала, дочка ей помогала?

— Мама, вы посмотрите только! Она и в компьютер

влезла! Кто тебе разрешил включать компьютер?! Как ты посмела все тут трогать?! Если ты просто приехала в гости, то зачем полезла в мои вещи?!

— Да я не лезла! Компьютер мне Митя разрешил включить! Я должна перевод сдать! И я просто сидела и работала!

— Ну, все понятно, Галочка, — сказала мать. Решительным шагом она прошла в комнату и окинула ее подозрительным ястребиным взором. — Она пришла сюда с далеко идущими намерениями. Решила обосноваться тут навсегда! Видишь, девочка, она тут и работает даже! А ты уверена, что в твое отсутствие она не спала в твоей постели? Помнишь, ты на Новый год ездила в Воронеж?! Помнишь?! Я же тебе говорила, что мужиков нельзя оставлять одних! А ты мать не слушаешь и никогда не слушала! Вот тебе живая иллюстрация того, что лучше материнского сердца нет советчика!

— Господи! — воскликнула Арина. — Какая чепуха!

Ей почему-то было стыдно за Хохлова, словно это он давал тут гастроли и говорил глупости делано театральным голосом. Он был совсем ни при чем, но стыдно было именно за него.

— Вот что, женщина, — строго сказала Галина мать и повернулась к Арине. — Дело молодое, они тут сами разберутся, без нас. А вы давайте-ка на выход! Прошли те времена, когда мужиков можно было просто так голыми руками хватать! Вы и сами видите, что вам тут не место. Вы дама интеллигентная, в возрасте, должны все понимать! У вас, женщина, небось, кроме собак этих проклятых, еще и дети имеются? Галочка, у нее есть дети?

— Нету у нее детей! Она все никак родить не может! — Галя появилась в проеме и стала рядом с матерью. — От этого их ублюдка Кузьки хотела родить и то не смогла! Кому ты нужна, старуха Изергиль?! Убирайся вон из моего дома!

— Галя, — попросила Арина. — Остановись.

Собака на подстилке глухо рычала, и Арина все время закрывала ее спиной от разгневанных матери и дочери, все опасалась, что они как-нибудь навредят щенкам.

— Нет, вы посмотрите на нее, мама! Вы только посмотрите! Она еще смеет рот открывать! Сама приперлась в мой дом и рот открывает! Убирайся вон отсюда! Сию же минуту убирайся!

— Галь, ты не понимаешь, — сказала Арина. — Я и так собиралась уехать. Только сейчас я не могу, мне отец замок обещал поменять. Он поменяет, и я поеду домой.

— Не-ет, дорогая моя! Ты домой прямо сейчас поедешь! Прямо сию минуточку! Навострила лыжи на чужого мужика! Своего найди и сиди у него со своими переводами, а этот мужик мой, мой, мой!..

Она кричала очень громко, и собака вдруг резко поднялась, став примерно по пояс Арине, вздыбила на загривке шерсть и зарычала громче.

Мать и дочь одинаково попятились, а потом переглянулись.

— Забирай свое отродье! Ишь, обосновалась тут! Собаку притащила! Ты бы еще ребенка на улице подобрала, дура! — выпалила Галя. — И чтобы духу твоего не было рядом с Димочкой! И собачьего духу чтобы тут не было!! Никогда! Никогда!

Димочка — это, надо понимать, Хохлов.

Никто и никогда отродясь не называл его Димочкой!..

И этот «Димочка» вдруг взбесил Родионовну. Она глубоко вдохнула и взялась рукой за горячее и шелковистое после мытья собачье ухо. Тяпа вопросительно посмотрела на нее. И Арина подумала, что они с Тяпой переглядываются точно так же, как Галя с матерью, — с абсолютным женским пониманием.

— Ты решила, что раз мы поссорились, так ты можешь тут голой расхаживать и тряпки свои раскладывать! — И Галя швырнула на середину комнаты Арины джинсы. — А я тебя все равно выгоню! Выгоню! Выгоню!!

Арина прошагала в комнату и уселась к компьютерному столу. За ней пришла собачища и стала поперек комнаты, перекрывая подступы к Родионовне.

— А я не уйду! — заявила Арина. — И ты что хочешь, то и делай! Я не уйду, потому что идти мне некуда. У меня дома все вверх дном, и замок папа еще не поменял.

— Галочка, вызывай милицию, — приказала мать. — Мы сами не справимся. Давай, давай, звони, говори, что у нас тут кража со взломом, мы в квартире застали злоумышленницу и готовы сдать ее властям!

Галя посмотрела на мать с сомнением. Должно быть, идея показалась ей не слишком хорошей.

— Галя! Вызывай милицию, кому говорят! Мы ее сдадим властям, будет знать, как мужиков воровать и голой шастать!

— Мама, вы уверены? Я здесь даже не прописана, да и Димочка...

— Димочка твой — подлец и ублюдок, вот он кто! Да если бы я знала, кому доверяю свою дочь, если бы я только подумать могла о таком коварстве. — И тут она постучала себя ладонью по лбу, как бы подтверждая, что мысли о «коварстве» решительно не укладываются у нее в голове. — Я бы тебя даже на порог не пустила к этому самому Димочке! Я бы тебя за косы домой приволокла, а вместо этого я вверила твою судьбу негодяю!

— Хохлов никакой не негодяй, — угрюмо сказала Арина. — Успокойтесь, в конце концов!

— Уходи отсюда!! — закричала Галя и покраснела до корней волос. — Что ты тут сидишь и вякаешь?! Вякает она! Проститутка старая! Иди чужих мужиков обхаживай, а со своим мы сами разберемся!

— И с него еще спрос будет! — пригрозила Галина

мать. — Как это возможно?! Обмануть нас вздумал?! Прохиндей бессовестный!

— Хохлов никакой не прохиндей! — еще угрюмей заявила Родионовна.

— Ну, хватит! — решила мать и снова приказала Гале: — Вызывай милицию, кому говорят! Ничего-то без меня толком сделать не можешь! А тебя я сейчас отсюда выволоку, пикнуть не успеешь! Пошла вон! Пошла, пошла!..

Это было сказано собаке, которая по-прежнему тихо и грозно рычала, но почему-то боевая мамаша не приняла ее в расчет. Будто кузнец перед наковальней, она засучила рукава, уперла руки в боки и пошла на Арину.

— Не подходите ко мне! — пробормотала та и на всякий случай отъехала с креслом к стене.

Вот только драки ей не хватало! Драки с Галей и ее матерью в доме у Хохлова!

— Бабу привел! Надо же такому случиться! Да ладно бы еще была молодая, красивая, а то так, плюнуть некуда, посмотреть не на что! Чего глаза вылупила? Убирайся вон отсюда, а с мерзавцем я попозже поговорю по-своему! Нашел дур! Думает, раз Галочка нежная, беззащитная, об нее можно ноги вытирать! Мерзавец, урод! — Она подумала и еще добавила от души: — Половой извращенец!

— Прекратите! — заорала Арина и вскочила с кресла. — Хватит дурака валять! Вы что, обе полоумные?! Если полоумные, нужно не милицию, а санитаров вызывать! И не смейте называть Митю мерзавцем! Не смейте! Он самый лучший человек на свете, и я его люблю пятнадцать лет!

Выкрикнув это в запале, она вдруг поняла, что это истинная правда, только правда и ничего, кроме правды.

— Он всем на свете помогает, он добрый, умный! Он собаку с улицы подобрал, чтобы на морозе не умерла!!! Да! Собаку! А вы хоть кому-нибудь в жизни помогли?! Выручили?! Так, как он?!

Арина знала за собой такую черту — ее трудно было вывести из себя, и до последнего она старалась держаться, но когда бешенство переливало через край, чувство опасного наслаждения, когда она давала себе волю, затмевало все остальные. Она как будто ходила по краю пропасти, балансировала и не знала, упадет или нет.

Галя и ее мать молчали, Тяпа тихонько рычала, орала одна Арина Родина.

— Он меня сюда из жалости привез, а не потому, что он мой любовник! Да я была бы счастлива, если бы он меня любил хоть один день в своей жизни, а он меня никогда не любил! И вы еще смеете его называть прохиндеем! Да он порядочней всех на свете, и моя бабушка всегда говорила, что он самый лучший из всех моих парней! — Она перевела дух, как будто осознала себя над краем пропасти. — А сейчас убирайтесь отсюда! Обе! Сейчас же! Ну?!.

— Держи ее, она бешеная! — крикнула Галина мать и кинулась вперед. Галя побежала было за ней, но остановилась, не решаясь.

Родионовна, уже понимая, что придется принимать бой, проворно укрылась за креслом, присела, и маленькая цепкая мамашина ручка вцепилась ей в волосы, как раз в то самое место, которое болело еще с прошлого раза и воспаленно пульсировало.

Арина взвыла, слезы брызнули у нее из глаз, она стала отрывать от себя вцепившуюся руку, и тут над ней произошла какая-то короткая схватка — она не видела, что именно, потому что от боли не могла разлепить глаз, — послышался тяжелый прыжок, рык, визг, что-то с грохотом упало, и вершиной какофонии стал громовой голос, грянувший как с небес:

— Что здесь происходит?!

Арина, чувствуя, что больше никто не держит ее за

волосы, проворно поползла и остановилась, только упершись лбом в стену. Перебирая руками, она поднялась и тут разлепила глаза.

Ничего особенного не происходило, только кто-то все еще продолжал дубасить ее по голове короткими острыми ударами, в самое темечко.

Раз-раз-раз, удар за ударом.

Пытаясь защититься, она закрыла уши руками.

Кресло было перевернуто, колеса у него крутились, и все в разные стороны — по крайней мере, Арине так показалось. Галя в отдалении беззвучно открывала рот, приседала и хлопала себя руками по бокам, как наседка. Из пасти собаки Тяпы свешивалась человеческая кисть, которая шевелила пальцами, как в фильме ужасов.

— Ти-ха!! — Это гаркнул Хохлов. Во все горло.

Он не может гаркнуть, потому что его здесь нет. Здесь только Галя и ее мать, которые называют его негодяем и прохиндеем и грозятся подвести под монастырь!

— Ти-ха всем! Тяпа, фу! Фу, я сказал!!

И тут произошло чудо. Удары в голову прекратились, и оказалось, что это были не удары, просто такой громкий крик, что Арине чудилось, будто он лупит в самое темечко.

Как только мамаша перестала вопить, стало слышно, что Галя приседает и бьет себя по бокам не беззвучно, а с причитаниями.

— Тяпа!!!

Могучие челюсти разжались, рука вывалилась из пасти, изрядно помятая и обслюнявленная.

— Что здесь происходит?! Тяпа, место!!! Арина, что происходит в моем доме, я спрашиваю?!

— Убиваю-у-у-ут! Спаси-и-ите! Помоги-и-ите! — тихонько простонала обслюнявленная Галина мамаша.

— Врача! — пискнула Галя.

Громко стонать и пищать никто не решался.

Хохлов кинул на пол какие-то пакеты, целую кучу, подошел, отпихнул Тяпу и ощупал мамашину руку.

— Зачем вы засунули ладонь ей в рот, Тамара Германовна? — осведомился он. — Хорошо, что она не откусила, а могла бы!..

— Она бешеная! — задыхаясь, простонала мамаша и села на пол. — Бешеная она! Усыпить! А мне укол! Укол в живот!

Хохлов еще пощупал, а потом приказал:

— Пойдите и вымойте руку, она вся в слюнях! Арина, почему ты без штанов?! Галя, как ты сюда попала?! Мы же решили, что ты здесь больше не живешь! Тяпа, место, я сказал! Почему на полу вода? Меня опять залили?

— Это я тебя залила, — призналась Арина. — Я мыла собаку, а она отряхнулась, и вот теперь вода кругом.

— Что ты делала? — переспросил Хохлов.

Арина совсем сникла:

— Собаку мыла.

— Таких собак, — сказал Хохлов назидательно, — моют на автомобильной мойке. В ванне их мыть нельзя. И чем ты ее мыла? Моим французским шампунем?

— Она бешеная! Они обе бешеные! Она на меня собаку натравила! Мне теперь придется уколы колоть! Ты мне заплатишь! Ты мне за все заплатишь, урод проклятый!..

— Да вы посмотрите на руку, Тамара Германовна, — предложил Хохлов, — на ней ни одной царапины нет, рукав даже не порван! Какое бешенство?! Кто вас травил собаками?!

— Твоя любовница, — пропищала Галя. — Твою любовница натравила собаку на мою мать!

— Ты мне за все-о-о-о, за все-о-о-о заплатишь! Ты думал, что просто так отделаешься?! Не на ту напал! Все у тебя отберу, деньги отберу, квартиру отберу, машину, голым в Африку пущу, куда ворон костей не заносил!.. По суду отберу, сейчас у народа все права есть!.. — выла мамаша.

— Вы... о чем это? — спросил Хохлов. — Галь, зачем тебя сюда принесло?! Мы же все решили!

— Ни... ни... ничего мы не... не решили! Это ты меня бро... сил... подонок!

— Я подонок, — согласился Хохлов. — И я тебя бросил. И дальше что?

— Мить, — тихонько сказала Арина, — я, пожалуй, поеду. Где моя одежда?

— Понятия не имею. Я тебя не раздевал, — заявил Хохлов с ужасающей бесцеремонностью. — Подбери пакеты с пола и засунь еду в холодильник. Поняла?

— Митя, я не могу...

Хохлов подошел к ней, взял за руку повыше локтя и поволок за собой. Она упиралась, но шла, потому что он был сильнее, еще болела рука, за которую он ее схватил.

Он втолкнул Арину в кухню, вышел и через секунду вернулся с пакетами.

— Разбирай. Сделай что-нибудь полезное.

— Митя, я не могу. Я поеду домой.

Хохлов смерил ее странным взглядом:

— Ну, судя по тому, что я слышал с лестницы, у тебя ко мне любовь. Последние пятнадцать лет. Поэтому делай то, что я говорю.

Арина смотрела на него с ужасом.

— Ты слышал?! Послушай, Мить, это... неправда! Я... просто так сказала!.. Я сама не помню, что говорила!..

Она бормотала, а Хохлов стоял и слушал. И Арине было очень страшно.

— Она говорила, что ты подонок и мерзавец, а я сказала, что...

— Да, да, — подбодрил ее Хохлов. — Ты сказала, что я лучший человек на свете. Это я тоже слышал. Ты пока займись сумками, а я разберусь... с дамами.

Он вышел, а она осталась одна на кухне и вдруг

осознала, что он *на самом деле* все слышал!.. И теперь непонятно, что нужно делать, как жить дальше, как оправдываться и убеждать его в том, что она не собирается ему навязываться!..

Вернее всего было бы, конечно, одеться и уехать, но путь к отступлению отрезан — за дверью гремел Хохлов и повизгивали мать и дочь, и было ясно, что это надолго — страсти разыгрались нешуточные.

Тут вдруг Арина еще дополнительно осознала, что на ней нет никакой одежды, кроме лифчика и трусов, а бледные, отливающие синевой ноги кое-где в собачьей шерсти, и волосы на голове торчат в разные стороны, и вдобавок с одной стороны выдран значительный клок, и там, видимо, теперь всегда будет лысина!

Арина Родина застонала, заметалась, ища во что бы завернуться, но так ничего и не нашла — кухонные полотенца были слишком малы и никак не желали сходиться на животе. Хотя живот и оставался плоским благодаря Ксеникалу — незаменимой голубой капсуле. Арина никогда не поправлялась и считала, что это у нее особенность такая, не поправляется она, и все тут!.. Но в прошлом году, как раз перед вожделенной поездкой в Ялту, вдруг выяснилось, что она не может влезть ни в один купальник, а сарафан так обтягивает живот, что ехать в нем невозможно, неприлично!.. Пришлось покупать другой сарафан, который Арина возненавидела уже за то, что он был на два размера больше.

Диет было перепробовано великое множество, и все без толку, разумеется. Если бы не рекомендации врача по правильному питанию и назначенный им же Ксеникал, стройная фигура могла навсегда остаться мечтой. Волшебный препарат не подвел, и этим летом любимый сарафан уже ничего не обтягивал, а развевался на горячем крымском ветру, как и положено сарафану. Арина с той поры уверовала в голубые капсулы и швейцарское средство всегда держала дома, зная, что с ним она уж точно похудеет!..

Дверь распахнулась и вошел Хохлов.

— Как?! — поразился он. — Ты так сумки и не разобрала?!

Арина пулей пролетела мимо него, подобрала с пола джинсы, натянула и стала искать свитер. Кажется, она оставила его на диване, но сейчас там не было никакого свитера.

— На, — сказал подошедший Хохлов и сунул свитер ей в руки. — Он лежал рядом с собачьей подстилкой.

Арина натянула свитер, вынырнула из горла, вытаращила на Хохлова глаза и замерла.

— Что смотришь? — спросил он как ни в чем не бывало.

— А где?.. Где они?..

— Ушли писать заявление в милицию и в суд. Я посоветовал написать еще в пожарную охрану, — пояснил он. — Слушай, я есть хочу, помираю. Давай, что ли, хоть омлет поджарим! Хотя я купил свиных отбивных. Ты умеешь жарить мясо?

— Мить, ты же знаешь, что я умею жарить все, — тихо сказала Арина. — Даже семечки. Но я должна поехать домой.

— Зачем?

— Как — зачем?! Затем, что я не могу здесь больше оставаться!

— Ах, я институтка, — фальшиво пропел Хохлов, — я дочь камергера! Я черная моль, я летучая мышь! Ты в этом смысле не можешь остаться?

— Я не могу остаться ни в каком смысле.

— Родионовна, ты дура, — решил Хохлов. — Я думал, что ты умная, и ошибся. Я почти нашел того, кто убил Кузю. Почти нашел, Родионовна! Ты знаешь, что прототипом Милона в комедии Фонвизина «Горе от ума» послужил князь Юрий Николаевич Долгорукий-Эльстон?

— «Горе от ума» написал Грибоедов, — не моргнув глазом поправила Родионовна. — Фонвизин написал «Недоросля». Кто был прототипом Милона, я не знаю, а прототипом Митрофанушки был Оленин, ставший впоследствии президентом Академии наук.

— Садись, пять, — сказал Хохлов. — Ставлю в журнал, и в четверти выходит пятерка! Поняла, Родионовна?

— Митя, что с тобой такое?

Он потянулся всем телом. Свитер задрался, стал виден голый волосатый живот, Хохлов крякнул и стыдливо поддернул джинсы.

— А я сегодня одного щенка пристроил! В хорошие, надежные татарские руки! А может, и узбекские! Но это совершенно неважно, потому что главное, что они надежные! Ты какого хочешь отдать, Родионовна? Хотя нужно сначала посмотреть, кто из них мальчик! У дэвочка дэти будит! Куда дэти денешь?

— Митя, что случилось?!

— Слушай сюда, Родионовна!

Он с размаху вытащил из принтера листок белой бумаги, рывком поднял кресло, уселся в него и начал быстро писать.

— Смотри.

Она подошла и стала смотреть через его плечо. Так было тысячу раз. Он быстро писал, решал ей уравнения математической физики, в которых она плохо соображала, а Арина смотрела через его плечо, как он решает. Она именно смотрела *как*, не вникая в суть, потому что ей очень нравилось, что большая рука с обветренными и красными пальцами крепко держит тоненькую шариковую ручку, завязывает в странные узлы странные математические символы, и он оборачивается, блестит глазами, счастлив, что получилось «красиво»!

Что там красивого? Как формулы могут быть красивыми?!

— Але! Гараж! Ты слушаешь?

— Да. Стараюсь.

— Димон пошел провожать Кузю, они поссорились и подрались. Это видели Наталья Павловна с бриллиантом в пупке и ее собачка Милон Кретонский.

— Митя?!

— Да, да. Соседка Пилюгиных из другого подъезда, квартира номер восемнадцать. У нее в пупке бриллиант, а собачку зовут Милон. А кто такой Милон Кретонский, ты не помнишь?

Арина подумала немного.

— Кажется, это из Дюма.

— Из Дюма-отца? Или из Дюма-сына?

— Я не помню.

— Соседку черт понес собачку выводить, на наше счастье! Она увидела, что двое дерутся, и дала деру. Постояла у ворот и пошла обратно к подъезду. Она, видишь ли, Родионовна, очень не любит, когда дерутся, и поэтому сначала выглянула из-за угла, чтобы убедиться, что больше не дерутся. Трупа тогда никакого не было, и навстречу ей никто не шел, зато у детской площадки стояло такси. Дворник Хаким, которого охранники оставили дежурить, сказал, что около двенадцати машина-такси заехала во двор и выехала с пассажиром, а около трех заехала и уехала без всяких пассажиров! Девица утверждает, что на Кузе, когда он дрался с Димоном, была шапка и свалилась, когда Димон ему засветил. Кузя треух поднял и нахлобучил на голову! Но когда его нашли, он был без оного, и менты сказали, что удар по голове шапка как раз могла смягчить, а ее не было!.. Куда она делась? Как она потом к тебе попала?! Кто ее забрал?!

— Кто? — ошарашенно спросила Арина.

— Таксист! — проорал Хохлов. — Ее забрал таксист

Кузя сел в такси и снял треух, потому что там было тепло! Шапка осталась в такси, и из этого следуют два возможных вывода: или его убил таксист, или его убили где-то по дороге. Он вышел, его убили, а шапка осталась в машине. Ну, просто он ее забыл!

— Нет, — живо перебила Родионовна, которая примерно с Милона Кретонского начала серьезно слушать. — Ничего подобного! Шапку мы подобрали у меня в квартире, да? Значит...

Хохлов секунду подумал.

— Все правильно. Ее оставил тот тип, что к тебе вломился, значит, это и есть убийца, следовательно, это и есть таксист, потому как мы сейчас установили, что шапка могла остаться только в такси!

— Да нет! — возразила Арина энергично. — Он мог выйти из такси в ушанке, а потом его кто-то убил и забрал шапку. Такси и ушанка никак не связаны, Митя! То есть они могут быть связаны, а могут и не быть, понимаешь?

Хохлов ручкой почесал в затылке:

— Крах версии номер один. Или не крах?

— Тебе нужно понять, из-за чего его могли убить! Если из-за денег, о которых он все время говорил, то из-за каких именно? Которые у тебя украли? Или нет?

Хохлов вдруг вскочил, и многострадальное компьютерное кресло отлетело к стене и опрокинулось. Колеса завращались.

— Черт! Черт, черт, черт! Я же совсем забыл про эти деньги!

— Про какие именно деньги ты забыл?

— Про те, что у меня украли! Я же видел машину, на которой эта сволочь их увезла! Сволочь в шубе!

— А... где ты ее видел?

— Да в комендатуре института я ее видел! Мне Никоненко сказал, что так оно и будет, и точно! Весь фасад института простреливается камерой, которая у солдатиков стоит! Институт-то наш, глубоко научный, солдатики охраняют! Они мне и показали видеозапись той ночи, когда деньги тиснули и Кузю убили! И все подтвердилось, что Никоненко говорил, — стояла на шоссе машина, и в нее дамочка села с пакетом, и машина уехала! И заметь, дамочка села на пассажирское место, значит, в автомобиле водитель был! Ты помнишь Игоря Никоненко?

Арина пожала плечами:

— Помню. Он дружит с Пашей Степановым, который у нас супермаркеты строит, а ты дружишь с Пашей, потому что именно твоя контора рассчитывает для супермаркетов крыши.

— И заметь! — назидательно сказал Хохлов. — Еще ни одна крыша, которую мы считали, ни на чьи головы не упала и не упадет, а все почему?

— Почему?

— Потому что я теорию прочности в институте изучал, — пояснил Хохлов с удовольствием. — Коэффициенты долбаные считал! С ума сходил, но считал! Вот ты, Родионовна, знаешь, чем отличается сталь марки 30 ХГСА от стали марки 12 Х18 Н10 Т?

Арина призналась, что не знает.

— Вот так-то! — объявил Хохлов. — Нельзя тебе, Родионовна, голубка дряхлая моя, доверять строительство супермаркетов и крытых рынков. Я бы ни за что не доверил!

— Да я и не берусь, — пробормотала совершенно уничтоженная такими его познаниями Родионовна, дряхлая голубка.

Хохлов походил по комнате и лег на диван. Свитер задрался, и опять стал виден голый волосатый живот. Она посмотрела и отвела глаза.

— Жрать хочу, не могу, — признался Хохлов. — А ведь никто не кормит, никто не кормит!

После чего он некоторое время полежал молча.

Родионовна подошла и присела у него в ногах.

— Мить, а Галя с мамой... правда решили на тебя заявление в милицию писать?

Он пожал плечами.

— А у тебя неприятностей не будет?

— Какие у меня могут быть неприятности, — досадуя на такой глупый вопрос, отмахнулся Хохлов, — если подполковник Никоненко дружит с Пашей Степановым, а Паша дружит со мной каждую субботу в бане и кроет свои супермаркеты моими крышами?! То есть кроет он, конечно, не в бане, но...

Он закинул руки за голову и стал думать, и думал довольно долго, а потом сказал:

— Знать бы, о каких деньгах говорил Кузя! Только вот как это можно узнать?!

— Я уже все узнала, — громко и отчетливо произнес женский голос.

Арина подскочила и схватилась за бок с левой стороны — видимо, у нее остановилось сердце. Хохлов свалился с дивана, но быстро поднялся.

— Как ты вошла?!

— Да все открыто. Настежь. — Ольга Пилюгина, устало сгорбившись, прошла в комнату и плюхнулась на стул. — Я больше не могу. Сейчас умру.

— А моя сторожевая собака? — спросил Хохлов. — Надежда и опора семьи?! Как она тебя впустила?

Ольга вяло пожала плечами:

— Дайте мне выпить, а?

Хохлов воодушевился.

— Вот это отличная мысль! — воскликнул он и погрозил Ольге пальцем, как бы шутейно, — просто замечательная мысль! Сейчас все будет. Я все подам.

— Это я подам, — сказала Арина. — Мить, вернись! Я сейчас все принесу, через пять минут.

И действительно принесла, и через пять минут.

Все вкусное, что Хохлов привез в нескольких пакетах, было нарезано кружочками, красиво разложено и украшено петрушкой. Были поданы отдельные стаканы под виски и отдельные под сок — Хохлов понятия не имел, что у него есть такие стаканы, и даже лед в вазочке.

— Вот это да! — сказал Хохлов, заглянув в вазочку.

Он быстро разлил виски, тяпнул, запил, заел и налил еще.

— Я знаю, о каких деньгах идет речь, — заявила Ольга Пилюгина. — И теперь вообще все запуталось!

— Что за деньги?

— Катькин муж обещал Кузе заплатить пятьдесят тысяч долларов за разрешение на усыновление Женьки.

Хохлов присвистнул, а Арина посмотрела с изумлением. От виски стало тепло не только в животе, но и сбоку, где только что со страху все обледенело.

— Вот именно. Были какие-то сложные договоренности, что Катька привезет ему карточку, на которую будут положены деньги. Карточку она получила в банке по доверенности, которую подписал Кузя. В тот день она приехала в общежитие с бумагами на усыновление, чтобы обменять их на карточку. Пакет, который Кузя отказался забрать у бабы Веры, — это выписка со счета из банка о том, что на его имя поступил платеж. Я проверила. Все правильно.

Хохлов махнул еще виски, и Родионова сказала ему зачем-то:

— Ты закусывай, Мить!

— Я закусываю! — отмахнулся Хохлов. — Значит, скорее всего, именно на эти пятьдесят тысяч он и собирался жить с Родионовной. Шикарно жить.

Арина отвернулась.

Ей вдруг так жалко стало Кузю с его «коммерцией», что слезы навернулись на глаза. Он продал свое право называться отцом за пятьдесят тысяч долларов, которые ему, как и всем нормальным людям, представлятся миллионами, и радовался, и был страшно горд, и го теперь посмеет его осуждать?!

— Значит, так, — сказал Хохлов, жуя колбасу с хле-ом. — Человек, который его убил, знал об этих день-ах. Еще он знал, что Кузя собирается на тебе жениться. тебе он пришел именно за этими деньгами, и тогда, ыходит, мои деньги к Кузиным не имеют никакого тношения! Да? Да! И именно пятьдесят тысяч искали него в комнате. И все там разгромили!

— Мить, а может, это Катькин муж решил денежки ернуть обратно? — задумчиво спросила Ольга. Она ела между коленями озябшие руки, и плечи у нее гор-ились. — Он на меня произвел впечатление... серьез-ого мужика. И Женьку ему позарез нужно усыновить, тобы передать ему свой бизнес! То есть, конечно, не н сам Кузю убил, но кто-то из его охраны, например, полне мог.

— Это ерунда все, — бодро ответил Хохлов и паль-ами зачерпнул из лотка корейскую морковь. — При-ер типичной во всех отношениях женской логики. от скажи мне, зачем тогда этот муж городил огород с арточкой, выпиской, доверенностью? Зачем Катька к узе в общагу приезжала? Ну, дал бы Кузе кто-нибудь го лет назад по голове, а дело бы менты прикрыли за едоказанностью, и все!.. В Романовке тяжелая кри-иногенная обстановка, это всем известно.

Они помолчали.

— Да, — согласилась наконец Ольга Пилюгина. — ы прав. Тогда кто?! Кто это может быть?!

— Свиной пыхто, — задумчиво сказал Хохлов. — Іли конь в пальто. Дамы, еще по глотку виски?

Дамы покивали. Всем хотелось виски, просто безу-ержно.

— И, главное, он домой пришел! — отдышавшись осле приема живительного напитка, опять начала)льга. — Кузя же пришел домой после того, как ушел

от нас! Значит, он жив был! С бабой Верой разговаривал! Вряд ли с ней мог разговаривать Кузин труп!

— А о чем они говорили?

— Да все об этом конверте из банка, который по[д]
расписку принесли, и баба Вера хотела ему всучить, [а]
он не взял!

— Странно, — проговорил Хохлов, рассматрива[я]
свой стакан. — Он так бился за эти деньги, торговался
с Катькой-заразой и ее супругом, а конверт не взял
Странно!

— И баба Вера не видела, как он выходил! И что чужой никто не заходил, она клянется! Она только Кузю
видела! Заметила даже, что штаны у него лоснятся, как
обычно, от сидения на стуле! И шапку его пресловутую
она видела на нем!

— Шапка, — пропел Хохлов на мотив «И это наш
свет на седьмом этаже», — шапка-ушанка, ты шапка
моя, шапка, шапка, шапка моя!..

Ольга взяла яблоко, надкусила и положила на стол.

Ей хотелось домой, и чтобы все стало как раньше
чтобы Димон был дома, и дети тоже, и чтобы она ждала момента, когда удастся загнать детей спать, и Димон придет из ванной, мокрый и совершенно голый —
он никогда не вытирался и не одевался, выходя из ванной, с тех самых пор, как у них появилась своя собст-
венная, примыкающая к спальне! И она, Ольга, отбро-
сит журнал и станет на него смотреть, потому что ей
всегда нравилось на него смотреть, ей казалось, что он
очень красивый, самый красивый мужик на земле
длинный, подтянутый, немножко сутулый, как все люди, которые вынуждены сидеть за письменным столом
или компьютером! И сутулость нисколько его не пор-
тила!..

Ну, вот не было в ее жизни ни одной ночи, когда бы
ей не хотелось на него смотреть!.. Ну, так получилось!.

Они никогда не ссорились на ночь, потому что свеквь всегда учила, что поссориться можно когда угод-, лишь бы не на ночь и не перед работой!

Хочется тебе, говорила она, разбуди его в три часа чи и поссорься хорошенько! Но боже сохрани утром и на ночь!..

Вспомнив все это, Ольга улыбнулась тихонько и помала про свекровь — ей тоже сейчас страшно и тре-жно, она тоже не спит, принимает сердечные капли! рошо, что дети у нее, и в пятницу Степка танцует ои спортивные танцы, а это всегда большое и серь-ное мероприятие, так что свекровь отвлечется от рачных мыслей!

Хохлов на тот же мотив теперь пел слово «штаны».

Потом он перестал петь и начал бормотать:

— Двенадцать... полвторого... драка... машина... шап-... штаны... баба Вера... баба Вера... письмо из банка...

— Пойду собаке дам поесть, — сказала Арина. — нас там еще суп остался и мясо. Пойду дам.

— У нее бока как у коня. Она все время ест или с пе-рывами? — спросила Ольга.

— С перерывами. Но часто. Наверстывает упущен-е.

— Если вы ее раскормите, — сказала Ольга Пилю-на, — вам придется купить ей отдельную квартиру.

— Нам? — переспросила Арина Родина.

— Вам с Хохловым, — ответила Ольга, и они по-отрели друг на друга.

— Девочки мои, — проникновенно сказал Хохлов, — етики степные!.. Может, я и не подполковник Ни-ненко, но в общаге был не Кузя! Вот клянусь вам!

Ольга махнула на него рукой:

— Как не Кузя, когда баба Вера говорит, что точно он!

— Да не он! Если бы это был Кузя, он бы за выпиской ремглав побежал! Он ее ждал, он ее из Катьки выко-чивал, а тут даже с лестницы не спустился! Был кто-, очень на него похожий, девочки! И в его шапке! А с лестницы он не спустился, потому что был уверен: баба Вера сразу же поймет, что это не Кузя! И именно этот человек устроил погром у Арины! Потому что знал, что она и Кузя... что Кузя... что они...

Ольга усмехнулась всезнающей женской усмешкой. Так весело ей было смотреть на этих двоих и догадываться о том, что будет дальше, и понимать, что все теперь изменится, и точно знать, что они-то как раз ни о чем еще не догадываются!

Почему жизнь устроена таким волшебным образом, что сами герои романа начинают догадываться о том, что с ними происходит, только в самый последний момент, когда уже невозможно игнорировать происходящее и списывать все на «дружбу».

«Он поехал меня встречать просто потому, что знает, как я устаю после работы».

«Она мне позвонила просто потому, что на самом деле не может вбить в стену этот проклятый гвоздь!»

При этом ее ничуть не смущает, что он ездит встречать с работы только ее, а не всех знакомых женщин подряд, а его — что абсолютно все остальные гвозди в ее квартире заколочены в стену ею самой!

Ольга чувствовала себя лет на двадцать старше их, и мечтала о Димоне, и хотела изобличить убийцу, и еще съесть что-нибудь. После выпитого виски неудержимо потянуло на еду.

— ...ну, короче, что Кузя с Ариной дружат! — нашелся Хохлов. — И это значит, что к двенадцати Кузя был уже убит! И шапку с него сняли специально, чтобы зайти к нему в комнату! Потому что убийца был уверен, что Кузины миллионы, о которых тот ему рассказал, у него в комнате! Там он ничего не нашел, и стал искать у Арины, и тоже ничего не нашел!..

Тут Хохлов вскочил, опять невнятно забормотал и стал бегать по комнате, до принтера и обратно. Потом остановился и посмотрел одуревшими глазами.

— Такси, зажигалка, — бормотал он, — зажигалка. Там кусты были сломаны. Его убил человек, который был за рулем такси. Машина стояла возле детской площадки. Кузя, которому Димон дал в челюсть, пошел и сел в такси. По дороге таксист его убил, забрал его шапку и портфель, Кузя же был с портфелем! Потом убийца приехал в общежитие, нахлобучил треух и пошел искать деньги. Должно быть, Кузя рассказал ему про доллары, идиот!.. Денег убийца не нашел. Карточка была у Катьки-заразы, а она Кузю так и не дождалась. Да и вообще, чтобы снять деньги по карте, нужно знать ПИН-код.

Обе они, и Ольга и Арина, смотрели на Хохлова, одинаково приоткрыв рты. Пожалуй, за все свои тридцать восемь лет Хохлов не мог вспомнить случая, чтобы женщины так на него смотрели. Как на бога, вот как!..

— Тогда он стал думать, как избавиться от трупа! Он мог просто его где-нибудь выкинуть, это было бы проще всего. Но он же видел, как Кузя дрался с Димоном! Он сидел в машине и все видел! И он решил, что убийство повесят на Пилюгина, если он тихонько привезет Кузю и вывалит его в сугроб! Он и привез. В три часа ночи Хакимка видел такси, которое заехало на территорию. Если бы они номера такси записывали, его бы моментально вычислили, а они не записывают, ваши охраннички, Олечка! Ну, приехало такси, да и все дела! А ментам чего там разбираться!.. Драка в ночи была? Была! По морде Димон дал? Дал! Ну, и готово дело!

Хохлов вдруг взял бутылку с виски за горлышко и отпил большой глоток. Потом утер рот и продолжил:

— Он вывалил Кузю в сугроб, там, где я потом нашел поломанные кусты. Вернее, не я нашел, а ваша управдомша и показала их мне. Он там потерял зажигалку и уехал. Поехал деньги искать, Родионовна, голубка дряхлая моя! Он уже тогда к тебе лыжи навострил, потому что знал, что Кузя на тебе жениться хочет, и думал, что деньги он тебе отдал! — Хохлов немного помолчал, и в его молчании была победная нотка уверенного в себе и во всем разобравшегося мужчины. — На кусты никто внимания не обратил! Да на кой черт ментам кусты, если у них готовый подозреваемый сам в руки идет?!

Некоторое время они молчали, и слышно было только, как сопит собака, и щенки попискивают на подстилке. Должно быть, сны им снились!..

— Все это логично, Митя, — начала наконец Ольга, — но таксист!.. Откуда взялся таксист? Это как в плохом детективном романе!..

— Что в детективном романе? — не понял Хохлов.

Ему не хотелось, чтобы они возражали. Ему хотелось, чтобы его хвалили и восхищались им.

— Ну, в детективном романе автор, когда не знает, кто убийца, всегда пишет, что преступление совершил «бродяга»! Мол, просто кто-то шел мимо, взял да и совершил преступление! А потом, когда сыщик его ловит, бродяга, который только что удирал от погони по крышам и водосточным трубам, начинает надсадно кашлять и говорить, что давно уже болен чахоткой и жить ему осталось всего несколько дней, поэтому высшее правосудие уже свершилось. Ну? Про это еще Ликок писал!

— Я не знаю, кто такой Ликок... — начал Хохлов сердито.

— Канадский писатель.

— Очень хорошо. Но Кузю убил таксист, а не бродяга!

— Откуда таксист мог знать про меня? — спросила Родионовна.

— Понятия не имею!

— Почему Кузя рассказал чужому дяде про деньги? — спросила Ольга Пилюгина.

— Понятия не имею! Но зато я знаю, как доказать, что его убил таксист!..

— Как?!

— Штор-то не было, — сказал Хохлов загадочно. — Не было никаких штор!

— И что?

— А ничего! — Он пошел к дивану и лег на него. — Ничего я вам больше не скажу, а буду лежать на диване и молчать.

Тут он вдруг вскочил, видимо, решив не быть, как Чебутыкин, и опять стал ходить.

— Значит, шторы, — произнес он задумчиво. — И служба такси. Это очень просто.

— А пепельница? — спросила Ольга. — Если Кузю убил таксист, откуда взялась в сугробе наша пепельница с русалкой?!

Хохлов молчал и ходил.

— Вот видишь, — заключила Ольга. — Вот тебе и таксист!.. Двенадцатый час, мне ехать пора! Мить, как ты думаешь, мы... справимся?

— Мы уже почти справились, — уверил ее Хохлов. — Чуть-чуть осталось. Самую малость.

— Оль, можно, я у тебя переночую? — попросилась Арина. — Не хочется мне домой.

— Можно?! Да ты мне жизнь спасешь просто! Димона нет, детей нет, хоть застрелись!

И они обе как-то очень быстро и ловко собрали с журнального столика остатки банкета, будто и не было ничего, ополоснули стаканы, а Хохлов все никак не мог сообразить, что они обе уходят, то есть оставляют его одного!..

Сообразил, только когда они стали натягивать шубы, рассуждая на тему собачьих детей — вот если у людей появлялось столько детей чохом, хорошо это или плохо.

Бездетная Родионовна считала, что хорошо, чем больше детей, тем лучше, а обремененная потомством Ольга Пилюгина считала, что плохо, с такой оравой вообще непонятно, как справляться!

— Мить, мы пошли!

— Митя, проводи нас!

Он вышел в коридор, посмотрел на них, потом на собаку и сказал Ольге, что ему нужно шепнуть Родионовне два слова, и Ольга моментально выскочила на площадку, объявив, что подождет подругу там.

— Я тебя приглашаю на свидание, — торжественно начал Хохлов, глядя в сторону. — Вот прямо завтра. Пойдешь со мной на свидание?

— Пойду, — в ту же секунду согласилась Арина. — Пойду. А почему?..

— Ой, вот только не надо никаких вопросов, — сморщившись, попросил Хохлов. — У нас просто будет свидание. Самое обыкновенное, как у всех людей бывает! Ты согласна?

— Конечно, Митя.

— Значит, я завтра за тобой заеду на работу.

— В Москву?!

— А ты где работаешь? В Нижнем Новгороде? И... — Он помедлил, готовясь сказать самое сложное, непомерно сложное, особенно после пятнадцати лет ее любви. — И отпросись на пятницу на работе.

Она смотрела на него и, кажется, даже не моргала.

— Ну, соври что-нибудь! — сердясь, попросил Хохлов. — Мол, тебе больничный дали, постельный режим, сотрясение мозга и все такое! Поняла?

— Поняла, — сказала Арина. — Я сейчас... поеду, Мить.

Все было ясно и понятно им обоим, и неотвратимость перемен вдруг сильно напугала ее.

Все перемены к лучшему? Или не все?

Следом за ней он вышел на лестничную площадку, и Ольга с чувством его поцеловала.

— Поблагодарила?

— Да. Спасибо. Если бы не эта проклятая пепельница!

— Ну да, — согласился Хохлов. — Это странно, конечно, но так получилось, что теперь самое главное, что скажут твои дети.

— Как?! — поразилась Ольга, и Родионовна перестала заматывать шею шарфом.

Но Хохлов уже не слушал. На завтра у него было запланировано много дел — одно из которых, к примеру, полностью изменит его жизнь, а это не так-то часто случается, поэтому он махнул рукой, и стал закрывать дверь, и...

...и вдруг остановился посреди дороги, не добежав до офиса всего четыре шага.

Мороз был такой, что казалось, вот-вот небо лопнет от холода, как стекло, и из него посыплется все, что там есть, — звезды, солнца, галактики, искусственные и естественные спутники, а также мусор. Говорят, в космосе много мусора!

Солнце тоже подмерзло, свет был размытый, подернутый дымкой, и институтский фасад, весь в инее, казался декорацией к фильму о блокаде.

— Доброе утро, Дмитрий Петрович!

— Здравствуйте, Вальмира Александровна!

Длинноволосая красавица стояла у машины, улыбаясь Хохлову.

— А кто это у нас такая? — идиотским тоном внезапно впавшего в игривость мужчины поинтересовался начальник у своей орлицы. — Прелесть какая!

— Это моя племянница Ирочка, — с гордостью представила Вальмира. — Вы не знакомы? Ирочка, познакомься, это мой шеф, Дмитрий Петрович. Оч-чень, оч-чень положительный мужчина!

Хохлов познакомился. Самым интересным было то, что он и так, без знакомства, знал, что это Ирочка!.. Но познакомиться не мешало.

— Холодно здесь стоять. Может, зайдем? — предложил Хохлов. — Кофейку? Чайку?

— Нет, мне надо на работу! — отказалась племянница точно таким же, как у него, идиотским тоном, только в женском варианте. — Но вечером я бы могла, с удовольствием...

«Вечером у меня свидание с Родионовной, — подумал Хохлов мрачно. — Накося, выкуси!»

— Ириш, может, зайдешь все-таки? — заспешила Вальмира, постепенно осознавая, что шеф «заинтересовался», а племянница «не пристроена». — Ну что, там без тебя они не обойдутся часок?

Хохлов понял, что действовать должен решительно и без проволочек, как революционные рабочие при захвате телеграфа и телефона. Он обошел не слишком новую красную машину, взял длинноволосую под норковый рукав и повел за собой к дверям офиса.

— Ну, я прошу вас, Ирочка, ну, давайте хоть на полчаса, — говорил он интимно. Эффекту сильно мешал пар, вырывавшийся у него изо рта, — у меня есть чудесный кофе, мне его привозят специально из Австралии! У нас совершенно не умеют пить кофе и не знают, что австралийский кофе — самый лучший в мире! Самый ароматный!..

Племянница идти не хотела. Она так явно не хотела, что даже каблучками упиралась.

А еще она вырывала руку и все время повторяла:

— Я не хочу, не пойду, мне на работу нужно!..

Но Хохлов держал ее крепко, и чем ближе к двери, тем крепче он держал.

Когда подошли к крыльцу, племянница вдруг дернула рукав изо всех сил, присела, взметнула волосами, кинулась в сторону, потом в другую, и Хохлов ее отпустил.

— Ирочка! — вскрикнула сзади Вальмира Александровна. — Ирочка, ты что?

Ирочка неслась к машине, но ей очень мешали каблуки, а у Хохлова не было каблуков, и вся улица замерла в морозном мареве, и все смотрели, как они бегут, как Хохлов настигает девушку, перехватывает, как они валятся в снег, катятся кувырком, и сапоги с острыми каблуками молотят в воздухе, и кричит орлица, первая после бога, самое доверенное лицо!..

Племянница тяжело дышала и извивалась под Хохловым, норовила лягнуть его в уязвимое место, а он сдирал с ее плеча сумку на длинном плече.

— Дура, — тяжело сопя, говорил он ей в лицо, — куда ты понеслась?! Я же знаю, что это ты! А сто штук не такая большая сумма, чтобы можно было всю жизнь в подполье прожить! Я бы все равно тебя нашел!

Отдуваясь, он сел на снег. Ирочка осталась лежать. Руки у нее были связаны ремнем сумки, она бешено рыдала, грызла ремень, извивалась и все время норовила ударить Хохлова.

— Что такое?! — Это Вальмира подбежала, и народ вокруг начал собираться.

Хохлов потрогал нижнюю губу и царапину на левой щеке. Вот теперь они с Родионовной два сапога пара!

Кстати, у них сегодня свидание. Зачем он назначил ей свидание?!.

— Что тут происходит?! Митя?! Вы с ума сошли?! Или мне милицию вызвать?!

— Да ничего не происходит! — рявкнул Хохлов. — Ваша племянница украла у меня сто тысяч долларов! А я не такой богатый человек, чтобы просто так их ей подарить.

Он поднялся и еще потрогал щеку, а потом рывком поднял с заснеженного тротуара племянницу.

— Пошли! — приказал он. — Будем разбираться.

Толкая ее перед собой, как жандарм, под взглядами из каждого окна, он довел Ирину до крыльца, втолкнул внутрь, а сам приостановился, отряхивая от снега джинсы и ботинки, и тут что-то больно огрело его по спине.

Хохлов заорал, и заматерился, и получил еще раз — еще больнее!

Оглянулся — сзади на него надвигалась Вальмира Александровна. В руках у нее была пластмассовая урна, которая всегда стояла возле крыльца и убиралась только на ночь, чтобы не сперли.

— Вы с ума сошли?!

— Не трогайте мою девочку! — И она опять замахнулась, чтобы его ударить, но тут уж Хохлов урну перехватил в самой верхней точке, после короткой борьбы вырвал ее из рук свирепой бухгалтерши и отшвырнул далеко в сугроб.

Урна дзинькнула стеклянным звуком и раскололась надвое. Из нее вылетела одинокая бумажка и высыпалось несколько окурков.

— Огласки хотите? — прошипел Хохлов в лицо орлице. — Так я вам это сейчас быстро организую! Милицию, ОМОН и все радости жизни! Хотите?

Бухгалтерша тяжело дышала — грудь ходила ходуном под шубой — и смотрела ему точно в лоб. Хохлов подумал, что, если бы у нее был пистолет, она бы непременно его пристрелила, не сходя с места.

Втроем они ввалились в теплый и чистый офис, где все сотрудники моментально отлепились от окон, выскочили на середину самой просторной комнаты и выпучили на них глаза.

— Все по местам! — приказал Хохлов. — Ну, кому сказал!

Он сдернул свою курточку «суперагента», которая от мороза шуршала, как бумажная, швырнул ее на серый офисный стул и приказал:

— Лавровский, зайди ко мне! Все остальные по местам, последний раз по-человечески прошу!

Никто не разошелся. Народ продолжал стоять в безмолвии, и только племянница ругалась сквозь зубы и все пыталась содрать ремень с запястий. Сумка при этом болталась, дергалась и мешала ей, и Ирина пыталась лягнуть ее коленкой.

Хохлов изо всех сил старался не смотреть на Лавровского.

Он приказал себе, что смотреть ни за что не будет.

...подумаешь, двадцать лет! Чуть больше, чем полжизни! Ну и что? Подумаешь, вместе пили и ели, делились последним, прикрывали друг друга от родителей и жен! Цена всему этому — пакетик долларов, ну и что?! Подумаешь!

В голове у него шумело, то ли от сильного мороза, то ли от того, что Вальмира все-таки сильно его стукнула урной, то ли от горя.

Таща за сумку, он заволок в кабинет преступницу, пропустил Лавровского, который шел так, будто ему трудно было держаться на ногах, и разгневанную Вальмиру в шубе.

Хохлов захлопнул дверь и стал к ней спиной.

— Значит, так, — начал он. — Я знаю, что клофелин охраннику подлила Ирина. Я знаю, что она вышла отсюда с пакетом, в котором было сто тысяч долларов, примерно около двух часов ночи три дня назад. В два часа милицейский патруль обнаружил, что дверь распахнута, вызвали меня, и в два тридцать приехал я. Я знаю, что за рулем Ирининой машины кто-то сидел, потому что уехала она на пассажирском месте. Меня интересуют мои деньги и, так, для отчета, — с кем в паре она работала! С вами, Вальмира Алексанна? Или с тобой, Лавровский?

— Ты не можешь ничего знать, боров вонючий, хрен моржовый! — сразу же после его речи завизжала Ирина. — Ничего! На понт берешь, волчара поганый?! Да ты знаешь, с кем я дружу?! Да ты до своей тачки об...ной дойти не успеешь, как на том свете окажешься! Развяжи меня сейчас же, сволочь, мерзавец, гад последний! Ну, быстро! Если хочешь, чтобы твоя поганая вонючая жизнь хоть пять минут, хоть пять секунд еще продлилась!!

— Будешь визжать, — предупредил Хохлов, — в зубы получишь. Я не Лавровский, у меня не замерзнет! Говори быстро, кто тебе ключ дал от сейфа?! Тетушка твоя или любовник?!

— А пошел ты, мусор!..

— Ирочка, — пролепетала Вальмира Александровна. — Ирочка, как ты говоришь, ужасно, девочка моя!

— Да какая я тебе девочка, блин! Нашла девочку, твою мать!.. Да все бандюки местные мои были и остались, зря я, что ли, под нужного человека легла и на себе его женила, импотента проклятого, сколько он мне крови попортил, сколько сил из меня высосал! Развяжи меня!!! — заорала она в полном неистовстве. — Развяжи, козлина вонючая!

Хохлов подошел и толкнул ее в кресло.

Ирина сделала шаг назад и неловко плюхнулась. Сумка попала под каблук, и она никак не могла ее вытащить, дергала связанными руками.

— Слушай ты, девочка-ромашка, — сказал Хохлов грозно и наклонился к ней. — Ты меня послушай, а потом начинай вопить. Я видел твою машину возле института в ночь, когда украли деньги. Поняла? Видел, своими глазами! Есть еще одна камера, и ты о ней не знала, конечно! Да что ты, даже я о ней не знал! Мне подполковник московский сказал, что такая должна быть обязательно, и она была! Как ты вчера с Лавровским возле офиса целовалась, я тоже видел, не слепой. Это уже не камера снимала, это я своими глазами лицезрел! И фотки Вальмира твои смотрела! А на фотках ты вся такая красивая, в белых брюках и на ее рабочем месте, на Вальмирином! Следовательно, в офисе моем ты не раз бывала! И охранник тебя узнает, когда будет очная ставка, ты ж его не до смерти отравила! Так что говори быстро, кто твой напарник, а то я ментов вызову! Или с ментами у тебя такая же нежная дружба, как с бандитами?!

Он выдернул сумку из-под ее каблука, кинул ей на колени и сел на свое место.

Вальмира Александровна вдруг громко икнула.

— Ну, давай, давай, шевели мозгами, ты же не курица! — подбодрил Хохлов племянницу. — Тут мне главное знать, кто паровозом пойдет, а кто прицепом поедет! Что идея твоя, я уже понял, а кто из моих, — и он кивнул на Вальмиру с Лавровским, — тебе помогал?!

— Клянусь, это не я, — вдруг сказала бухгалтерша и, опершись большой неухоженной рукой о край стола, медленно опустилась на стул. — Столько лет, боже мой, столько лет! Ни копейки не пропало... Боже мой...

Хохлов смотрел в окно. Ну, не мог он на них смотреть!..

— Митяй, — простуженным голосом сказал Лавровский, — отпусти женщин. Это все я.

— Он, он, он! — завопила Ирина. — Он во всем виноват, он мне ключи выносил, он план придумал, он клофелин в аптеке скупал. Это он!!! Он!!!

— Заткнись, дура! — Это Хохлов крикнул.

Крикнул беспомощно, по-детски, слабенько както, неубедительно совсем.

— Я виноват, — храбро проговорил Лавровский и заплакал. — Только я один!

Хохлов вздохнул. Теперь он смотрел в пол, глаза поднять так и не решался.

— Идея, значит, тоже твоя, — резюмировал он после нескольких всхлипываний, которые отчетливо доносились из того угла, где жался Лавровский. — Вот ты ей так прямо взял и сказал — давай, мол, подруга, из сейфа у Хохлова деньги заберем! Заберем, значит, а потом поделим! А она тебе, вся такая нежная: как же мы их заберем, любимый, если у него охрана и камера? А ты ей: да очень просто! Ты охраннику в водочку какой-нибудь отравы сыпанешь-ливанешь, ключики я тебе сделаю, ты сейф отомкнешь, и вся недолга! Так все было, да, друг мой Лавровский?!

— Да! — крикнули из угла. — Да!

— Вранье, — произнес Хохлов равнодушно. — Вранье. Ты чего теперь, Димка, геройствуешь? Гадом быть не можешь, вину на себя хочешь взять, на зону пойти? За любимую женщину, мол, заступился, и все такое?! Опомнись, Лавровский! Опомнись уже! Я тебя сто лет знаю! Нет, двести! Ты что, думаешь, я поверю, что это ты все придумал?! Кишка у тебя тонка, Лавровский!

— А вдруг... вдруг он... и вправду это все... организовал? — простонала Вальмира Александровна. — Митенька, не губите... Митенька... Пожалейте... Одна она у меня, нету больше никого, помирать буду, стакан никто не подаст...

— Ваша племянница вам тоже не подаст, — сказал Хохлов, у которого внутри все мелко тряслось от странной смеси жалости и бешенства. — Она у вас из-под матраца сберкнижку достанет, а вам на лицо подушку положит, чтобы быстрей помирали!

— Я тоже, тоже виновата!.. Я дома сколько раз говорила, что вы деньги часто оставляете, хотя наличность нельзя в офисе держать, но откуда же я знала!.. Девочка моя, ласточка моя... золотая!.. Да скажи ты ему, что это... не ты... не ты... — Вальмира отняла ото рта руку, всмотрелась в племянницу и вдруг спросила с ужасом: — Или ты? Ты?!

— Идите вы! — огрызнулась племянница. — Вы мне хоть когда-нибудь денег давали?! А я тоже человек, я девушка и жить хочу, а не прозябать! Мне деньги нужны, деньги, а не ваше дерьмовое участие!..

— Лавровский, — позвал Хохлов громко. — Чья была идея? Ее?

— Ее.

— Ах ты, мокрица, сучок болотный! Заткни свою поганую пасть и не разевай больше никогда!..

— Ключи ты у меня взял?

— Я. Она велела.

— Когда?

— Давно, еще на майские праздники. Она все говорила и говорила про деньги, что у нас их нет, а у тебя есть, что от большого немножко — это не воровство, а дележка, что это очень просто, а я не смог, не смог ее... остановить!

— Ну да, — согласился Хохлов. — Не смог. Ты ей сказал, что у меня в сейфе много наличности?

— Ну, ты же долго не привозил, Мить! Понимаешь, я не хотел, не хотел!.. — Лавровский сунулся к самому столу, и Хохлову пришлось податься назад вместе со стулом. Лавровский плакал, и слезы, крупные, чистые, падали на бумаги. — Я не хотел, ты пойми, Мить! Я даже потом, когда мы уже... я хотел тебе все рассказать и деньги отдать, но она их спрятала!

— За рулем в ее машине, когда она охранника опаивала, ты сидел?

— Я, Мить. Я не хотел! Не хотел! Но денег же у меня нет совсем, и Светка все пристает — дай денег, дай!!. И тут Кузя еще... Кузя все говорил, что у него теперь есть деньги, что ему удалось... Я думал, Светка не простит, не простит мне, если... Я виноват, Мить! То есть я не виноват, это все... все... жизнь такая...

— Вот интересно, — протянул Хохлов задумчиво. — А что ты Светке сказал, когда ночью пошел воровать? Что ты идешь деньги добывать?

— Нет, Мить, нет, ну, что ты! Я сказал, что ты напился, с Галей разругался, и мне нужно ехать, потому что ты пьяный, в милиции драку устроил, и я... поехал, Мить!

— Понятно, — пробормотал Хохлов. — Понятно.

— Сопля зеленая, разнюнился, подонок! А ну развяжи меня! Ну!! Кому сказала!

Хохлов глянул на Ирину. Она все грызла ремень и пыталась содрать путы, и такая воля к победе вызывала некоторое уважение.

— Рисковая ты девка, племянница! Прямо к офису сегодня подкатила! А вдруг бы тебя охранник узнал?!

— Да-а, охранник! Ты думаешь, я дура совсем?! Я же знаю, что он у тебя больше не работает! Мне эта сопля зеленая рассказала, гаденыш, слабак!..

— Митенька, — прорыдала Вальмира Александровна. — Что же теперь с нами будет?! Что будет, Митенька?

— Мне нужны мои деньги, — Хохлов встал и подошел к окну. — Прямо сейчас, и все до копейки.

Лавровский сунулся сзади:

— Они у нее, Мить, она мне даже посмотреть на них не дала! Они все у нее, до последней копеечки! До центика то есть.

— Нету у меня никаких денег! — заявила племянница и с усилием сложила пальцы в кукиш, после чего захохотала. — На пленке меня нету! Лица-то моего не видно! Я же готовилась, я узнавала! Ну, что?! Съел, пенек пучеглазый?!! И видеозапись вообще не доказательство! И отпечатков нету, я в перчатках была! И на суде отопрусь, так что ты на Колыму пойдешь, а не я! А что я любовница его, так это по Уголовному кодексу не запрещается! И по ночам на машине кататься не запрещается тоже!.. Ну что?! Съел, съел?! Только теперь хлебало закрой, начальничек! Нету у меня зеленых, нету, нету!

— Значит, так, — сказал Хохлов. — Прямо сейчас ты привозишь мне деньги. Все до цента. Если помаду себе покупала, придется возместить. Ты же, рыба моя, деньги не мои тиснула. Ты тиснула деньги, которые мне за работу серьезные люди заплатили! А им этих доказательств — выше крыши! Они тебе не суд! Мне-то что?

Ты в крайнем случае здесь можешь часок-другой посидеть, пока я их службу безопасности вызову. А они приедут и сами будут разбираться, есть у тебя «зелень» или нет ее!

— Митенька, — простонала Вальмира Александровна, — пощадите сироту... она одна ведь у меня, нету больше никого... А ты говори, где деньги, паршивица! Говори быстрей, что застыла!

— Ну, короче, я звоню, — решил Хохлов. — Скажу, что я тебя поймал, а они пусть дальше сами с тобой лясы точат!

Тут вспомнился ему участковый уполномоченный Анискин-Никоненко и история про банкира. В той истории тоже доказательств не хватало, а виновных всетаки наказали. Вот и Хохлов собирался наказать.

Он вытащил из кармана телефон, потыкал в кнопки и приложил к уху.

— Стой, — сказала племянница. — Стой, я отдам тебе бабки. Не звони никому.

Хохлов кивнул, но трубку от уха так и не отнял.

— Але, Паш, — сказал он, когда ответили. — Здорово, это Хохлов. Ты подошли кого-нибудь из своих бойцов, мне нужно тут... в одно место барышню проводить. Я бы сам проводил, но мне... мараться неохота. Подошлешь? Ну, тогда я жду. Бывай, спасибо! Олигарх, — пояснил он собравшимся, указывая на трубку. — Никак нам без его бойцов не обойтись. Чтобы ты не вздумала дурить, киса моя!

— Я тебе не киса! Все вы, мужики, сволочи, сопляки, уроды! Ненавижу вас! Ненавижу!

— Дмитрий Петрович! — Тут Вальмира Александровна сползла со стула и бухнулась на колени. — Не доводите до суда, пожалейте вы меня! Меня, старуху, не позорьте смертным позором! У нас городок-то всего ничего, все ж узнают, все до одного! Я же за всю жизнь ни копейки чужой не взяла! Ни копеечки!..

Хохлов смотрел, как она стоит на коленях перед ним, пожилая женщина, в распластавшейся шубе, с трясущимся несчастным старым лицом, как льются ее слезы и капают с подбородка.

— Встаньте, Вальмира Александровна! Что вы, на самом деле!..

— Не губите! Отец родной! Не губите, хоть меня-то пожалейте, я же вам верой и правдой столько лет!..

Хохлов морщился, и внутри у него все морщилось, тряслось и ухало, и он не знал, что делать, и готов был сквозь землю провалиться!..

А потом он решился, и сразу полегчало, как будто тиски разомкнулись.

— Хватит рыдать! — велел он Вальмире. — Возьмите себя в руки! Не будет никакого суда. Вы слышите? Не будет! Заявление из милиции я заберу.

Вальмира перестала всхлипывать и уставилась на него.

— Деньги ваша племянница мне вернет. Мы с ней вместе поедем, когда бойцы подгребут. Ее саму я в городе больше видеть не желаю. Пусть, куда хочет, перебирается и там чем угодно занимается!

— Ты чего? — спросила племянница с искренним и веселым изумлением и перестала грызть ремень. — Добрый, что ли?!

— Я злой, — отрезал Хохлов. — Поэтому деньги ты мне вернешь не только сполна, но и с процентами. Пятьдесят процентов у меня ставка за заем. С тебя еще пятьдесят штук.

— Где я их тебе возьму, уродина?!

— А мне все равно, — заявил Хохлов. — Квартиру продашь, машину, что там у тебя еще есть? Перстеньки, колечки, сережки? Тоже продашь! Недвижимость у нас тут, в пригороде, конечно, дешевле, чем в Москве, но все равно не копейки, так что наскребешь. Пока не наскребешь, я тебя из города не выпущу, поняла

Я договорюсь, и боец будет с тобой в сортир ходить. Сроку на все даю тебе... — Он подумал. Все смотрели на него. — Даю две недели. Как раз успеешь.

— Кто это за две недели квартиру продает, а?!

— А мне все равно, — повторил Хохлов. — Вальмира Александровна, встаньте!

Та тяжело поднялась с колен, недоверчиво глядя на него.

— Не будет суда? — спросила она и шмыгнула покрасневшим носом. — Отец родной! Господи! Не будет?

— Не будет никакого суда, — повторил Хохлов. — Нас с вами и так жизнь наказала. Меня за доверчивость, а вас... за любовь к племяннице. Будет с нас и этого.

— А... а... я, Мить? — Это Лавровский спросил.

— А ты пошел вон отсюда, — сказал Хохлов. — Все.

— Как... все?

— А так. — И тут Хохлов первый раз за весь этот многотрудный разговор посмотрел на него. — У тебя дети. Уходи, куда хочешь, ищи себе работу, делай, что хочешь. Только я прошу тебя, Лавровский! Я тебя очень прошу!

Тут он резко встал, и Лавровский шарахнулся от него назад, к стене, испуганно тараща измученные глаза.

— Я очень прошу тебя, Лавровский!.. Больше никогда не разговаривай со мной! Ты понял?! Со мной и с моими близкими! Ты умер, понял?! Нет тебя! И больше никогда не будет.

Хохлов тяжело дышал, и пот выступил на его лбу, и перед глазами плавали какие-то червячки и точки. Он закрыл лицо руками, Ирина смотрела с интересом, а Вальмира Александровна все плакала горючими неутешными слезами.

Финал греческой трагедии.

За окном медленно и бесшумно проплыла большая черная машина и остановилась перед крыльцом.

— Ну, вот и бойцы, — сам себе сказал Хохлов и потер лоб. Невыносимо ему было, и хотелось, чтобы трагедия скорее завершилась. — Разговор окончен, поехали за деньгами. Давай, давай поднимайся, красавица!

— У меня руки затекли, уродина!

— Ноги не затекли, идти можешь? Ну и отлично!

— Господи, — пробормотала Вальмира Александровна, еще утром бывшая орлицей, бесценным сокровищем, с которым шеф носился как с писаной торбой. — Господи, да как же это так вышло-то?..

— Судьба, ма тант[1], — проговорил Хохлов. — Судьба — индейка!

И, взяв за сумку племянницу и толкая ее перед собой, он вышел из своего кабинета прямиком к сотрудникам, которые так и стояли, выпучив глаза, посреди комнаты, и он голову мог дать на отсечение, что припадали к замочной скважине и к стенам, и в это время с улицы зашел огромный молодой мужик в куртке нараспашку, и кивком поздоровался со всеми, и...

...и ничего у них не вышло.

Ничего. Свидание не состоялось.

То есть оно состоялось, конечно, но все с самого начала пошло не так, как хотелось.

Их обоих мучила неотвратимость и обязательность того, что они собираются друг с другом «переспать», и вот-вот сейчас «переспят», как только Хохлов остановит машину перед засыпанным снегом домиком.

Домик он купил несколько лет назад, опрятный, чистенький, с черепичной крышей и белыми оштукатуренными стенами, и объявил всем, что у него теперь своя «дача», и к нему можно приезжать. Вся компания с удовольствием стала приезжать, всем хватало места в маленьком домике, и сколько здесь было выпито и

---

[1] Моя тетушка (*франц.*).

съедено, рассказано смешных, страшных и правдивых историй!.. Сколько раз дети ссорились из-за баскетбольного кольца, сколько раз Арина рыдала над своей загубленной жизнью за домом, у гамака, сколько раз Ольга ее утешала!..

И именно потому, что здесь было так много всего... общего, дружеского, простого и ясного, для интимного свидания это оказалось не слишком подходящее место!

Арина все время ерзала, потому что на ней был совершенно новый и очень неудобный лифчик, а еще она знала, что не умеет целоваться! Когда-то в юности такой приговор ей вынес тогдашний кавалер. «Научись сначала целоваться! — сказал он с непередаваемой иронией в голосе. — А потом на свидания приходи!»

Словно торопясь отделаться от того обязательного, что нависло над ними, как дамоклов меч, и делая вид, что им обоим очень этого хочется, они занялись бестолковой и неловкой любовью на диване, и сразу же после «случившегося» Хохлов пошел топить камин и курить, а Арина перебралась в темную спальню, натянула на голову одеяло и лежала долго и бездумно, как в пустоте.

Потом пришел Хохлов, лег на свою половину, не спал, опять курил и не сказал ей ни слова, и под утро она все-таки заснула.

Утром пошел снег, и Арина, открыв глаза, долго соображала, какой нынче день и какое, вообще говоря, время суток. Сообразить было трудно, и пришлось лезть за часами, которые тоже показывали нечто невообразимое.

Она долго смотрела на них, пока наконец не сообразила, что они перевернуты вверх ногами. Она вздохнула, перевернула их, опять ничего не поняла, опять перевернула, но время не прояснилось. Тогда вместо часов она решила повернуть собственную голову так, чтобы циферблат оказался наконец у нее перед глазами, и тут Хохлов сказал хриплым спросонья голосом:

— Что ты крутишься? Шею свернешь! Полдесятого.

Откуда он взял, что полдесятого? На улице была темень, и как будто что-то шуршало — снег терся о беленые стены, сек их, налегал изо всех сил.

— Нужно ехать. — Голос стал еще более хриплым, и с правой стороны что-то завозилось, словно впавший в спячку медведь поворачивался на бок. — Дороги завалит, мы отсюда не выберемся.

— У тебя же джип, — робко сказала Арина в ту сторону, где ворочался Хохлов, — а джип — это машина, которая не застрянет там, куда другая не доедет!

Медведь фыркнул, кровать содрогнулась, и он встал — темный силуэт на фоне темной стены.

— Пойду в ванную. Или хочешь первая?

Боже сохрани!.. Арина не хотела первой.

Чтобы уйти в ванную, нужно встать — прямо у него на глазах! — пролезть мимо, повернуться задом, еще некоторое время идти до самой ванной, и только после этого можно будет закрыть за собой дверь!

Когда дверь за ним закрылась, Арина нашарила выключатель, зажгла тусклую лампочку и огляделась. Наготу прикрыть решительно нечем. Она не захватила с собой халат, ей это даже в голову не пришло! Джинсы, то ли ее, то ли хохловские, валялись на полу, сверху была навалена еще куча одежды, а на куче наивно и стыдливо белел ее лифчик, словно сдернутый в экстазе, хотя никакого экстаза не было и в помине!

Господи, почему ей так не везет?!.

Ей столько лет «это» представлялось именно в их общем с Хохловым исполнении, и вот оно так позорно провалилось.

Фигуристам не удалось получить высший балл за исполнение обязательной программы. Впрочем, выступление в произвольной тоже не произвело особого впечатления на судей!

Арина вылезла из кровати и стала торопливо натягивать на себя одежду, морщась от незнакомого мужского запаха, который пропитал за ночь все вокруг, кажется, даже ее кожу. Она понюхала свою руку в сгибе локтя и продолжала одеваться в каком-то неистовстве. Джинсы показались ей странными, когда она их натянула, и выяснилось, что это хохловские. Разобранная и разрушенная постель, которая непристойно светилась в сумерках зимнего утра, не давала ей покоя, и, отшвырнув джинсы, она в два приема кое-как набросила на нее громадное неудобное покрывало.

Ну и пусть, думала она все время, ну и пусть так!

Ничего не вышло, и не надо нам ничего такого! Ну и пусть! Только бы выбраться отсюда и доехать до дома, а там уж она решит, что делать: то ли немедленно утопиться, то ли все-таки дождаться зарплаты и купить себе какие-нибудь сногсшибательные джинсы на все имеющиеся деньги, а потом просто тихо умереть с голоду.

Когда Хохлов вышел из ванной, она была «полностью готова», как английская аристократка перед приемом, и они уехали, даже не выпив кофе, и всю дорогу молчали, и он высадил ее у арки, даже во двор не завез, развернулся и пропал в снежной пурге, которую взметнули задние колеса его автомобиля.

Арина побрела домой.

Ужасно хотелось есть, и было понятно, что еды никакой нет — из-за «душевной смуты», как говаривала учительница литературы Ольга Валерьевна, описывая состояние то ли Достоевского, то ли Чернышевского. Арина два последних дня до исторического «уик-энда» не заходила в магазин, валялась на диване и страдала.

Что делать?.. Ну вот что теперь делать?..

Все обошлось. В буфете на самом видном месте обнаружилась непочатая пачечка «Макфы» — пестренькая, веселая, утешительная!.. Торопясь от голода, Арина вскипятила чайник и сварила себе небольшой тазик макарон и натерла приличную горку сыра.

Утешая себя тем, что от таких макарон не полнеют — «твердые сорта пшеницы» как-никак, — она съела целую тарелку и положила себе еще и сверху посыпала сыром. Макароны аппетитно дымились, сыр аппетитно тянулся, и жизнь потихоньку налаживалась.

Ладно, как-нибудь! Может, еще все и обойдется. Может, они останутся друзьями — фу, какая гадость и пошлость, в духе женских романов или сериалов. Они расстаются, но их уважение друг к другу так велико, что они находят в себе силы остаться друзьями!

Какими еще друзьями, черт побери!..

Макарон осталось совсем мало, и она выложила все, и в том, как они дымились на тарелке, было утешение, и спокойствие, и удовольствие от того, что сейчас будет вкусно.

Ну и пусть, подумала Арина, как давеча утром. Ну и пусть!..

Звонок в дверь застал ее врасплох над драгоценными макаронами, которые уже кончались. Она никого не ждала — мама знает, что она на «уик-энде», и Ольга знает, а больше прийти к ней некому!

Оказалось, что есть кому.

Пришла соседка.

Арина Родина понятия не имела, как ее зовут, знала только, что у нее есть довольно пожилая дочь, Арининого возраста, и собака пекинес, лающая тонким голоском и выкатывающая при этом глаза.

Соседка была склочная и неприятная, с Ариной никогда не здоровалась, и дочь тоже не здоровалась. Кажется, им не нравилось, что Арина иногда по вечерам играет на пианино пьесу Чайковского из цикла «Времена года». Это была единственная пьеса, которую она знала наизусть со времен музыкальной школы, а доставать ноты ей всегда было лень.

— Почему деньги не сдаете? — Голос был такой, как

будто Арина украла у нее драгоценного пекинеса и держит его в заложниках.

— Какие деньги?

— Если бы вы чаще ночевали дома, — сказала соседка «с подковыркой», — вы бы знали, что жильцы собирают деньги на металлическую дверь.

Боже мой, подумала Арина Родина. И еще она подумала о стынущих на тарелке макаронах.

— Я давно сдала Анне Сергеевне, — ответила она со всем возможным достоинством, на которое была в данный момент способна. — Извините меня, я занята.

И сделала попытку закрыть дверь, но соседка кинулась грудью и не дала.

— Деньги уполномочена собирать я, а не Анна Сергеевна! Будьте добры, сдайте мне!

— Я уже сдала Анне Сергеевне, и если вам нужно, пойдите и возьмите у нее!

— Нет, это вы, девушка, пойдите и возьмите!

— До свидания, — Арина предприняла вторую попытку закрыть дверь.

— Вы хамка! — взвизгнула соседка, навалилась и остановила дверь. — Что вы себе позволяете?! Как вы разговариваете со старшими?! Вы что, думаете, мне очень приятно ходить по квартирам и выколачивать деньги из разных хамов и негодяев?!

Арина моргнула. Она не ожидала ничего подобного.

— Вы думаете, вам все позволено?! Раз за ней бандиты на джипах таскаются, так она и распустилась совсем! На рояле тренькает по ночам, денег в кассу не вносит! А дверь в подъезд вечно открытая стоит, я на первом этаже живу, между прочим, а на улице мороз! Я честный человек, и нет у меня средств, чтоб обогреватели импортные покупать! Нет на вас прежней власти, все заполонили, проклятые проститутки!..

— Хотите, я дам вам денег на обогреватель? — предложила Арина и прищурилась. Что-то нужно было делать — щуриться, притоптывать, барабанить пальцами — что угодно, лишь бы не вцепиться в соседкин шиньон, из которого лезли шпильки. — А деньги на дверь я сдала председательнице нашего кооператива Анне Сергеевне и второй раз сдавать не собираюсь!

— Не собирается она! Поглядите на нее! Да я сейчас участкового вызову!.. Да таких, как ты, к позорному столбу надо ставить!.. Гулящая!.. Бабушка такая приличная женщина была, а эта на джипах раскатывает и думает, что ей все позволено!.. А еще интеллигентку корчит! Да я...

— Вон!!! — заорала Арина Родина на весь подъезд так, что далеко внизу пекинес, видимо, проснулся, выпучил глаза и зашелся заливистым лаем. — Вон отсюда! И чтобы духу твоего здесь не было!!

Соседка схватила себя за халат где-то в области горла, попятилась, и тапочка слетела с ее ноги, и она стала растерянно шарить, чтобы нацепить ее.

— Пошла отсюда! — И Арина Родина, до сей поры корчившая из себя интеллигентку, сделала неприличный жест. — А деньги на дверь я сдала еще раньше, чем ты! То есть чем вы!..

Даже в припадке буйного помешательства она не могла назвать человека в два раза старше себя на «ты»! Она захлопнула дверь, но через секунду снова ее распахнула и еще крикнула вслед соседкиной спине, чтобы никто не смел вообще приближаться к ее квартире, и только после этого вернулась за стол и жадно доела подостывшие за время схватки макароны.

Странное дело, но от стычки ей вдруг полегчало, словно вскрылся какой-то нарыв, и все еще больно, но понятно, что уже отпустило и дальше будет заживать.

Когда в дверь снова позвонили, Арина Родина взялась двумя руками за стол, некоторое время постояла и потом вытащила из ящика половник.

В случае чего, решила она, съезжу ей половником. По шиньону не больно, зато какой эффект!..

С половником в руке, очень решительная, она прошагала к двери и наотмашь распахнула ее.

— Черт тебя побери, Родионовна!

— А?!

— Бэ! Ты мне чуть в глаз не дала!

На площадке стоял Хохлов, только в последнюю минуту успевший избежать рокового удара судьбы. В руке у него были три жухлые гвоздички, обернутые целлофаном.

— Хохлов?! Откуда ты взялся?!

— От верблюда, — ответил Хохлов. Он отводил глаза, и лицо у него было странным. — Почему ты с половником?

— По кочану, — сказала Арина. — Ты же уехал.

— Я приехал.

Она ничего не понимала. То есть она совершенно искренне ничего не понимала, он видел это абсолютно точно. Надо же быть такой идиоткой!..

— Ну?

— Что — ну?

— Мне можно войти? — И он показал жухлыми гвоздичками на дверь.

— Ах да! — спохватилась Родионовна. — Просто я думала, что это соседка... А ты... проходи... Проходи, Митя!

И он прошел. Она вошла за ним, закрыла дверь и естественным движением сунула половник на полочку под зеркалом, как будто там ему было самое место.

После этого она покосилась на него, растерянно потерла щеки и спросила:

— А ты... чего приехал?

Хохлов стащил ботинки и подал ей букетик.

— Это тебе. Только они, наверное, замерзли. Хотя баба, которая их продавала, сказала, что в тепле отойдут. Но я бы ей не очень верил, потому что она была совершенно пьяная.

— Спасибо, — растерянно сказала Арина и приняла гвоздички. — Холодно на улице?

— Ужас.

Цветы были сморщенные и почерневшие по краям.

— Сейчас я найду вазу, поставлю их и сварю тебе кофе. У меня совершенно нет еды, потому что я думала, что успею в магазин, и мы уехали, а потом... Сейчас, я только цветы поставлю...

— Выкинь их в помойку, — посоветовал Хохлов, взял ее за щеки и поцеловал глубоко и бестрепетно, и еще сильно, и страстно, и горячо, несмотря на холодные с мороза губы, и еще как-то очень уверенно и вкусно.

— Это все неправильно, — сказал он потом. — Давай сначала.

— Что?

— Все. Давай сначала все.

Арина обнимала его, и целлофановый пакетик от гвоздик шуршал по его свитеру, и Хохлов повернулся, вынул пакет у нее из рук и аккуратно пристроил рядом с половником.

Она смотрела на него, и он видел, как у нее расширяются зрачки.

— Все дело в том, что ты старый друг, — сказал он приглушенно.

— Я друг, — согласилась она. — Конечно, не очень старый, но уже пожилой.

— Вот именно.

И он опять поцеловал ее. Гвоздички теперь не мешали, и она обнимала его изо всех сил.

— Я думала, все кончилось.

— Что ты, — удивился он. — Еще ничего не начиналось. То есть началось, но... как-то не так, как мне хотелось.

— Это из-за меня, да? — спросила она и потерлась о него носом. — Я все испортила, да?

— Ты испортила мне жизнь, — пожаловался Хохлов. — Давно. Когда собралась замуж за Кузю. Или еще немного раньше, когда твоя бабушка пекла лепешки, а я тебя учил... постой, чему я тебя здесь учил? Теории вероятности?

— Теории функции комплексного переменного.

— Точно, — подтвердил Хохлов с удовольствием, будто она сказала ему что-то очень приятное. — Точно. Так и есть.

Он прижимал Арину к себе, гладил по спине, и ей казалось, что его большая рука обнимает ее всю, словно он держит ее на ладони, закрывая со всех сторон, и это было странное чувство.

— Хохлов, — вдруг спросила она, — ты уверен, что тебе нужна именно я? А? Уверен?

Он неспешно целовал ее в висок и, оторвавшись, велел:

— Не задавай идиотских вопросов!

«Хорошо, — подумала она с замирающим восторгом. От виска, в который он ее целовал, мурашки шли по всей голове, даже макушку пощипывало. — Как скажешь. Я не буду задавать тебе глупых вопросов. Я не буду делать ничего такого, что не понравилось бы тебе. Я буду просто чувствовать, впитывать, ловить каждое мгновение, и пропади оно все пропадом!.. Я слишком долго ждала. Или не ждала, а только сейчас придумала, что ждала именно его, с его пожухлыми гвоздичками, холодными губами, твердой шершавой щекой и запахом мороза и какого-то сложного одеколона?..»

Раньше все было неправильно, а сейчас стало правильно, неловкость, которая почти не давала ей дышать в первый раз, вдруг вся куда-то делась, и она стала ласкаться к нему так, как никогда и ни к кому не ласкалась.

Арине вдруг стало наплевать, что именно он о ней подумает, и подумает ли вообще, и вдруг ей захотелось свести его с ума, вот просто взять и свести, так, чтобы он тоже не мог дышать и тоже чувствовал только холод в затылке и еще что-то такое непонятное в позвоночнике, и неукротимый, неуемный, сумасшедший восторг, когда понимаешь, что лодку несет прямо к водопаду, но нет никакой смертельной опасности, а если и есть, так наплевать, оно того стоит, ведь нельзя же не попробовать вот так, хоть один раз в жизни, но именно так, когда от страха закрываешь ладошками глаза, а лодку все несет и несет, и кружится голова, и в последний момент, отняв ладони, вдруг видишь перед собой радугу, а под ней весь мир, от самой мелкой песчинки и до самой далекой звезды, и понимаешь, что он огромен и прекрасен, и он принадлежит тебе, пусть только один миг, но принадлежит, целиком и полностью, от края и до края!..

Она взяла Хохлова за уши, восторгаясь тому, какие это прекрасные, необыкновенные, исключительные уши, поцеловала в подбородок, и потом еще в щеку, и потом еще, не в силах удержаться, в губы, и еще и еще, хотя была совершенно уверена, что не умеет целоваться, давным-давно кто-то сказал ей такую глупость, и она почему-то в нее поверила. Начав целовать Хохлова, она совершенно забыла о том, что решила свести его с ума, и опустила руки, только когда он попросил:

— Отпусти мои уши. Мне больно и ничего не слышно.

— А что ты должен слышать?

Он не знал. Какая разница?!.

Он хотел ее так, что у него болело, кажется, даже в голове, и больше ни о чем он не мог думать, и ему хотелось лечь с ней на кровать и уже сделать что-нибудь такое, от чего перестало бы болеть, и чтобы она почувствовала и поняла... Нет, чтобы ей казалось... Нет, чтобы она пришла в восторг... Нет, чтобы...

Мысли, носившиеся по кругу, медленно затухали, осыпались искрами, как гаснет бенгальский огонь, и там, внутри, становилось черно, обморочно и щекотно, и он боялся, что не дотерпит, а сколько еще терпеть, неизвестно, потому что она опять взяла его за уши и опять принялась целовать, словно не понимала, что с ним делается!..

— Пошли, — попросил он жалобным и неуместно глупым голосом. — Пошли, пожалуйста, я больше не могу.

Кажется, она искренне удивилась, что куда-то нужно идти, и план соблазнения вот-вот рухнет, а она только начала оживать, словно ледяная корка, покрывавшая ее внутри и снаружи, стала подтаивать.

— Митя?

Хохлов знал ее квартиру как свои пять пальцев и знал, что в большой комнате — иногда она смешно называла ее гостиной — стоит брудастый короткий диван, который нужно раскладывать в несколько приемов, а в маленькой — сибаритская, немыслимой роскоши кровать, со столбиками и горой кружевных подушек.

Когда Арина купила себе эту кровать, Хохлов — ума палата — заподозрил было неладное, что-то шевельнулось у него в голове, какая-то мысль пробежала вроде той, что у обыкновенной, серенькой, затурканной переводчицы не может быть кровати, при одном взгляде на которую с нормальным мужчиной делается нечто вроде короткого содрогания во всех мышцах. С момента водружения кровати Хохлов предпочитал в спальню лишний раз не заходить, от греха подальше, и сейчас решил, что не пойдет ни за что!..

Не пойдет, и все тут!.. Она, может, намеревается продолжать в том же духе еще несколько часов, а ему для полного перегрева только еще кровати не хватает! И так обороты двигателя взлетели до максимума, того и гляди заглохнет, а он не может так перед ней опозориться!

Кое-как, волоча ее за руку — она все лезла его целовать, — Хохлов дошел до дивана и пристроился там, и это изменение положения оказалось еще хуже, потому что старая подруга Родионовна немедленно взобралась к нему на колени.

Она взобралась к нему на колени — боже праведный, помоги мне, я же ни в чем не виноват! — обхватила его с двух сторон длинными джинсовыми ногами, запустила руки в волосы, прижалась грудью, животом, всем телом и опять стала целовать.

Все, мрачно решил Хохлов. Все пропало.

Она целовала его в лицо, и за ухом, где становилось щекотно и тепло, и в шею, и он жался от нее, чуть не уворачивался, и дышал все глубже, и решил, что должен быстро вспомнить формулировку эффекта Джоуля—Томсона и его газодинамическую составляющую.

Даже формулировку не вспомнил, не то что составляющую!..

Как, бишь, ее, эту составляющую?..

Потом он забыл про Джоуля вместе с Томсоном.

— Почему?.. — спросил он, когда Арина дала ему возможность вздохнуть, — почему вчера ты не... не хотела меня?

— Что?..

— Ты ничего не хотела. Ты была как... снеговик.

— Я снеговик? — удивилась Арина Родина.

Щеки у нее горели, и губы горели тоже, волосы разлетелись, и кожа светилась ровным розовым светом, как будто внутри у нее зажглась лампочка. Хохлов подцепил пальцем майку и заглянул в вырез, чтобы увидеть лампочку, и не увидел.

Зато он увидел грудь в незатейливых кружевных кудрях давешнего лифчика, из-за которого она почему-то сильно нервничала. Словно влекомый непреодолимой силой, Хохлов медленно опустил руку в вырез, миновал кружевные кудри и потрогал ее грудь так, будто никогда ничего подобного не трогал.

Так, словно не было предыдущей ночи, после которой они сели в машину, как чужие.

Так, как будто не было ничего на свете важнее.

Арина замерла. Хохлов изо всех сил старался не шевелиться. Он знал, что стоит ему шевельнуться, и начнется необратимая цепная реакция, которая непременно приведет к неконтролируемым последствиям.

А разве он может поступить так со старым другом?..

Не может. Не может. Не мо...

— Я давно хотел у тебя спросить. — Он чуть-чуть шевельнулся. Сидеть было невыносимо. Руку держать там, где он ее держал, было невыносимо.

— А? — Она тоже старалась не шевелиться, и щеки у нее все разгорались и разгорались.

— Какого цвета у тебя глаза?

— А?!

— Глаза, — выдавил Хохлов. — У тебя же были совсем другие глаза. Когда-то, помнишь? Ну... не такие. Другие.

— А?!!

— Глаза, — настаивал Хохлов. — Я все смотрю, смотрю, они у тебя какие-то странные.

— Глаза?! — Она помотала головой. — Хохлов, тебя на самом деле интересуют мои глаза?! Вот именно сейчас?!

— Интересуют. И именно сейчас.

Она перестала Хохлова обнимать, вытащила его руку из выреза, проворно слезла с коленей — он морщился, когда она лезла, — и куда-то ушла.

Ничего такого он не ожидал. Он получил необходимую передышку, и был ей не рад. Его испугала пустота, которая вдруг образовалась вокруг него, как только Арины не стало. Пустота была такая... осязаемая и такая неожиданная, что он вдруг подумал, что дело зашло слишком далеко.

Любовь всегда представлялась ему в виде сосуществования двух разнополых человеческих индивидуумов в одном, отдельно взятом и не слишком большом пространстве. Есть люди, с которыми ты можешь сосуществовать, и тебя не раздражает чавканье, с которым твоя вторая половина ест салат оливье, ее колготки на трубе в ванной, волосы в раковине и окурки в блюдечке. Половину, в свою очередь, не раздражает ноутбук в кровати, носки под диваном и забытые третьего дня в микроволновой печи сморщенные, засохшие сосиски. И если все это для остроты сдобрено некоторым количеством здорового секса, который не противен обоим, — вот тебе и любовь.

Чудесная, надо сказать, вещь!..

Все заняты своими делами, и никто никому ничем не обязан. Если очень уж припечет, можно какое-то время пожить «общей жизнью»: ходить, к примеру, в кино, или на концерт группы «Любэ», или съездить к ее мамочке на чай, или в Турцию — поваляться на пляже. Потом, когда «общая жизнь» надоест, опять разойтись в разные стороны — она сидит на кухне, качает ногой в стоптанной тапочке, курит и разговаривает с подругой. Он в «кабинете», переоборудованном из бывшей кладовки, на компьютере бьет гадов лучевым пистолетом с лазерным прицелом. В это время никто не ездит к мамочке, и на концерт все ходят отдельно друг от друга. Ну, а в постель ложатся вместе и там проделывают некий более или менее — в зависимости от темперамента и настроения — зажигательный набор гимнастических упражнений, после чего погружаются в сон.

Пилюгины с их взаимным обожанием, веселыми детьми и всякими прочими глупостями не в счет, ибо из каждого правила есть исключения, только подтверждающие правило.

Пустота, которая вдруг надвинулась на Хохлова так осязаемо и плотно, что хотелось раздвинуть ее руками, в его представление о любви не входила, ну никак!..

В это время хлопнула дверь и в комнату влетела Родионовна. Щеки у нее по-прежнему сияли, и на раскрытой ладошке она держала какую-то пластмассовую штучку.

— Вот! — сказала она радостно и сунула штучку Хохлову под нос. — Понял теперь?

Он заглянул и ничего не понял.

— Что это такое?!

— Это линзы! — сообщила она и опять пристроилась к нему на колени, заполнив пустоту до самого края. — Ну, вон они болтаются, видишь, зелененькие?

И они оба уставились на ее ладонь.

— Родионовна, — сказал Хохлов с изумлением, — так у тебя не глаза зеленые, а линзы такого цвета?!

— Ну да!

И тут Хохлова накрыла такая волна безудержной, сумасшедшей, небывалой любви, что он весь покрылся «гусиной кожей». От любви.

Он осторожно принял с ее ладони пластмассовую штучку, в которой болтались линзы, со всех сторон обнял Арину и прижал к себе так сильно, как только мог.

Она притихла и затаилась, будто что-то понимала!..

— Родионовна, — сказал Хохлов, чувствуя, что голос его тоже подводит, словно покрывается мурашками, пропади оно пропадом, — тебе кто-нибудь когда-нибудь говорил, что в женщине должна быть загадка? Зачем ты мне приперла свои линзы?! Чтобы я точно знал, что глаза у тебя ни черта не зеленые?!

— Ты же спросил, — ответила она тихо. — Не буду же я тебе врать, Митя.

— Не будешь? — переспросил Хохлов, отстранил ее от себя и посмотрел в глаза. — Никогда не будешь?

Глаза у нее были серые, самые обычные, и еще она моргала, видимо, после своих линз, и со странным благоговейным трепетом он поцеловал ее закрывшиеся горячие веки, и потом еще под глазами, и брови, и щеки, и шею, и понял, что она почти не дышит, и тихонько усмехнулся.

— Я тебя люблю, — громко сказал он своим необыкновенным голосом и шумно вздохнул. — Я тебя люблю всю жизнь.

— Это неправда, — возразила она, не открывая глаз.

Он и сам знал, что неправда, но какая разница?!.

Какая теперь разница, кого и когда он любил, если есть только она, и в данный момент ему казалось, что всегда была только она, и только ее серые — самые обыкновенные! — глаза всегда смотрели только на него, только ему она улыбалась странной, загадочной женской улыбкой, ожидая того, что будет дальше, и это только сейчас и должно случиться, а вчерашняя глупость не в счет!..

И еще ему казалось, что нет никаких исключений из правил — вот оно, правило! И оно всегда выполняется, при одном лишь условии — что есть любовь, а у него есть любовь, совершенно понятная, ясная, и ее можно потрогать, обнять, посадить к себе на колени.

Вся любовь, которая только есть на свете, о которой писали старик Шекспир, старик Петрарка, старик Роберт Бернс, умерший, помнится, в тридцать семь лет, оказалась вполне осязаемой и материальной и сейчас сидела у Хохлова на коленях, и он держал ее за бока.

Даже не будучи Петраркой, он как-то очень отчетливо понимал, что это она и есть. Старая подруга Родионовна, воплощение вселенской любви.

— Я тебя люблю, — повторил Хохлов настойчиво,

потому что она должна была понять хоть что-нибудь из того, что понял он. — Ты слышишь?

Она покивала.

Он взял ее руку и поцеловал в ладонь, удивляясь тому, какая это необыкновенная музыкальная ладонь, отмеченная угловатой женственной грацией, и еще тому, что такая возвышенная чепуха лезет ему в голову!..

Ладонь сжалась, и пальцы ухватили его за нос.

— Интересно, — шепотом сказала Родионовна в самое его ухо, — если долго тянуть, у тебя вместо носа вырастет хобот?..

Хохлов хотел было выложить ей все, что он думает о хоботах и о том, откуда именно они растут, но тут она его поцеловала в какое-то на редкость неудобное место, в шею, и он забыл про хоботы.

Он никогда не задумывался о том, почему по научной классификации принадлежит к классу позвоночных, а теперь понял. Он принадлежит к классу позвоночных, потому что у него есть позвоночник, который сейчас окостенел, затвердел и покрылся инеем, как у попавшего в снежную лавину динозавра.

Только что динозавр мирно ощипывал листву с реликтовых берез, реликтовых дубов и, быть может, реликтовых кленов, но на него свалилась лавина, и он окостенел.

Окостеневший динозавр Хохлов сидел, сильно выпрямившись и глядя остекленевшим взором в одну точку. Родионовна от шеи потихоньку переместилась к его груди, для чего ей приходилось проводить серьезные работы, изворачиваться и то одной, то другой рукой придерживать его джемпер, который все норовил вернуться на место и скрыть от нее любимого.

Потом джемпер ей надоел. Она завозилась у Хохлова на коленях — он опять чуть не заплакал, — сдернула с него джемпер и швырнула себе за спину. Некоторое количество голого Хохлова оказалось теперь в ее полном распоряжении, и она хорошенько им воспользовалась.

Ледниковый период миновал так же внезапно, как и нагрянул, пришла даже не оттепель, а великая жара, лед растаял, и динозавр Хохлов стек по спинке брудастого дивана, так что одно плечо у него оказалось висящим в воздухе, другое — зажато большим количеством несгибаемого поролона, а шея вывернута под странным, неестественным углом. Должно быть, так и положено оттаявшим динозаврам. Сверху на нем сидела Родионовна и проделывала ужасные вещи.

Его язык прилип к гортани, сердце сотрясалось так, что было слышно, казалось, в скверике возле памятника Циолковскому, и дышать было трудно, очень трудно.

Бенгальский огонь, не простой, а какой-то на редкость здоровенный, загорелся внутри, искры полетели, и там, куда они падали, все шипело и болело от ожогов.

Он все хотел что-то ей сказать и, кажется, сказал, а потом оказалось, что нет, потому что они целовались отчаянно, а Хохлову было хорошо известно, что невозможно говорить и целоваться одновременно.

Когда она стащила с него джинсы, Хохлов опять призвал на помощь Джоуля вместе с Томсоном, и опять они ничем ему не помогли.

Все теперь держалось на тоненькой ниточке, и бенгальский огонь вот-вот должен был ее прожечь.

В какой-то момент мир вокруг них перевернулся вверх ногами, по крайней мере, так почудилось Хохлову, который видел теперь все будто со стороны, и оказалось, что Родионовна неудобно лежит на диване, и Хохлов нависает над ней, и у нее широко распахнутые серые глаза, и пылающие щеки, и приоткрытые в нетерпении губы, и она нетерпеливо подгоняет его, словно не в силах дождаться.

Искра пережгла ниточку, все рухнуло, обвалилось и с грохотом покатилось к финалу, и тут они оба увидели, как близок ревущий водопад, над которым сияет радуга, а у подножия лежит весь мир, от самой далекой звезды до самой последней песчинки, и что этот мир огромен и прекрасен и весь принадлежит им, пусть только один миг, но принадлежит, весь целиком, и за обладание им можно отдать полжизни, и именно это и имелось в виду, когда затевалась вся история, название которой «любовь»!

Казалось, оттаявший динозавр в какой-то миг вдруг затрубил на весь свет о своей победе и о своем новом знании, а может, и не трубил, но победа была полной и окончательной.

Вскоре после победы динозавру пришлось передислоцироваться. Лежать вдвоем на диване оказалось невозможно, впрочем, и лежанием это трудно было назвать. Скорее, свисанием.

Они свисали некоторое время, потом зашевелились, задвигались и приняли более устойчивое положение.

Какое-то время они просто тяжело дышали, глядя прямо перед собой, а потом повернули головы и взглянули друг на друга.

— Я только одного не понял, — сказал Хохлов после некоторого молчания, — где ты успела так развратиться?.. Меня же не было в твоей жизни!

— Я развратилась только что, — объявила Арина. — На твоих глазах. И я очень хочу пить.

Тут они проворно поднялись с дивана и одновременно ринулись в сторону кухни.

— Я тебе принесу! — сказал Хохлов.

— Лежи, я сама налью, — сказала Родионовна.

И они опять посмотрели друг на друга.

Бенгальский огонь потерял свою силу и теперь лишь тихонько и приятно шипел внутри, и Арина, взглянув на Хохлова, вдруг осознала, *как* он выглядит и *что именно* на нем осталось из одежды. Она сама выглядела ничуть не лучше, и только что развратившаяся Арина ахнула и изменила маршрут. Не добежав до кухни, она свернула в ванную, натянула шелковый халат, который когда-то был розовым, а потом приобрел неопределенно бежевый оттенок, кинулась на кухню и бросилась Хохлову на шею.

Он пил воду из бутылки и немного пролил, когда она бросилась на него.

— Хочешь?

Она взяла у него бутылку, закинула голову и тоже стала жадно пить. Хохлов смотрел, как двигается ее горло.

— После секса всегда сушняк? — осведомилась она, оторвавшись от бутылки, и снова стала пить. Хохлов все любовался ею.

— Хочешь, я тебя покормлю? — спросила она, напившись вволю. — Ты же небось голодный приехал! Я сейчас могу быстренько...

— Ты сказала, что у тебя ничего нет, — возразил Хохлов.

Незастегнутые джинсы все время уезжали с задницы и, чтобы не придерживать их рукой, он сел на табуретку и поставил Родионовну между собственных коленей.

— У меня всегда есть банка консервированной ветчины, — объявила Родионовна, обняла его за голову и прижала к истертой шелковой ткани, под которой очень сильно билось ее еще не остывшее сердце. Она подозревала, что сердце теперь не остынет никогда. — Мне часто некогда сходить в магазин, или сил нет, и я всегда держу банку ветчины и сосисок, чтобы не умереть с голоду. Хочешь?

— Чего?

— Ветчины или сосисок? Или и того и другого?

Хохлов взял Арину руками пониже спины и придвинул к себе поближе. От ее халата пахло ванной, духами и ею самой. Он порылся носом, нашел то, что искал, уткнулся и опять почувствовал трепет, который вполне можно было характеризовать как благоговейный, если бы он не перерастал так быстро в самое обыкновенное вожделение.

Прежде, до ледникового периода и воспоследовавшего потепления, его простые и незатейливые эмоции не перерастали так быстро в это самое вожделение.

Он еще порылся носом — Родионовна замерла и дышать перестала — поднял голову и предложил загадочно:

— Давай еще разочек? Быстренько! Пока дети в школе.

— Какие дети, Хохлов? — спросила она дрогнувшим голосом. — Или после секса у тебя наступает не только сушняк, но и маразм?..

— Наши дети, — объяснил Хохлов. — Они в школе, мы еще успеем. Только давай на кровати, а? Если я упаду с дивана, тебе придется меня лечить, и я ни на что не буду годен.

— Хохлов...

Странно, что она ничего не понимает!.. Как она может не понимать после того самого водопада, который они видели вместе?!

— Митя, ты так странно говоришь...

— Да не странно! — с досадой возразил Хохлов. — Ну, у нас же появятся дети! И сначала они будут маленькие, а потом пойдут в школу! И по субботам мы станем провожать их на занятия и заниматься любовью, пока они не пришли. Что в этом непонятного?..

Тут Арине стало почему-то страшно, и Хохлову стало страшно, и она предложила робким голосом:

— Давай чаю попьем!

Он отпустил ее, они уселись по разные стороны стола, и Арина вытащила его любимое печенье, и некоторое время они задумчиво хрустели им, поглядывая друг на друга.

Когда есть печенье и в тонкой чашке рубиновый чай, остро и тонко пахнущий, все становится на свои места. Хохлов с Ариной синхронно думали о том, что все, пожалуй, не так уж страшно.

Пожалуй, в происходящем вообще не было ничего страшного.

Они пили чай так, как пили его всегда, и в то же время совсем по-другому, с каким-то новым и прекрасным чувством знания друг друга, еще не остывшие от пережитого, и печенье казалось самой вкусной штукой в мире, и в их сидении за столом было что-то от хохловской недавней фантазии — дети в школе, и у них есть полдня только друг для друга, и вся жизнь еще впереди, и любовь впереди, а в спальне стоит самая необыкновенная на свете кровать, и они сейчас пойдут и упадут в нее, и в их распоряжении будет бесконечность!..

— Хорошо, что ты приехал, — сказала Арина задумчиво. — Какой ты молодец, что приехал!

— Я вообще молодец, — согласился Хохлов. — А почему ты была с половником, когда открыла?

— А! Я думала, это соседка пришла.

— Она собиралась к тебе за половником?

— Нет, просто я хотела стукнуть ее по голове, — объяснила Родионовна, и Хохлов вытаращился на нее. — Мить, а ты правда меня любишь?

— Да.

— Ты уверен?

— Да.

— А ты потом меня не разлюбишь?

— Нет.

— И ты на мне женишься? И у нас будут дети?

— Тьфу на тебя, Родионовна! Женитьба шаг сурьезный! — сказал Хохлов в сердцах. — Что ты привязалась?!

— Я хочу знать.

— Ну, и узнаешь, только не приставай ко мне сейчас!

И он вылез из-за стола, и поднял ее с табуретки, и стал целовать сладкие от печенья губы, и быстренько развязал на ней халат, сгреб ее в охапку и прижал к себе.

— Что ты пристаешь, — сказал он прямо ей в губы, — когда у нас простаивает шикарная кровать с подушками?!

— Митя.

— Да.

Он гладил ее по спине и по шее, и по ногам, и вожделение проснулось окончательно, и с ним уже трудно было справляться, и в какой-то момент Хохлов засмеялся, потому что осознал, что с ним и не нужно справляться!

Зачем?!.

Ледниковый период миновал! Динозавр Хохлов не вымер, а, наоборот, «приспособился», шагнул на новую эволюционную ступеньку, и на этой ступеньке ему больше ничего не нужно, у него все есть!

У него есть Родионовна — голая и прижавшаяся к нему, и в этом все дело.

Больше не нужно маяться от сознания, что приедешь домой, а там — Галчонок со своим вечным мобильником или, еще хуже, с подругой Таней и разговорами о неведомом младенце.

Больше не нужно звонить, не зная, что именно сейчас придется говорить, потому что на вопрос «Как у тебя дела?» Галчонок имела обыкновение отвечать: «Никак», а на вопрос «Какие планы?» следовал ответ «Никаких». Хохлов всегда в таких случаях отчего-то терялся.

Больше не придется ложиться в постель с твердым намерением выполнить обязательную программу, а о произвольной речь вообще не идет, какая там произвольная!..

Больше он не будет думать дурацкие думы о том, что все это ему не подходит, а где взять то, что подходит, — неизвестно.

Не нужно смотреть по телевизору юмористические

передачи, где по сцене скачет полный розовый мужчина и шутит о том, как жена налила мужу чай, а сама вышла в противогазе голая, а муж удивляется, зачем она выщипала брови. Этот же мужчина в телевизоре еще читал стихи: «Зима, крестьянин, торжествуя, ведет коня за кончик носа», — и зал умирал со смеху, потому что «нос» как раз не рифмовался, а рифмовалось другое слово, натурально смешное и всем понятное. Хохлов не был ханжой и словом этим, как все русские люди, время от времени пользовался, но намеки на него, особенно из телевизора, перестали интересовать его примерно в возрасте тринадцати лет, и он морщился, когда Галчонок кричала: «Слушай, слушай!» — и валилась на диван от хохота.

И этого ничего теперь не будет, а будет Родионовна и то горячее, страстное, искреннее, что получилось у них только что и будет получаться всегда, и Родионовну так же, как и его самого, не заставишь смотреть по телевизору на полного мужчину-шутника и слушать про коня и его нос!

Все хорошо. Все так хорошо, что даже не верится. И у них родятся дети — не зря он только что все про них придумал, — и собака Тяпа, и елка на Новый год, и шушуканье под дверью спальни на Восьмое марта, и всякие планы на отпуск, и море от края и до края, и земляничная горка в той самой деревне, где все так неудачно началось, и туман над Босфором, куда они обязательно поедут, чтобы показать детям Ай-Софию, бухту Золотой Рог и уцелевшие стены Константинополя!..

Только, кажется, Родионовна ничего этого не понимала, потому что соблазняла Хохлова изо всех сил и раздувала пожар вожделения, который и так полыхал, и все его возвышенные и глубокие мысли быстро сворачивались в трубочку от жара, как в огне сворачивается бумага, и он хотел только одного — чтобы она ни в коем случае не останавливалась. Впрочем, она и не собиралась.

Поддерживая друг друга и наступая на падающие хохловские штаны, они добрались до спальни с самой выдающейся в мире кроватью, упали на нее, подушки рассыпались, и впереди опять забрезжил водопад, тот самый, с высот которого так хорошо созерцается мир, огромный и прекрасный и где становится так ясно, что он принадлежит тебе, и...

...и Ольга нервничала с каждой секундой все заметнее.

Хохлов, который совершенно не нервничал, а все время хохотал и очень много ел, пытался ее утешить, но у него это получалось крайне неудачно.

— Да что с тобой такое! — в конце концов сказала Ольга в сердцах. — Что ты все время ржешь?! Степка сегодня танцует, Димон в КПЗ, у нас дела ни с места, а он веселится! Что случилось-то?!

— Ничего не случилось, — уверил ее Хохлов и опять захохотал. — Хочешь, я тебе анекдот расскажу? Значит, так. Раздал лев всем зверям мобильные телефоны, чтобы в случае чего они ему могли звонить, ну, и чтобы обстановку в лесу контролировать...

— Митя!

— А что — Митя? Там только одно слово неприличное, а все остальные вполне приличные!

— Митя! — прошипела Ольга еще раз и глазами показала на Степку, который чинно пил сок из большого стакана. — Степ, ты бы не пил перед выступлением! У тебя в животе будет булькать!

— Не будет у меня ничего булькать. Мам, а папа не придет, да?

Ольга вздохнула и улыбнулась сыну светлой улыбкой.

— Сынок, ты же знаешь, что у папы неприятности!

Как только они закончатся, он вернется, у тебя же не последнее выступление!

Степка отставил стакан, метнул взгляд на прекрасную барышню, которая сидела по правую руку от него, и ничего не сказал.

Да, подумал Хохлов, и в его неудержимом ликовании обнаружилась брешь. Да уж.

Пожалуй, первый раз Димон не пришел на показательные выступления сына, и вряд ли Степке можно объяснить, что обстоятельства сложились таким скверным образом и от отца в этих обстоятельствах ничего не зависит. То есть объяснить-то можно, и он, наверное, поймет, но все равно никогда не забудет это свое выступление, на которое отец не пришел!..

Степка занимался «спортивными танцами», и Хохлов, ничего не понимавший в этом искусстве, долго недоумевал, зачем Пилюгины отдали ребенка в такой непонятный... спорт или не спорт, даже не знаешь, как и назвать-то!

Все это было очень загадочно — шились костюмы, покупалась специальная обувь, и с партнершами вечно были какие-то сложные проблемы. Ольга в своем «шторном» ателье частенько создавала для них немыслимые наряды и долго совещалась с родителями партнерши, хороши они или плохи, особенно перед показательными выступлениями. Перед ними начинались жуткая суета и ажиотаж, все перезванивались и сообщали друг другу, что выступать будут на большой арене, а потом выяснялось, что нет, все-таки в клубе, а после все менялось, и начинали опять готовиться к арене... и снова к клубу. «Большой ареной» считались дворцы спорта, вроде Лужников, а клубы были каждый раз разные, самое главное — чтобы был подходящий танцпол.

Хохлов в этом ни черта не понимал. Была б его воля, и будь у него сын, он бы отдал пацана на футбол или теннис, где все понятно — вот площадка, вот мяч, беги быстрее, лупи сильнее, и все будет отлично.

В клубе, где Степка выступал в эту пятницу, было очень много народу, и на столиках стояли таблички с номерами — кому где сидеть. Родители волновались, громко разговаривали с чадами, стараясь перекричать музыку, которую включили «для разогрева». Вновь прибывшие родители оглядывали зал, шуршали портпледами, в которых привозили костюмы, и со встревоженными лицами устремлялись в «костюмерную», где дети переодевались.

Столик, за которым сидели Пилюгины, и Хохлов с Ариной, и еще Степкина партнерша с родителями, стоял у самого танцпола, и на нем красовался номер три, и Хохлов этим гордился. Номер три означал, что Степка высоко взлетел в неведомой ему табели о рангах и у него высокий рейтинг, а Хохлов искренне считал, что делом стоит заниматься только для того, чтобы быть в нем первым, самым лучшим, иначе и заниматься не стоит!

Растрепка сидел у Ольги на коленях и все порывался занять свободный стул, но мать не спускала его с рук, словно боялась, что если спустить, то с ним что-нибудь случится.

Арина протолкалась от барной стойки, принесла какие-то соки и крохотные бутербродики на блюде. Первое такое блюдо Хохлов уже съел и тут же принялся за второе. Кроме него, никто ничего не ел.

Степка, которому не разрешили допить сок, от нечего делать стал приставать к барышне.

— Натах, — спрашивал он. — А мне Вован сказал, что ты волосы красишь!

— А сам-то не красишь? — томно отвечала барышня, стреляя в него глазами.

— Я?! Не-а! А ты красишь, да?

— Ничего я не крашу! Это мой натуральный цвет.

— Ага, натуральный! Натуральный йогурт!

— Сам ты йогурт!

— Натах, Натах, ты только смотри ногу мне не отдави! Ты в прошлый раз ка-ак на ногу мою встала! Я чуть не завопил прям!

— Я?! Тебе?! Да ты сам мне сколько раз...

— Степ, отстань от нее, — велела Ольга.

— Наташ, прекрати, — сказала Наташина мать.

Всем было ясно, что говорится это «просто так», для порядка, а вовсе не для того, чтобы дети замолчали.

— А хочешь, я тебе сливочек напшикаю, — продолжал резвиться Степка, потрясая баллоном со взбитыми сливками, который демократично предлагался в комплекте с фруктами. — На клубничку! Перед выступлением в самый раз!

— Себе напшикай! Желательно на голову.

— Сейчас я тебе на голову!

— Мамотька, — спросил удивленный Растрепка, — затем сивки на гоову?

— Ни за чем, милый. Просто они шутят.

Степка переключился на Растрепку. Он зажал в зубах пучок зелени, завернутой в лаваш, так что тот свешивался у него изо рта с двух сторон, и начал:

— Я злой и страшный серый волк! Я в поросятах знаю толк! Р-р-р!..

— Мам, он меня пуга-аит!

— А ты не бойся.

— А когда начнется-то? — Хохлов съел все бутерброды со второго блюда и вопросительно посмотрел на Арину.

Примечательно, что она ответила вовсе не на вопрос, а на взгляд.

— Хватит, — сказала она решительно. — Лопнешь.

— Я?! — поразился Хохлов. — Я не лопну! Что тут было есть-то! Какие-то кнопки, а не бутерброды.

— Мить, ты можешь сколько влезет есть, — вступил Степка. — Ты же не танцуешь!

— Ма-ам, он щиплется!

— Где?!

— Под столом!

— У него сейчас выступление, малыш. Он просто волнуется.

— Я не волнуюсь! — провозгласил Степка. — Вот нисколечко не волнуюсь.

В это самое время на танцпол вышел нарядный худощавый человек с пробором в набриолиненных волосах, долго возился с аппаратурой, стучал по микрофону и что-то неслышно говорил звукорежиссеру. Затем он шикарно расшаркался на все стороны, провозгласил неизменное:

— Добрый вечер, дамы и господа!

И объявил, что показательные выступления танцоров в возрастной группе такой-то начинаются!

Аплодисменты, туш!..

Музыка загремела, все куда-то побежали, как будто поднятые внезапным ураганом, но быстро остановились и расселись по местам. Дети куда-то пропали, и Растрепка наконец вывернулся из рук Ольги и уселся на свободный стул с гордым и взрослым видом.

Хохлов искоса посмотрел на него.

Потом еще взглянул, прикидывая, спросить или не спрашивать, и решил, что сейчас самое подходящее время.

Растрепка занят и не почувствует никакого подвоха.

Хохлов быстро прикурил и подвинул к себе пепельницу. И наклонился к малышу. Он волновался, потому что от Растрепки сейчас зависело практически все — его, хохловская, теория не стоит выеденного яйца без Растрепки! Если малыш скажет совсем не то, что думает Хохлов, значит, конец. Нужно начинать все сначала.

— Растреп, — доверительно сказал он малышу на

ухо, — ты зачем из окна пепельницу выбросил? Ты же знаешь, что пепельницами не играют, в них курят!

Шоколадные глазищи в длинных девичьих ресницах распахнулись еще шире и уставились на Хохлова.

Ох, какие глаза!.. Всем девчонкам погибель, а не глаза! У парня не должно быть таких глаз. И танцами парень заниматься не должен! Он должен быть в меру грязный, может быть, с синяком, и играть в хоккей на площадке во дворе!

— Растреп?..

Малыш слез со стула, деловито придвинул его поближе к дяде, забрался обратно, стал на колени и обеими ручками обнял Хохлова за шею.

— А ты никому не яскажешь?

— Скажу, — признался Хохлов. — Придется, милый!

— Да я же не посто так игал! — Горячее детское дыхание обожгло ему ухо, и Хохлов покрепче прижал его к себе, такого маленького и все-таки уже увесистого, славно пахнущего и озабоченного.

— Хорошо. Ты не играл. А зачем ты ее кинул-то?..

— Стоб никто не куил!

— Чтоб никто не курил, понятно.

— Степка сказал, кто куит, тот умьёт! Я не хочу, чтоб ты умей! Или мама чтобы умейла!

— И чтобы никто не умер от курения, ты просто выбросил пепельницу в окно, да?

Растрепка покивал. Ольга, не слышавшая ни слова, посмотрела на них.

— Вы на кухни куили! А куить вьедно!

— Я знаю, что курить вредно, мой хороший! А ты слышал, что мы разговариваем и курим, да?

Растрепка опять покивал.

— Так ведь уже поздно было!

— А я пописать посел, — объяснил Растрепка беспечно. — Я засну, а потом мне писать хочетя, и я пьесыпаюсь. Мама говоит, что я моедец! Я отучийся от пампейся!

— Ты молодец, отучился от памперса, — похвалил Хохлов. — Ты просто умница!

— А мама не будит меня югать?

— Никто тебя не будет ругать! Только ты больше пепельницами не бросайся!..

Он еще теснее прижал Растрепку к себе, вдыхая его запах, и Ольга спросила:

— Что?

— Все нормально, Оль! Все хорошо.

Растрепка перелез к ней на колени, и тут объявили Степкино выступление.

Зал зашумел и затих, из динамиков грянула музыка в стиле «латинос», и Ольга, перекрикивая музыку, объяснила, что танец называется пасодобль.

Какое странное слово, подумал Хохлов. Странное и очень красивое, как в сказке. Что же это за страна, где люди танцуют танец, который называется пасодобль?!

Вышли танцоры, и Хохлов Степку не узнал.

Он не узнал его и даже воздуху в легкие набрал, чтобы спросить у Ольги, почему Степка не вышел, когда его объявили.

Тот, кто вышел, был вовсе не Степка. И дело даже не в нарядах, которые соответствовали слову «пасодобль» и казались немыслимо прекрасными.

Только что с ними за столом сидел самый обыкновенный пацан, который приставал к брату и задирал барышню-соседку. Пацан пил сок, булькал животом и один раз плюнул под стол, за что получил от Ольги нагоняй.

Сейчас на паркете был совершенно другой человек.

Он был взрослее и увереннее, у него появилась какая-то грация, осанка, изящество, черт возьми, и губы его улыбались сами по себе, а глаза оставались серьезными и сосредоточенными.

— Степка?! — сам у себя спросил Хохлов.

Родионовна услышала и покивала.

Барышня рядом со Степкой была прелестна и грациозна, и он управлял ею как хотел, повелевал и командовал, и по всему было видно, что он — мужчина, мачо, а она нежная, хоть и огненная, и в любую минуту готова ему подчиниться.

Откуда у совершенно русского Степки Пилюгина взялся такой бешеный латинский темперамент, а у этой девочки такая огненная страсть?! Это они или не они?! И может ли быть такое, чтобы человек вдруг переменился полностью, даже цвет глаз стал другой?!

Или все дело в пасодобле?..

Все закончилось обидно быстро, и сигарета, про которую Хохлов позабыл, обожгла ему пальцы. Он зашипел и сунул окурок в пепельницу.

Зал рукоплескал и повизгивал, Арина даже вскочила, чтобы поаплодировать стоя, а Хохлов спросил у Ольги:

— Он... всегда так танцует?

— Он талантливый, — объяснила Ольга и посмотрела Хохлову в глаза. — В смысле таланта он похож на своего отца. Только тот решает свои задачи, а этот, видишь, танцует.

Степка сиял и кланялся и все еще был мачо, и его длинная и почему-то смуглая рука легко держала невесомые пальчики партнерши, и у него была очень прямая спина, развернутые плечи, вскинутая голова, и улыбался он победной улыбкой.

Люди не сидели за столиками, а стояли полукругом вокруг танцпола, так им понравилось, как танцевал Степка, а увлекшийся пасодоблем Хохлов и не заметил, как они встали.

Какой-то высокий человек бесцеремонно протолкался в первый ряд и принялся аплодировать громче всех, так что на него с удовольствием оглянулся распорядитель с набриолиненным пробором.

Степка сделал пируэт, перекинул партнершу на другую сторону, четким юнкерским движением наклонил голову и тут заметил того самого человека, который аплодировал громче всех.

И Хохлов его тоже заметил.

— Папа!!! — И уверенный в себе, грациозный и темпераметный мачо, бросив партнершу, ринулся через танцпол, прыгнул Пилюгину на руки, изо всех сил стиснул его шею и повис на отце, как маленькая обезьянка.

Пилюгин подхватил его под задницу. Степка судорожно прижимался к нему, прятал лицо, и Хохлов вдруг перепугался, что мачо сейчас все-таки заплачет, как самый обыкновенный маленький пацан!..

— Папа!!! Папочка!!!

Извиняясь на каждом шагу, Пилюгин протолкался к своим. Ольга уже столкнула с коленей Растрепку и тоже примеривалась кинуться Димону на шею и, не стесняясь, плакала, а Арина, наоборот, смеялась, а малыш во все стороны крутил головой, не понимая, что случилось, и Степка, не отпуская отцовской шеи, вдруг стал болтать ногами и задел бокал с недопитым соком и перевернул его на скатерть, и стакан тоненько дзинькнул, и...

— ...и все! — Пилюгин допил чай из большой кружки и ложкой доел сахар. Ольга не отходила от мужа и все время за него держалась, как будто он четыре года воевал и случайно вернулся живым. — Они меня вытолкали, и я приехал. Я же знал, что Степка сегодня выступает!

Они все сидели на кухне у Пилюгиных, которая совершенно изменилась и вновь стала веселой и светлой, словно фея превратила тыкву в карету!..

— А вытолкали-то хоть под подписку?

— Какую подписку, Мить!

— Какую! Такую! Чтобы ты не смылся от правосудия!

Пилюгин посмотрел на Хохлова:

— Без всякой подписки меня вытолкали. Сказали — ты нам столько времени голову морочил! Признайся, Митя, ты звонил кому-нибудь?

— Игорю Никоненко я звонил, — признался Хохлов. — Сегодня вечером. И третьего дня тоже звонил.

— А что... ты ему говорил?

— Что я знаю, кто убил Кузю, и у меня доказательства есть, и что это вовсе не ты!

— Митя! — вскрикнула Ольга. — Ты знаешь, кто убил Кузю?!

— Да я еще вчера знал и тебе это говорил, между прочим!

Ольга растерянно моргала.

— Ты говорил, что его убил таксист! Но это же ерунда, Митя!

— Это никакая не ерунда! Помнишь, я у тебя спрашивал про шторы? Ну, есть ли шторы в Кузиной комнате?

— Помню, конечно.

— И ты мне сказала, что занавесок нет, помнишь?

— Ну, помню, помню!..

— Штор нет, а соседний дом есть! И я туда съездил и нашел квартиру, в которой живет молодая мать с ребенком. Ребенок не спал, она его качала, на руках носила, ходила по квартире и видела в окно, как тот человек громил Кузину комнату! И человека она видела, и белую машину, которая сбоку от общаги стояла. Машина-такси, все как по писаному. Я совершенно точно знал, что хоть кто-нибудь из дома напротив должен был видеть в Кузином окне свет среди ночи. Я знал, что так не бывает, чтобы все в доме спали как убитые и ничего не видели! И я просто это проверил!

— Как?!

Хохлов пожал плечами:

— Как, как! Я стал обходить квартиры, с первого этажа. На третьем живет мамаша с ребеночком, вот и все дела.

— Митя... — благоговейно проговорила Арина Родина.

— И все сходится! Зажигалка. Такси, которое впускал и выпускал дворник Хакимка. Такси, которое стояло возле детской площадки! Такси у общаги, которое видели из окна соседнего дома. И штаны засаленные! Помните, баба Вера сказала, что у Кузи были засаленные штаны, она их видела, когда он на лестнице стоял!

— Ну?..

— А я точно помню, что у Кузи были совершенно новые штаны. Когда они с Димоном вот тут по дивану катались, у него даже бирка магазинная вылезла из-за ремня. А засаленные штаны бывают у таксистов!

— Это спорный вывод, — сказала Ольга, подумала и поцеловала Димона в щеку.

Просто так. Потому что он воевал четыре года и неожиданно вернулся живым.

— И он все знал! И про деньги Кузя вполне мог ему рассказать, потому что он свой! Он абсолютно свой!

— А пепельница? — тихонько спросила Арина. — Откуда она взялась?

— А про пепельницу, — веско сказал Хохлов и поднялся, — вы вот у кого спросите! — И он показал на Растрепку, который пальцем доставал из компота вишни, старательно жевал и косточки прятал в кулачок. — У борца с курением.

— А? — спросил Растрепка.

Ольга и Арина переглянулись.

— Как?!

— Девица Наталья Павловна из восемнадцатой квартиры, которая видела, как ты, Димон, подрался с Кузей у подъезда, упреждала меня, что под окнами вашего аристократического дома ходить не следует, — подняв вверх указательный палец, внушительно проговорил Хохлов. — Ибо жильцы кидают из окон что ни попадя. Вот, например, когда они с собачкой Милоном бежали домой, нечто похожее на камень просвистело как раз мимо головы нашей девицы! И как раз когда она была под вашими окнами!

Тут Хохлов утратил свой лекторский тон и перестал указывать перстом в небеса. Он оперся руками о стол и по очереди оглядел всех собравшихся.

— Ну, все укладывалось в схему, — сказал он и хлопнул ладонью по столу. — Кроме этой проклятой пепельницы! Ну никак я не мог понять, откуда она взялась! Откуда появилась в сугробе?! Кузя зачем-то взял ее с собой?! Димон решил покурить на улице именно в эту пепельницу?! Все чепуха, все! А когда Наталья Павловна раскололась... ну, то есть рассказала мне про камни, которыми жильцы кидаются из окон, я подумал, что это и есть наша каменная русалка! А выкинул ее Растрепка, в пылу борьбы с курением.

— Я табулеточку поставил, — сообщил Растрепка с набитым ртом. — Отклыл окошко и выбьясил. Стобы никто не умей.

— Чтобы никто не умер, — повторил Димон растерянно. — Ты выбросил пепельницу, чтобы никто не умер от курения, да, сынок?

Растрепка важно покивал. Косточки уже не помещались у него в ладошке, и он стал по одной выкладывать их на стол.

Димон Пилюгин взялся за голову, наклонился вперед и стал качаться из стороны в сторону.

— Эта пепельница! — вдруг крикнул он и перестал качаться. — Единственный и самый убийственный аргумент. Я понятия не имел, я даже предположить не мог, как она могла там оказаться! Я все время об этом думал, по ночам думал только про эту проклятую пепельницу! Но экспертиза выяснила, что на ней нет следов крови, и вообще на снегу тоже было мало крови.

Ольга стремительно обняла его, и они некоторое время так посидели.

— Ну, вот следствие и решило, что Кузю убили в другом месте. Ну все, — сказал Пилюгин и похлопал жену по спине. — Ну, все, все. Свари нам кофе, Ольга.

— Какой еще кофе на ночь глядя?! Чаю зеленого, снотворное, и всем спать! Степ, ты меня слышишь? Давай быстро в ванную!

— Иду, мам.

— Свари мне кофе, Оль, — повторил Пилюгин. — Мить, я не знаю, конечно, но я бы...

— Не знает он! — пробормотал Хохлов. — Зато я знаю. Нам нужно довести дело до конца и сдать подполковнику Никоненко готового убийцу, хоть он и говорит, что этим делом занимаются областные, а он московский! Но мне почему-то хочется сдать гада именно ему. А тебе, Димон?

— И мне хочется.

— Значит, так и поступим.

— С ума сошли? — с ужасом спросила Ольга. — Я никуда вас не пущу! Димка, даже не думай!.. Тебе что, мало?! И... и...

— Не кричи, — сказал Пилюгин, взял ее за руку и притянул к себе. — Кузя — это *наше* дело, Оль. Больше ничье. Прав Хохлов.

— Дима, ты ненормальный! Арина, скажи что-нибудь, что ты сидишь как истукан! Они же видишь куда собрались!..

— Они уже все решили, Ольга, — сказала Арина. — Мы их не остановим, разве ты не понимаешь?

— Умница, — похвалил Хохлов. — Просто молодец. Соображаешь. И вообще волноваться совершенно не из-за чего! Нас двое, а он один.

— Но он убийца! — Это крикнула Ольга.

И Хохлов, и Пилюгин улыбнулись одинаковыми улыбками, полными мужского превосходства, означавшими, что женщинам все равно объяснить ничего нельзя, да и не нужно!.. Они, мужики, должны довести дело до конца, и точка.

Мужчины идут на войну, женщины плачут дома.

Странно было идти на войну, когда все уже почти хорошо, когда дома горит уютный свет, когда дети собираются в ванную и ссорятся из-за того, кто пойдет первым, а у женщин такие родные и добрые лица! Странно, и очень не хочется, и в прошлой жизни Хохлов ни за что не пошел бы ни с кем воевать, но все изменилось, когда убили Кузю.

Одного из них убили, а второй как будто умер сам, только некого похоронить, и уж лучше было бы похоронить и поплакать над могилой, чем так, как сейчас, и Пилюгину еще только предстоит об этом узнать!..

Их было четверо, а стало вдвое меньше — большие потери, которые никак нельзя возместить, но можно поставить точку и жить дальше, стараясь не вспоминать и все-таки вспоминая!

Вот примерно так думал Хохлов, и ему очень хотелось поставить эту самую точку.

Они доехали очень быстро — в их городке до всего можно добраться за пять минут, а пешком пройти из конца в конец всего-то за час!..

Они доехали и еще некоторое время сидели в машине, курили и не разговаривали.

Очень на войну не хотелось.

Хохлов думал, что зря он потащил Димона из дому среди ночи, когда того только сегодня выпустили из каталажки, а Пилюгин думал, что зря он втянул друга в такую скверную историю. И обоим очень хотелось повернуть назад, и будь они в одиночестве, каждый непременно повернул бы, но они были вдвоем, и признаться в слабости — означало струсить.

Мальчики всю жизнь играют в войну, и самое тяжкое преступление в этой игре — струсить. Никак нельзя!..

— Пошли? — спросил Хохлов и задавил в пепельнице сигарету. — Раньше сядешь — раньше выйдешь! Пошли, Димон!

Не отвечая, Пилюгин полез из своей двери. Было темно, тихо и очень морозно, и дверь громко хлопнула, как выстрелила, в неподвижном выстуженном воздухе.

Они поднялись на третий этаж по скверной подъездной лестнице, Хохлов первый, Пилюгин за ним.

— Как ты думаешь, откроет?

Не отвечая, Хохлов нажал кнопку звонка, но за тонкой створкой не раздалось никакой трели, и тогда он сильно постучал в косяк двери.

За пыльным оконцем на лестничной клетке вставала луна, в морозной дымке казавшаяся призрачной и зыбкой, и больше всего на свете Хохлову хотелось уехать домой, к Родионовне, к собаке Тяпе и щенкам.

— Кого принесло? — спросили за дверью громко. — Чего надо?

— Это я, Хохлов. Открывай!

Воцарилось молчание, потом послышалось бормотание и звук отпираемого замка.

— А чего тебя принесло на ночь глядя?! Мне завтра на работу! Потерпеть не мог, что ли?!

И дверь распахнулась. Желтый свет ударил по глазам, и Хохлов зажмурился на секунду.

— Ты чего, не один, Митяй?! Кто это за тобой прется?!

— Это я, — сказал вошедший Пилюгин и захлопнул за собой дверь.

Хозяин сделал шаг назад. Лицо у него изменилось.

— Ты?! — спросил он и с трудом сглотнул, как будто судорога прошла по кадыку. Он передернулся и еще отступил назад. — А ты... откуда взялся?! Тебя же менты забрали, ты брата моего убил!

— Я не убивал, — сказал Пилюгин.

— Он не убивал, — повторил Хохлов. — Ты его убил, Максим. И мы это знаем. И ты это знаешь. Так что давай без фокусов!

Про «фокусы» говорили в каком-то сериале, и Хохлов сказал про них только потому, что вспомнил сериал, но все это совсем не походило на кино.

Не так он представлял себе финал греческой трагедии, когда зло наказано, а добро торжествует. Не было фанфар и победного пения труб и горнов, не было золотого сияния правды в вышине, а в этой самой вышине сияла желтая лампочка, и в комнате работал телевизор, отсвечивая синим.

— Я не знал, что ты в такси устроился работать, — сказал Хохлов и шагнул вперед. — Если бы знал, я бы раньше все понял! А так мне все время казалось, что я где-то делаю ошибку — ну, не мог Кузя чужому человеку рассказать про свои несметные сокровища и про то, что он теперь заживет по-другому! А все дело в том, что человек был не чужой, а свой! Уж такой свой, что ближе некуда! Кузя подрался с Димоном, сел к тебе в машину и стал жаловаться, что Пилюгин на него наезжает, а он, Кузмин, теперь богатый человек, миллионер почти! Чем ты его стукнул, Максим? Бутылкой? Монтировкой?

— Да... ты... ты... что ты городишь, мать твою!..

Максим Кузмин зацепился за что-то ногой, ухватился за стул, стул поехал и загрохотал.

«И о погоде, — вещал телевизор бодрым женским голосом. — С прогнозом на завтра вас познакомит научный сотрудник...»

Хохлов мимолетно удивился тому, что жизнь не кончилась, что телевизор продолжает бодро болтать о погоде, и научная сотрудница с жеманными губками что-то говорит и водит руками, показывая циклоны и антициклоны!

— Я никого не убивал! Я не убивал!

— Ты убил. Ты ударил его так сильно, что он... умер. И ты еще возил его, мертвого, по городу, хватило у тебя выдержки! Ты приехал в общагу, нахлобучил его шапку и пошел искать эти самые миллионы! Не нашел и решил, что они у Арины, про нее ты все знал, и пошел к ней, и стал искать там, и опять не нашел! Зато ты бросил у нее свою шапку, и я понял, почему Кузя оказался в сугробе в мороз без нее! А Кузю ты свалил возле дома Пилюгина. Ты знал, что женщина гуляла с собакой и видела, как они дрались, и был уверен, что все спишут на него, и так оно и вышло! Поначалу...

Теперь Максим отступал к окну, а Пилюгин и Хохлов надвигались на него, и Хохлов говорил не останавливаясь:

— Димона забрали, но я знал, что он не мог Кузю убить! И я стал искать, и нашел зажигалку, на которой было написано «Городское такси»! А потом ты избил Родионовну, и у нее я нашел шапку. Только вот у Кузи был портфель. Куда ты его дел? Выбросил? Или пожалел?

Максим вдруг сделал странное движение глазами, в другое время Хохлов ни за что не заметил бы этого, особенно в неверном свете прогноза погоды, который, кажется, все продолжался в телевизоре, но сейчас он замечал все.

Он был на войне и больше всего на свете хотел, чтобы война эта закончилась и он с победой вернулся бы домой, к Родионовне, Тяпе и щенкам! Он не мог себе позволить чего-нибудь не заметить!..

Большими шагами он подошел к серванту, у которого одна дверца была оторвана, и вытащил из-за него синий Кузин портфельчик, который тот получил на какой-то научной конференции.

— Не выбросил, значит, — сказал Хохлов. — Себе приберег? Или кому подарить хотел?

— А пошел ты, сволочь! — крикнул Максим Кузмин. — Когда он мне стал говорить, что у него теперь полтинник долларов, я чуть с ума не сошел! Я копейки считал, на десятку в день жил, одни супы из пакетов жрал, а он, гнида, столько денег огреб! И еще хвастался, как на этой суке женится, на курорт ее повезет! Ладно бы вкалывал, а то всю жизнь жопу протирал!

Он орал, изо рта у него брызгало, и Хохлов брезгливо посторонился.

— Мой брат, мой собственный брат, твою мать! Всю жизнь я только и слышу, какой он умный, какой гениальный! Какой гениальный, твою мать? Урод! И мне заливал, что деньги уже получил, мол, они у него в кармане! Ну, я и дал ему по башке! Просто так дал, а он хлипкий, зараза! Глаза завел, голову запрокинул, и того!.. А денег-то у него не было! Не было у него бабок!

— Ты все врешь, сука, — произнес Хохлов на ровной ноте. — Ты ударил его не кулаком. Ты его ударил чем-то тяжелым в висок. И смеешь говорить, что не собирался убивать?! В суде все расскажешь!

— Вот тебе суд! Видал? Хрен тебе собачий, а не суд!

Максим кинулся к окну, ударил в хлипкие створки, стекло ахнуло и жалобно зазвенело.

— Держи его!! — заорал Пилюгин, но Максим уже перемахнул через подоконник и пропал.

— Твою мать!! Мать твою!!!

Голова к голове они высунулись в окно.

Черный человек лежал на белом тротуаре. Он силился подняться и никак не мог, он даже ползти не мог, хотя подтягивался на руках и подтаскивал странно вывернутые ноги.

— Третий этаж, — сказал Пилюгин, тяжело дыша. — Небось ногу сломал.

— Лучше бы он шею сломал, — пробормотал Хохлов. — Вызывай ментов, Димон. Все. Конец истории.

И они посмотрели друг на друга, а потом еще раз вниз и одинаково стали тащить из карманов мобильные телефоны, а после Хохлов осторожно поставил Кузин портфельчик на стул, и холод вваливался в распахнутое окно, и внизу стонали и матерились, и залаяла какая-то собака, и...

...и Родионовна решила, что он должен повесить этого самого тряпичного ангела почему-то обязательно перед работой.

Он не спорил. Кто же спорит с беременными?!.

Из ее затеи вышла целая эпопея, и в результате они поссорились. Хохлов кричал, что опаздывает на работу, Родионовна тоже повизгивала в том смысле, что и ей бы неплохо на службу, а Хохлов спрашивал, какого тогда рожна нужно вешать этого ангела непременно в девятом часу утра, а она отвечала, что больше ни минуты не может прожить без него, подвешенного к потолку.

Хохлов покорился. Кто же спорит с беременными?!

Ангела он повесил, и уехал на работу злой как собака, и весь день думал о том, что поссорился с Родионовной. Пусть это все ерунда, мелочи жизни, на которые не стоит обращать внимания, но он поссорился с ней первый раз за полгода, и от этого ему было неуютно.

В середине дня Хохлов бросил работу и поехал к ней, в ее переводческое бюро, и они наскоро помирились, стоя в дверях старинного особняка в центре старой Москвы, где она работала.

Люди входили и выходили, Хохлов теснился, пропуская их, и примирение было очень уж скомканным, но лучше так, чем поссориться!

В первый раз за полгода.

На площади было людно, и старуха с добрым лицом кормила голубей, Родионовна время от времени на нее посматривала. Глядя на старуху с древним, морщинистым лицом, и стоя в дверях своей конторы, и слушая Хохлова, Родионовна почему-то представляла себе, как станет старой, а потом умрет, и Хохлов умрет, и еще, не дай бог, раньше ее, а она с ним поссорилась!

Тут Арина залилась слезами, бросилась к нему на шею, и они помирились окончательно, и Хохлов пошел к машине, а она взялась за ручку облупленной входной двери.

У нее за спиной, где старуха кормила голубей, вдруг что-то всполохнулось и захлопали крылья.

Арина быстро оглянулась, и Хохлов, который в этот момент оглянулся тоже, издалека помахал ей рукой.

Голуби разлетелись, и старуха куда-то подевалась, площадь была пуста.

...а может, и не было никаких голубей?..

Ведь всем хорошо известно, что, если быстро-быстро оглянуться через правое плечо, вполне можно заметить стоящего за ним ангела.

Литературно-художественное издание

Татьяна Устинова

ГЕНИЙ ПУСТОГО МЕСТА

Ответственный редактор *О. Рубис*
Редактор *Т. Семенова*
Художественные редакторы *Д. Сазонов, А. Стариков*
Компьютерная графика *А. Марычев*
Технический редактор *Н. Носова*
Компьютерная верстка *О. Шувалова*
Корректор *О. Степанова*

В оформлении обложки использован рисунок *Н. Провозиной*

ООО «Издательство «Эксмо»
127299, Москва, ул. Клары Цеткин, д. 18/5. Тел.: 411-68-86, 956-39-21.
Home page: **www.eksmo.ru** E-mail: **info@ eksmo.ru**

Оптовая торговля книгами «Эксмо» и товарами «Эксмо-канц»:
ООО «ТД «Эксмо». 142700, Московская обл., Ленинский р-н, г. Видное,
Белокаменное ш., д. 1, многоканальный тел. 411-50-74.
E-mail: **reception@eksmo-sale.ru**

Полный ассортимент книг издательства «Эксмо» для оптовых покупателей:
В Санкт-Петербурге: ООО СЗКО, пр-т Обуховской Обороны, д. 84Е.
Тел. отдела реализации (812) 365-46-03/04.
В Нижнем Новгороде: ООО ТД «Эксмо НН», ул. Маршала Воронова, д. 3.
Тел. (8312) 72-36-70.
В Казани: ООО «НКП Казань», ул. Фрезерная, д. 5. Тел. (8435) 70-40-45/46.
В Самаре: ООО «РДЦ-Самара», пр-т Кирова, д. 75/1, литера «Е». Тел. (846) 269-66-70.
В Екатеринбурге: ООО «РДЦ-Екатеринбург», ул. Прибалтийская, д. 24а.
Тел. (343) 378-49-45.
В Киеве: ООО ДЦ «Эксмо-Украина», ул. Луговая, д. 9. Тел./факс: (044) 537-35-52.
Во Львове: Торговое Представительство ООО ДЦ «Эксмо-Украина»,
ул. Бузкова, д. 2. Тел./факс: (032) 245-00-19.

Мелкооптовая торговля книгами «Эксмо» и товарами «Эксмо-канц»:
117192, Москва, Мичуринский пр-т, д. 12/1. Тел./факс: (495) 411-50-76.
127254, Москва, ул. Добролюбова, д. 2. Тел.: (495) 745-89-15, 780-58-34.

Подписано в печать 31.08.2006.
Формат 70×90 $^{1}/_{32}$. Гарнитура «Таймс».
Печать офсетная. Бумага тип. Усл. печ. л. 12,87.
Тираж 400 100 (300 100 РБ + 100 000 ПсЛ) экз. Заказ № 4771.

Отпечатано в полном соответствии
с качеством предоставленных диапозитивов
в ОАО «Можайский полиграфический комбинат».
143200, г. Можайск, ул. Мира, 93.